René Barjavel

L'Enchanteur

Denoël

René Barjavel est né à Nyons, en Provence, en 1911. Il fait ses études au collège de Cusset, dans l'Allier. Après avoir occupé et quitté divers emplois, il entre au *Progrès de l'Allier* et apprend, sur le tas, son métier de journaliste. Puis il rencontre l'éditeur Denoël qui l'engage comme chef de fabrication. Après la guerre qu'il a faite dans les zouaves, Barjavel publie son premier roman, *Ravage* (1943), bien avant la grande vogue des ouvrages de science-fiction. Depuis *Ravage*, aujourd'hui vendu à plus d'un million d'exemplaires et étudié dans les lycées, Barjavel a écrit une vingtaine de romans, dont les plus connus sont *La nuit des temps*, *Les chemins de Katmandou*, *La faim du tigre* et *Les dames à la licorne* (avec Olenka de Veer). Il a aussi été dialoguiste d'une vingtaine de films, dont les fameux *Don Camillo*.

René Barjavel est mort en 1985.

aux bardes, conteurs, troubadours, trouvères, poètes, écrivains, qui depuis deux mille ans ont chanté, raconté, écrit l'histoire des grands guerriers brutaux et naïfs et de leurs Dames qui étaient les plus belles du monde, et célébré les exploits, les amours et les sortilèges,

aux écrivains, chanteurs, poètes, chercheurs d'aujourd'hui qui ont ressuscité les héros de l'Aventure,

à tous, morts et vivants, avec admiration et gratitude je dédie ce livre qui leur doit son existence,

et je les prie de m'accueillir parmi eux.

R. B.

Il y a plus de mille ans vivait en Bretagne un Enchanteur qui se nommait Merlin.

Il était jeune et beau, il avait l'œil vif, malicieux, un sourire un peu moqueur, des mains fines, la grâce d'un danseur, la nonchalance d'un chat, la vivacité d'une hirondelle. Le temps passait sur lui sans le toucher. Il avait la jeunesse éternelle des forêts.

Il possédait les pouvoirs, et ne les utilisait que pour le bien, ou ce qu'il croyait être le bien, mais parfois il commettait une erreur, car s'il n'était pas un humain ordinaire, il était humain cependant.

Pour les hommes il était l'ami, celui qui réconforte, qui partage la joie et la peine et donne son aide sans mesurer. Et qui ne trompe jamais.

Pour les femmes, il était le rêve. Celles qui aiment les cheveux blonds le rencontraient coiffé d'or et de soleil, et celles qui préfèrent les bruns le voyaient avec des cheveux de nuit ou de crépuscule. Elles n'étaient pas amoureuses de lui, ce n'était pas possible, il était trop beau, inaccessible, il était comme un ange. Seule Viviane l'aima, pour son bonheur, pour son malheur peut-être, pour leur malheur ou leur bonheur à tous les deux, nous ne pouvons pas savoir, nous ne sommes pas des enchanteurs.

9

Pour tous, il était l'irremplaçable, celui qu'on voudrait ne jamais voir s'en aller, mais qui doit partir, un jour.

Quand il quitta le monde des hommes, il laissa un regret qui n'a jamais guéri. Nous ne savons plus qui est celui qui nous manque et que nous attendons sans cesse, mais nous savons bien qu'il y a une place vide dans notre cœur.

Le grand cerf blanc sortit d'un fourré d'aubépines sans déranger la moindre fleur. Son poil était pareil à de la neige fraîchement tombée et tandis qu'il traversait la clairière sa ramure se balançait comme la voilure d'un vaisseau.

Merlin aimait prendre cette apparence quand il se déplaçait dans la forêt. Il s'arrêta sans bruit au débouché du sentier qui menait à la source de l'Œil, ainsi nommée parce que, par les beaux jours, le ciel se reflétait à la surface de la vasque qu'elle s'était creusée dans le sable et le fin gravier, et elle prenait alors la ressemblance d'un grand œil bleu entre des cils de menthe et de myosotis.

Une fille était en train de s'y baigner, blonde et nue. Le cerf la voyait à travers le feuillage. Elle était très jeune, douze ans, treize ans peut-être. Dans l'eau jusqu'aux genoux, elle y puisait avec ses mains en coupe, et s'en éclaboussait. Elle riait pour ne pas frissonner, poussait des exclamations, chantait des bribes d'air sans paroles. Le soleil jouait sur ses courts cheveux dansants et sur les perles d'eau qui roulaient sur sa peau rose et dorée. Ses seins qui hésitaient à s'arrondir devenaient pointus sous la provocation de

11

l'eau fraîche. Quand elle riait, l'éclat de ses dents était blanc comme la chair des amandes nouvelles. Ses longues cuisses n'étaient plus les tiges maigres de la fillette qui pousse, et pas encore les branches galbées de la jeune fille. Esquisses exquises, promesses qui seraient tenues, ses courbes légères en mouvement annonçaient la perfection du plus grand chef-d'œuvre de la Création : le corps que Dieu a fait à la femme, de ses mains, avec un morceau d'homme.

Et la source riait avec elle, couvrait ses pieds de sable frais, faisait éclater des bulles entre ses orteils. Une salamandre vert et or qui nageait autour de ses chevilles sortit de l'eau et lui tira la langue. Une merlette couleur d'écorce se posa sur sa tête et réussit à chanter comme un merle. Dans le soleil et dans l'eau, ses mains fines dansaient comme deux fleurs animées par le vent.

Dans le corps du cerf blanc, le cœur de Merlin tremblait. Il savait qu'il ne la reverrait plus telle qu'elle était en cet instant. Demain, tout à l'heure, elle serait déjà différente. Elle avait la beauté déchirante de ce qui change si vite qu'on ne peut jamais le retrouver. Plus tard, en souvenir de cette rencontre, il créa une rose dont la forme et la couleur varient d'heure en heure et qui ne vit qu'une journée. Elle fleurit encore en Angleterre. Les Anglais la nomment Yesterday : Hier... Car son présent est déjà le passé.

La forêt n'était que silence et chants d'oiseaux, chant de la source et de la fille, chant des feuilles et des rameaux qui s'étirent dans les bras de l'air tiède. Rien ne parvenait jusque-là du fracas de la bataille qui se déroulait dans la plaine devant Carohaise. Merlin l'avait quittée au moment où elle tournait à l'avantage des défenseurs de la petite cité, et où ceux-ci n'avaient plus besoin de lui. La voix de son père l'avait prévenu que le roi Arthur allait courir un nouveau danger. Elle avait résonné dans sa tête au milieu du combat, grinçante, narquoise, comme à l'accoutumée.

— Pauvre fils idiot, disait-elle, te voilà tout occupé à assister ce jeune niais contre les Saines, les Romains et les Alémans, mais l'adversaire qui l'attend près de l'Œil est autrement dangereux pour lui...

Et la voix s'était tue, dans un grand rire de ferraille.

Merlin s'était aussitôt transporté dans la forêt pour voir qui était cet adversaire inconnu qui allait se dresser devant le jeune roi Arthur.

Et en découvrant cette enfant miraculeuse il avait compris que c'était pour lui que son père avait disposé ce piège, le pire qu'il lui eût jamais tendu. Il s'y était jeté tout droit, et il se demandait s'il pourrait jamais s'en libérer.

Son père était le Diable.

Merlin était créature de Dieu, et tout entier à son service, mais le Diable l'avait engendré, et ne désespérait pas de le reprendre en son pouvoir. Il profitait de toutes les occasions qui se présentaient pour essayer de le faire trébucher. Et quand elles ne se présentaient pas, il les créait.

Il n'avait pas créé cette fille, mais tissé la trame de sa rencontre avec Merlin, et sans doute avec Arthur. L'Enchanteur voulut savoir qui elle était, et il le sut. Elle se nommait Viviane, elle était la fille d'un petit gentilhomme presque sans terres, mais de très haut lignage puisqu'il descendait de Diane à qui cette forêt avait appartenu. Dans les veines de Viviane, dans la fraîcheur éclatante de son innocence, coulaient le sang et la puissance de l'ancienne reine de la forêt, disparue du monde. Si l'enfant magique s'intéressait à Arthur, celui-ci serait perdu pour le Graal...

Merlin avait pris en main la destinée d'Arthur avant même sa naissance. Il voulait qu'il devînt le meilleur chevalier du monde, capable de retrouver le Graal dont l'absence causait le malheur des hommes. Il aidait Arthur autant qu'il pouvait. Cela ne consistait pas à supprimer les obstacles devant ses pas, mais au contraire à en susciter de plus en plus difficiles à surmonter, pour obliger Arthur à grandir. Le garçon était vaillant, clair, gai, plein d'amitié, il se battait sans haine, avec la force d'un taureau d'Espagne, et n'avait jamais trouvé son maître. Il venait, dans cette journée, d'abattre le chef des Romains Ponce Antoine en le perçant de part en part, la moitié de sa lance sortie dans son dos. Et, de son épée, il s'était taillé un chemin de sang vers le duc Frolle, chef des Alémans, qui, abandonné par ses hommes en débandade, avait tourné bride et quitté le champ de bataille.

Arthur allait avoir dix-sept ans dans trois jours. A seize ans il était monté sur le trône du royaume de Logres. Il avait vaincu les chevaliers les plus forts et les plus adroits, battu les chefs de guerre les plus sauvages. Le temps était venu de le lancer dans l'Aventure. Merlin ne vit qu'une façon d'empêcher le Diable et Viviane de le faire trébucher.

La Bretagne, c'était la moitié sud de ce qu'on appelle aujourd'hui Angleterre, plus l'île mère d'Irlande et ses innombrables enfants îles, plus la Bretagne française qu'on nommait alors Petite Bretagne.

Les chevaliers, les rois, les armées, les envahisseurs allaient d'une Bretagne à l'autre sur de grands ou petits vaisseaux. Parfois arrivait ou partait une barque sans voile ni rameurs, elle naviguait sur les fleuves ou au large sur le grand océan, transportant des chevaliers vivants ou morts, ou une épée qui flamboyait.

Merlin vivait à la fois dans les trois Bretagnes. Il semble qu'il soit né en Irlande, ou en Galles, mais il y a aussi des raisons de penser qu'il naquit en Armorique. Cela n'a aucune importance. Il était partout où il devait être.

Il fut d'abord avec les Druides et peut-être, avant les Druides, avec ceux dont le nom s'est usé et a disparu au long des siècles. Après les Druides il fut avec les moines chrétiens, et mit fin lui-même à sa présence parmi nous quand se termina l'Aventure qu'il avait déclenchée et, autant qu'il avait pu, dirigée.

Des rumeurs venues des temps perdus laisseraient supposer qu'avant l'Aventure de la Table Ronde, Merlin avait déjà plusieurs fois envoyé les hommes à la recherche du Graal. Car si *nul ne sait ce que contient le Graal, du moins est-on assuré que lorsque les hommes s'en détournent, ils perdent la joie d'exister, car ils ne savent plus ce qu'ils sont, ni pourquoi ils sont. Ils cessent d'être vivants : ils sont seulement en vie.*

Alors un prophète ou un enchanteur relance les hommes à la recherche du trésor égaré. Mais il est très difficile à retrouver, et en son absence les malheurs jaillissent de la Terre et du Ciel.

La bataille avait commencé au plein jour levé. Frolle, duc des Alémans, Ponce Antoine qui commandait les Romains, et Claudas, roi de la Terre Déserte, ne doutaient pas d'enlever facilement la petite cité fortifiée, dernière place forte du vieux Léaudagan, roi de Carmélide, dont ils avaient ravagé les terres. Leurs troupes coalisées couvraient la plaine à l'ouest de Carohaise. Derrière les murailles, dans les cours et ruelles, campaient les paysans réfugiés, avec leurs cochons et leurs volailles, tout ce qu'ils avaient pu pousser devant eux. Sur l'esplanade, au pied du château, l'armée de Léaudagan attendait le moment de l'action. Elle était dix fois moins nombreuse que les assaillants, mais composée d'hommes fidèles, prêts à mourir.

Au ras de la porte, impatient de sortir, piaffait le groupe des quarante et un, arrivé trois jours plus tôt. Arthur, que personne encore ne connaissait en Carmélide, chevauchait à leur tête. Il avait demandé pour eux loisir de franchir l'enceinte et de se présenter au roi. En leur nom il offrit à celui-ci de se battre pour lui jusqu'au dernier sang, à condition qu'il ne leur demandât pas qui ils étaient.

17

Le vieux roi avait accepté, sur leur mine franche. Mais il ne comptait guère sur cette poignée de combattants dont le plus âgé n'avait sûrement pas vingt ans.

Si le vieux roi avait connu qui ils étaient, son cœur s'en fût trouvé conforté, car il n'y avait là que des rois et des fils de rois, la fleur de la jeune Bretagne, venus simplement pour le défendre parce qu'il était en péril. Mais Merlin leur avait dit qu'ils devaient se faire connaître non par leurs noms mais par leurs exploits.

Sans qu'on sût comment il était venu, il se trouva au milieu d'eux quand le soleil se leva, éclairant de rouge la plaine qui allait voir couler tant de sang. Vêtu d'une robe verte et coiffé de feuilles de houx, il chevauchait un cheval d'Arabie couleur de terre brûlée. Il était sans arme, ne portait pas une once de fer sur son corps mais brandissait une enseigne de soie dorée sur laquelle était brodé un petit dragon vert à la queue fourchue, qui crachait des flammes peintes.

Arthur et ses cousins et ses amis, Gauvain, Agravain, Gaheriet, Galessin, Ban et Bohor, Guerrehès, Sagremor et tous les autres, firent un accueil joyeux à Merlin qui sourit et leur dit :

— Maintenant vous allez montrer ce que vous valez ! On y va !...

Il fit un geste de son enseigne vers les portes qui s'ouvrirent en ébranlant les murailles, et les quarante et un, écu dressé et lance haute, se lancèrent au galop dans la direction de l'ennemi.

Arthur portait un haubert de mailles confectionné par le fèvre le plus habile de Bretagne. Ses compagnons portaient pour la plupart des cottes de cuir sur lesquelles étaient fixées de petites plaques d'acier ou de cuivre dur, qui s'imbriquaient et se recouvraient comme les écailles d'un poisson. Au galop des chevaux, les écailles se soulevaient, retombaient, s'entrechoquaient, et l'ensemble des quarante et un composait un chant de fer terrible. Ils filaient comme un javelot vers l'armée immobile dans la plaine.

Les trois rois envahisseurs, voyant venir cette poignée d'hommes, se mirent à rire et levèrent leurs enseignes pour indiquer le commencement du combat.

Merlin porta à ses lèvres le sifflet, taillé dans un rameau de saule, qu'il portait au col, et siffla.

Le vent, son ami, lui répondit en gémissant :

— Qu'est-ce que tu veux encore ? Je dormais !...

Merlin siffla :

— Réveille-toi, grosse barrique ! Enfle-toi ! Gonfle-toi et souffle ! Souffle ! Souffle !...

Alors le vent s'étira et craqua et gronda et hurla, devint énorme et se roula sur la plaine, arrachant la poussière et les cailloux, emportant les meules de foin, les poules oubliées et les toits des chaumières, et se jeta sur l'armée ennemie qu'il aveugla. Derrière lui, Arthur et ses compagnons, baissant leurs lances et piquant des deux, arrivèrent comme l'ouragan.

L'armée de Léaudagan le suivait, divisée en deux corps, l'un commandé par le vieux roi, l'autre par son sénéchal Cléodalis. Elle entra à son tour dans la mêlée furieuse. Dans le nuage de poussière, le dragon de Merlin était devenu grand comme une vache et ses flammes brûlaient les enseignes ennemies.

Les femmes, les filles et les enfants, montés sur la muraille pour assister au combat dont leur sort dépendait, ne virent d'abord qu'un brouillard roux et mouvant, creusé de tourbillons, d'où sortaient le fracas des armes et les cris des combattants taillés ou transpercés, et ceux des chevaux furieux. Puis le vent se rendormit dans un long soupir et la bataille se révéla à la lumière du soleil. Le centre de la plaine, où s'était produit le choc, était jonché de corps d'hommes et de chevaux blessés ou morts. Des centaines de petits combats se déroulaient tout autour. Les chevaliers désarçonnés continuaient à se battre à terre.

Guenièvre, la dernière fille du roi Léaudagan, chercha avec anxiété la silhouette de son père, craignant qu'il fût couché parmi les victimes. Elle poussa un cri de joie et de crainte en le reconnaissant dans son haubert de cuivre rouge et d'or. Entouré d'ennemis, le vieux roi se battait comme un lion.

Il allait cependant succomber quand trois chevaliers, prévenus par Merlin, accoururent comme la foudre. C'était trois jeunes rois : Arthur de Logres, Bohor de Gannes, et Ban de Bénoïc. Ils taillèrent dans la meute comme moissonneurs à la faucille, et Guenièvre, en haut de la muraille, battit des mains de bonheur.

Tant que dura la bataille, Guenièvre ne quitta plus des yeux le chevalier de mailles dont la vaillance dépassait toutes les autres. Lui et ses compagnons décidèrent du sort des armes. Au milieu de l'après-midi, Ponce Antoine était mort, Claudas se retirait vers le sud avec les débris de l'armée de la Déserte, et les Alémans dispersés ou détruits, le duc Frolle tournait le dos à Carohaise et s'enfonçait au galop dans la forêt.

Guenièvre vit Arthur, dont elle ne connaissait pas le nom, partir à sa poursuite sur un cheval frais. Il s'enfonça dans l'ombre des arbres et disparut.

Quand Eve s'éveilla, toute neuve, au jardin d'Eden, nue et sans honte, elle vit étendu près d'elle Adam, encore plongé dans le sommeil que Dieu avait fait tomber sur lui afin de pouvoir lui ouvrir la poitrine pour en tirer la côte dont il allait façonner sa compagne. Sa plaie était encore ouverte et saignait. Eve confectionna une coupe avec une poignée de glaise, et y recueillit le sang d'Adam. La glaise but le sang du blessé, et la blessure se ferma. La glaise était du sol du jardin, la même que Dieu avait utilisée pour façonner le premier homme.

Cette coupe est celle du Graal. Eve, bienheureusement ignorante, l'utilisa comme écuelle, pour puiser l'eau de la source fraîche ou récolter les cerises et les amandes, les framboises et les pissenlits. Et les pommes aussi, bien sûr...

Quand Adam et Eve quittèrent le jardin, Eve emportait la Coupe. Mais l'ange que Dieu avait placé à la porte pour empêcher les humains d'y entrer de nouveau frappa la Coupe de son épée flamboyante et elle se brisa en sept morceaux que le coup dispersa.

Au cours des âges il arriva que les morceaux se ressoudèrent et que, de nouveau, elle servît. Les archives de l'histoire humaine sont pleines de trous. Si on cherchait attentivement, pourtant, dans ce qui en reste, on retrouverait trace de son passage. Elle est toujours associée avec le sang et la plaie, qui sont la douleur du monde dont elle est le remède.

Jésus l'avait. Il s'en servit aux noces de Cana, pour changer l'eau en vin. C'est elle qu'il tendit à ses disciples, à son dernier repas, en leur disant : buvez, ceci est mon sang. C'est dans la même coupe que Joseph d'Arimathie recueillit le sang de Jésus blessé d'un coup de lance pendant son agonie en croix. Fuyant les persécutions, Joseph d'Arimathie, la précieuse Coupe serrée contre lui, arriva au bord du grand océan avec toute sa famille, mais ne put aller plus loin car il n'avait pas de vaisseau.

Alors il étendit sur l'eau sa chemise, qui flotta. Il invita son père à y monter, ce que le vieil homme fit hardiment, et la chemise ne s'enfonça pas. Sa mère et sa femme, ses fils et ses filles, ses frères, sœurs et neveux et nièces, tout le monde s'y embarqua, et la chemise fut obligée de s'agrandir, car la famille comptait cent cinquante personnes. Joseph monta le dernier avec la Coupe. Alors la chemise se mit à voguer et aborda peu après sur une côte non loin de laquelle se dressait un château. C'est ainsi que le Graal arriva en Bretagne.

Il y fut mal reçu, et Joseph, puis ses descendants, s'enfermèrent avec lui dans le Château Aventureux. Un de ceux qui le gardèrent fut le Roi Blessé, qui saignait d'une blessure à la cuisse, due à sa curiosité impie, et dont il ne pouvait ni guérir ni mourir, depuis des siècles.

Le duc Frolle était un colosse. Une toise de haut, trois cents livres d'os et de muscles sous une cotte chargée de plaques de fer épaisses d'un doigt, pesaient sur le dos de Wolke, son énorme cheval couleur d'orage. Ni l'homme ni la bête n'étaient fatigués. Frolle ne fuyait pas, il s'en allait. Armé de sa masse de cuivre de vingt livres et de son épée Marmiadoise il avait taillé ou fracassé tous ses adversaires. Mais ses hommes ne le valaient pas. Il en restait peu de vivants. Quand il fut dans le couvert de la forêt, Frolle se mit au trot. Arthur, au galop, n'eut pas de peine à le rejoindre. L'entendant s'approcher, Frolle s'arrêta et fit face, satisfait à la pensée d'occire un ennemi de plus, si c'en était un.

Il reconnut le chevalier qui avait causé tant de dommage à ses gens et tué Ponce Antoine. Il rugit de contentement à l'idée de la revanche qu'il allait en tirer.

Arthur s'arrêta et les deux cavaliers, à quelques pas l'un de l'autre, se regardèrent et se jaugèrent.

Frolle était coiffé d'un heaume pointu à nasal. Forgé d'une seule pièce, on aurait pu y donner à boire à trois chevaux. Ses longs cheveux d'un blond pâle, épais et plats, rejoignaient sa barbe foisonnante, mêlée de mèches grises et tachée de sang. De sa main droite il étreignait le manche de sa masse de cuivre et de la gauche dressait devant lui son écu taillé dans le dos d'un oliphant d'Afrique, cette bête monstrueuse qui a une queue à la place du nez et le cuir plus dur que la pierre.

Arthur avait depuis longtemps perdu son heaume. Ses boucles dorées entouraient sa tête d'une lumière. Son visage ne portait pas plus de barbe que celui d'un enfant, mais sa carrure était d'un homme et ses muscles durs comme le fer. Voyant que l'Aléman n'avait plus de lance, il jeta la sienne et saisit son épée Escalibur, qui avait fait tant d'ouvrage depuis le matin.

— Qui es-tu ? cria Frolle. Dis-moi ton nom, que je le fasse dessiner sur ta tombe !

— Je suis le fils d'Uter Pandragon, cria Arthur, et sur ta tombe je ferai semer du chanvre, c'est tout ce que mérite un païen !

— Ah ! Tu es le petit roi Arthur ? Eh bien, tu ne vas plus régner bien longtemps !

Il se rua vers Arthur, et frappa de sa masse. L'épée d'Arthur trancha le manche de la masse qui alla se perdre en tourbillonnant. Mais au passage elle heurta la tête du jeune roi, lui arrachant un grand morceau de peau avec les cheveux, et fêlant l'os du crâne.

Arthur secoua la tête comme à une piqûre de guêpe et frappa de nouveau, alors que Frolle sortait son épée du fourreau.

Escalibur fendit l'écu d'oliphant, creva l'œil droit de l'Aléman, lui ôta la joue jusqu'aux dents, lui ouvrit l'épaule et trancha l'os, et, en se retirant, coupa l'oreille du cheval Wolke. La main droite de Frolle s'ouvrit, laissant tomber son épée, tandis que l'énorme cheval, hennissant de surprise et de douleur, se cabrait puis s'emportait, disparaissant dans la forêt avec son cavalier qui mugissait comme un taureau.

Ce fut le silence et la paix. Arthur remit son épée au fourreau. Il porta sa main à sa tête et le sang coula sur la manche de son haubert. Il cligna des yeux : il voyait une lueur dans l'herbe. Quand il rouvrit grand ses paupières la lueur était toujours là. Il poussa un cri de joie en en reconnaissant la cause : c'était la lame de l'épée Marmiadoise qui flamboyait...

Il descendit de cheval, saisit l'épée fameuse, la releva, et la brandit vers les hautes branches, en hommage et en merci à Dieu. Sa poignée était faite d'un os du dragon qui gardait la Toison d'Or. Jason avait tué le dragon, mais la poignée de son épée s'étant rompue, il l'avait remplacée par un os de la bête fantastique, celui qui se trouve dans son cœur et lui donne son courage et sa fureur.

Arthur remonta à cheval, tira Escalibur de son fourreau et montra les deux épées l'une à l'autre afin qu'elles se connaissent et s'aiment et ne s'affrontent jamais. Une épée dans chaque main, il riait de bonheur. Le sang chaud de sa tête lui coulait dans le cou. La forêt tournait autour de lui, son cheval oscillait comme un navire, des sons étranges lui emplissaient les oreilles. Il ne savait plus où il était.

Le cheval, qui avait soif, se mit en marche vers l'odeur de l'eau.

Viviane s'était étendue sur l'herbe à côté de la source, pour se sécher au soleil, et avait sombré d'un seul coup dans le sommeil, comme un petit enfant. Pour ne pas la réveiller, le cerf blanc avait cessé de respirer et de peser sur les graminées. En un geste de modestie, Viviane, en fermant les yeux, avait posé sa main droite au bas de son ventre, et son autre bras en travers de sa menue poitrine. Mais dans son sommeil ses bras avaient glissé, et il ne demeurait de son double geste que l'intention et la grâce.

Merlin, ravi, fit éclore à la pointe de ses petits seins deux marguerites, posa une branche de menthe sur ses yeux, une prunelle sur ses lèvres et sur le minuscule demi-sourire rose de son sexe un rouge-gorge endormi.

Il la regarda ainsi quelques instants, puis sourit et la déshabilla de cette fantaisie. Elle n'avait besoin d'aucun artifice. Elle était plus parfaite que la fleur et que l'oiseau, et pareille à eux dans l'innocence de sa nudité. Merlin remercia Dieu, puisque c'était elle qui allait peut-être changer son destin, de l'avoir faite si belle entre toutes les beautés de Sa Création.

Il s'apprêtait à lui faire don d'un rêve de joie, un de ces rêves qui font, au réveil, trouver la vie légère et savoureuse, quand il entendit, dans l'épaisseur de la forêt, s'approcher à pas lourds le cheval qui portait Arthur.

Alors le cerf se transforma en mur de silence. Il ne fallait pas que Viviane s'effrayât et s'enfuît. Elle devait affronter cette épreuve, et Arthur avec elle, et Merlin avec eux. Très doucement, il souffla le sommeil hors de son corps.

Elle s'étira, bâilla, rit de contentement, et se leva d'un bond en poussant un cri. Dans un silence total surgissait lentement d'entre les broussailles une apparition fantastique : un grand cheval roux portant un chevalier aux cheveux d'or et de sang qui étreignait une épée dans chaque main, lame pointée vers le ciel.

Elle voulait saisir sa robe qui gisait sur l'herbe à trois pas et s'enfuir loin de ce fantôme effrayant, qui était encore plus effrayant s'il n'était pas fantôme, et en même temps elle voulait rester, pour en voir davantage. Sa curiosité fut plus forte que sa peur, et les deux mêlées la pétrifièrent sur place après qu'elle se fut, par bonne manière, mise en position de modestie.

Un brouillard rouge emplissait les yeux du jeune roi. Au centre de ce brouillard il voyait une créature céleste, immobile, qui le regardait.

Etait-ce vraiment un ange, ou un démon qui en avait pris l'apparence ? Arthur prit Marmiadoise entre ses dents, saisit Escalibur par la lame et en tendit la garde, en forme de croix, en direction de l'apparition. La créature ne disparut pas. Elle sembla rassurée, et sourit.

Le cheval pencha la tête pour boire. Ce qui restait de conscience à Arthur s'évanouit. Il glissa sur le cou de sa monture et tomba aux pieds de Viviane, dans un bruissement de fer. Sa tête plongea dans l'eau et y demeura.

Viviane comprit que s'il n'était déjà mort il allait mourir noyé. Elle lui saisit une main et, tirant de toutes ses forces, ses petits talons enfoncés dans l'herbe, réussit à lui sortir le visage de la source. Puis elle se vêtit en hâte et courut vers le château de son père pour y chercher secours.

Arthur avait été blessé au début de la bataille par une lance qui avait brisé les mailles de son haubert, pénétré dans sa chair, glissé sur une côte et ouvert une plaie longue mais peu profonde. Elle ne l'avait pas empêché de se battre, mais elle recommençait à saigner et le jeune roi perdait son sang vif par la tête et par le flanc. Il lui fallait être secouru très vite.

Merlin avait décidé d'arrêter Viviane dans sa course. Cela ne causerait aucun dommage au blessé, car il arrêterait du même geste le temps.

Depuis qu'il avait vu Viviane, il savait qu'elle pouvait être pour Arthur, sur le chemin du Graal, un obstacle plus haut que les montagnes du pays des Saines dont le sommet gratte la plante des pieds de saint Pierre à la porte du Paradis.

Il ne pouvait pas le détourner d'elle, puisqu'elle était une étape de son chemin, mais il pouvait essayer de la détourner de lui, empêcher qu'elle en tombât amoureuse par la pitié maternelle qu'éprouvent les filles même les plus jeunes en soignant les blessés que leur faiblesse livre entre leurs mains. Pour que cela n'arrivât pas, qu'elle ne s'obstinât pas ensuite à rester dans sa vie, pour qu'Arthur puisse oublier un épisode sans importance, il fallait que le cœur de la fillette fût déjà, quand elle se pencherait sur lui, empli d'un autre intérêt. C'est pourquoi Merlin avait décidé de se montrer à elle tel que ni le roi Arthur, ni personne ne l'avait jamais vu. Sauf sa mère. Sous son vrai visage. Tel qu'il était.

Viviane courait, courait, plus légère qu'une chèvre. Le sentier était d'herbe courte que perçaient les yeux blancs des pâquerettes et les fleurs jaunes de la salade sauvage qu'on nomme dans la Grande Bretagne « dendelion », et au pays de Loire « pissenlit ». Et tout à coup elle se trouva devant un arbre bleu. En réalité sa couleur était verte. Mais ce vert était bleu. Et cet arbre se dressait au bord du sentier, au croisement du Chemin des mules, à l'endroit même où aurait dû se trouver la touffe de genêt qui poussait déjà là avant même que Viviane fût née, et qui était en fleur depuis huit jours. Viviane, d'ailleurs, en sentait le parfum. L'odeur du genêt était toujours là, mais le genêt n'y était plus. Et à sa place s'élevait cet arbre inconnu aussi haut que le toit du château de son père.

Appuyé avec nonchalance contre le tronc de l'arbre, un homme jeune, vêtu comme un prince, la regardait avec bienveillance, en souriant de sa surprise.

— N'aie pas peur, Viviane, dit-il.

Sa voix était grave et douce et caressait le cœur.

Elle protesta.

— Je n'ai pas peur !...

Elle était bien trop curieuse pour être effrayée. Et son père était un seigneur, bien que de petite terre. Elle avait été élevée dans l'aisance des manières, et la compagnie de la forêt, de la source, des oiseaux et des fleurs lui avait déjà appris que le monde est plein de merveilles inattendues.

Elle s'inclina légèrement en pinçant les deux bords

de sa robette de lin couleur de lait, par politesse, et demanda en se redressant :

— Quel est le nom de cet arbre si beau ?

— C'est un cèdre, dit Merlin. Je l'ai fait venir du pays d'orient où il poussait, pour te le montrer et pour que tu saches désormais, quand tu le verras quelque part, que je n'en suis pas loin.

— Comment est-il venu ? Et comment pourrait-il se trouver quelque part ailleurs, puisqu'il est ici ?

— Comme ceci, dit Merlin.

Il leva sa main gauche et fit un signe à l'arbre avec son petit doigt. Et tout à coup le cèdre fut de l'autre côté du chemin, le genêt éclatant ayant repris sa place.

Viviane, ravie, battit des mains.

— Oh ! Tu es l'Enchanteur ! dit-elle.

— Oui, dit Merlin.

En un instant, elle avait oublié pourquoi elle courait, et le chevalier blessé qui trempait dans la source. Parce qu'elle était encore un enfant, et qu'un enfant ne résiste pas à l'attrait des merveilles. Parce qu'elle allait être une femme, et qu'aucune femme ne pouvait rester insensible à la beauté de Merlin, qui était ce qu'on pouvait voir de plus beau au monde sous les traits d'un homme à la fleur de son âge.

Il était vêtu d'une longue robe en soie de Chine couleur du cœur des marguerites, parsemée de feuilles de houx brodées en or vert, serrée aux poignets et au col par un ruban d'or. A la taille, une large ceinture nonchalante de soie verte rassemblait les plis lourds de la robe qui tombait jusqu'à terre et d'où sortait juste la pointe d'un pied nu.

Ses cheveux, par mèches et par ondes, avaient toutes les teintes allant du marron chaud au blond éclatant, mêlées et cependant distinctes. Une mince couronne d'or piquée de pierres vertes en faisait le tour. Ils lui couvraient les oreilles de courtes vagues et descendaient jusqu'au milieu du front. Ses sourcils étaient bien nets et foncés, et ses longs cils presque noirs s'ouvraient sur de grands yeux verts lumineux et rieurs. Sa bouche, ni grande ni trop petite, bien ourlée, était rouge et fraîche comme si elle venait d'être faite.

Viviane, extasiée, joignit les mains.

— Que tu es beau! dit-elle. Mon père t'a vu l'an dernier, il est allé te demander conseil dans la forêt de Brocéliande, pour ses vaches qui crevaient. Il m'a dit que tu étais un vieil homme gris assis sur un pommier!

— Chacun me voit à sa façon...

— Je lui ai dit : « Il était assis *dans* un pommier, pas *sur* un pommier! ». Il m'a dit : « Si! *Sur* un pommier! »

— C'est exact, dit Merlin.

— Comment peut-on s'asseoir *sur* un pommier?

Merlin se mit à rire.

— C'est un pommier un peu particulier!... Il s'adapte à moi et je m'adapte à lui. Il est mon ami.

— Oh! Tu me montreras comment tu fais?

— Oui, si ça t'amuse...

— Je pourrai le faire aussi?

— Peut-être...

Elle accepta cette promesse en hochant doucement la tête, et devint très grave. Elle le regarda dans les yeux, regarda ses cheveux, sa bouche, et dit doucement :

— Tu es plus beau que mon père, plus beau que le chevalier blessé, tu es plus beau que tout!...

Elle joignit de nouveau ses mains, et ajouta :

— Je crois que je ne t'oublierai jamais...

Merlin à son tour devint grave.

— C'est bien ce que je crains, dit-il. Et ce que j'espère...

Il savait, maintenant, qu'il n'avait plus rien à craindre pour Arthur, mais qu'il avait tout à craindre pour lui-même. Quelque chose d'ineffable et de terrible venait de naître en lui. Il allait beaucoup gagner et beaucoup perdre. Il demanda :

— Et comment vont les vaches de ton père ?

— Elles ne crèvent plus...

— Il suffit de ne pas leur laisser manger de la luzerne mouillée. Ce n'est pas sorcier. Les gens de ton père auraient dû savoir ça.

Mais Viviane ne l'écoutait pas.

— Oh, apprends-moi un de tes trucs ! dit-elle.

— Quels trucs ? Je n'ai pas de « trucs » ! J'ai des pouvoirs, qui m'ont été donnés par mon père noir. Mais je ne peux les enseigner à personne.

— Oh !... Tu ne *veux* pas !

— Non !... Je ne *peux* pas... Mais toi... Fais voir... Donne-moi tes mains...

Il prit dans ses longues mains fines les mains de l'enfant, qui ressemblaient aux siennes en plus menu, et l'un et l'autre sentirent, à cet instant, que quelque chose venait de se joindre par leurs mains et de passer de l'un à l'autre et de demeurer entier en eux deux et en chacun d'eux.

Viviane en fut bouleversée.

— Qu'est-ce que tu m'as fait ? demanda-t-elle.

— Moi, rien, dit-il doucement. Ce qui se fait n'est pas toujours voulu...

Il savait que son père venait de les lier ensemble, mais il ne s'était pas dérobé, il avait fait lui-même le geste d'offrande et de possession. Il n'avait plus la possibilité de reculer. La seule issue, pour lui et pour elle, était maintenant en avant.

Ces petites mains qu'il avait prises dans les siennes, il les ouvrit et en offrit le cœur à la lumière bleue du

33

ciel. Il ne prit pas la peine de les lire, il savait déjà ce qui était écrit.

— Tu n'as pas besoin de mes pouvoirs, dit-il. Tu as les tiens, ceux de Diane, ton ancêtre, qui courent dans tes veines...

— C'est vrai ? dit Viviane extasiée.

— Oui...

— Mais alors pourquoi je peux pas... je peux pas...?

— Tu ne peux pas quoi ?

— Tout !... Voler ! Changer l'arbre en rivière ! Faire venir un oliphant dans la fontaine ! Je peux pas !... Je peux pas !...

Elle avait libéré ses mains des mains de Merlin et les agitait en tous sens, trépignait, se mettait en colère.

— Calme-toi, dit Merlin. Tu as les pouvoirs, mais pour t'en faire obéir tu dois connaître le nom et le signe de chacun. Comment veux-tu qu'il t'obéisse si tu ne l'appelles pas par son nom ?

— Mais je ne les connais pas ! gémit-elle, désolée.

— Je te les apprendrai...

— Tu les connais ?

— Bien sûr !...

— Oh, apprends-moi ! Apprends-les-moi ! Apprends-moi tout ! Maintenant !

— Non, dit Merlin. Il faut du temps, et il faut que tu prennes du poids... Si tu essayais d'utiliser certains pouvoirs maintenant, c'est eux qui seraient les maîtres et t'utiliseraient... Je vais t'en nommer un qui est sans danger. Ecoute et répète...

Il prononça un mot d'une langue ancienne et le lui fit répéter pendant plusieurs minutes. Il était difficile à articuler. Il fallait à la fois le dire, le souffler et le siffler un peu. Cela ressemblait à « sfulsfsuli... » Mais ça ne peut pas s'écrire...

— Bon ! Bien ! dit Merlin souriant. Ça va à peu près. Il comprendra !... Maintenant, dis-le en touchant en même temps ton nez et ton menton... Comme ça...

— Et qu'est-ce qui va se passer ?

— Tu verras bien !... Allez !...

Elle mit le bout de son index sur le bout de son nez et son pouce sur son menton et dit-siffla-souffla « sfsulsfsuli... »

Alors naquirent dans l'air un, puis deux, cinq, vingt, puis un peu partout autour d'elle, une foule d'oiseaux multicolores, comme elle n'en avait jamais vus ni même imaginés, de couleurs éclatantes ou exquises, pépiant et chantant et tournant autour d'elle tandis que dans l'herbe poussaient et s'épanouissaient les fleurs de tous les printemps du monde, d'où s'envolaient des papillons.

— Oh !... Oh !... Oh !...

Elle ne savait rien dire d'autre, elle était submergée par la joie de ce qu'elle voyait et de ce qu'elle sentait dans tout son corps, qui lui semblait habité partout par des oiseaux volants en train de chanter.

Elle se jeta contre Merlin, le serra dans ses bras, se souleva sur les orteils pour l'embrasser.

— Merci ! Merci !

Elle s'écarta de lui avec autant de vivacité, et leva ses deux bras vers les oiseaux qui tourbillonnèrent autour de ses mains et s'y posèrent en bouquets.

— Tu n'as pas à me remercier, dit Merlin, tout cela était dans toi. Quand tu voudras que cela cesse, tu penseras « fini ! », et ce sera fini.

Elle le pensa, et les fleurs se replièrent, les papillons

se fermèrent, les oiseaux devinrent transparents comme des vitraux envolés, et en un instant tout devint pâle et disparut.

— C'était un enfantillage, dit Merlin... Bien que tu sois encore très fragile, il faut que je te nomme maintenant un autre de tes pouvoirs, grave, important, que tu vas devoir utiliser tout de suite. Il va te prendre beaucoup de forces, dangereusement. Mais quelqu'un a besoin de toi...

Le temps arrêté reprit son cours, et le sang recommença à couler de la tête fendue du roi Arthur et de son flanc déchiré. Viviane s'agenouilla près de lui et promena ses mains au-dessus de ses blessures, en murmurant un nom ancien.

Le sang cessa de couler, les blessures se fermèrent, les os fendus se ressoudèrent et les cheveux repoussèrent. Le sang répandu sur l'herbe disparut, la source redevint bleue. Arthur, sans rouvrir les yeux, s'allongea sur le dos, soupira d'aise et s'endormit.

Viviane tremblait. Elle se sentait pareille à un sac vide. Elle s'écroula en travers du corps d'Arthur, s'en retira péniblement, s'allongea près de lui et s'endormit à son tour. Le cheval broutait l'herbe tendre.

Arthur se réveilla presque aussitôt. Il avait retrouvé toutes ses forces. Il se sentait aussi frais qu'au début du jour. Il se leva, regarda autour de lui avec étonnement, ne se souvenant de rien, ne comprenant rien. Que faisait-il en ce lieu ? Comment y était-il venu ? Qui était cette enfant endormie dans l'herbe ? Il se pencha vers elle, vit qu'elle était très belle et très lasse et sentit une grande envie de la prendre dans ses bras pour la bercer et lui dire des paroles douces.

Mais une vive lumière détourna son attention. Tournant la tête, il vit, au profond de la source, couchées sur un lit de sable, ses deux épées qui l'attendaient. L'une d'elles étincelait. Il la reconnut, et le souvenir de son combat contre le géant lui revint d'un seul coup. Il se mit à rire de joie, puis redevint grave. Où en était la bataille ? Que s'était-il passé pendant que par faiblesse et lâcheté il s'était endormi ?

Il plongea ses bras dans l'eau, saisit ses deux épées, baisa leurs lames fraîches, remonta sur le cheval et s'en fut au galop.

Devant Merlin, le cèdre trembla et devint rouge. A une lieue à la ronde, tous les oiseaux s'envolèrent en piaillant.

— Ah ! Ah !... ricana la voix du Diable, contrairement à ce que tu crois, tu ne l'as pas sauvé !... Et toi tu t'es perdu !... N'insiste pas dans cette Quête stupide ! Reviens avec moi, mon fils !...

Merlin coupa deux brins d'herbe, les disposa en croix, et les tenant entre le pouce et l'index, tendit droit sa main dans la direction du cèdre.

Le Diable poussa un hurlement, comme si on lui avait fendu la peau du ventre avec un tesson de verre. Sa voix décrut et s'éteignit, et le cèdre disparut.

Quand Viviane, réveillée par le tumulte des oiseaux, arriva en courant au carrefour des mules, Merlin n'était plus là.

Il est temps d'expliquer comment Merlin naquit. Du moins cette fois.

En ce temps-là...

— *Qu'est-ce que ça veut dire « ce temps-là ? » Quel temps-là ?...*

Ça veut dire il y a plus de mille ans, nettement plus. Il est difficile d'être précis, et d'ailleurs inutile. C'était en ce temps-là...

Les anciens dieux n'étaient pas morts, ils vivaient dans les forêts, les lacs et les sources, les hommes les connaissaient, les rencontraient parfois, ne les craignaient guère. En échange d'une aide, d'une faveur ils leur faisaient des cadeaux, un pigeon, des fleurs, une poupée, un plat de pois au lard, à la mesure de leurs moyens, qui étaient minces. Les dieux ne se montraient pas exigeants. Ils étaient pauvres et modestes, comme eux.

Mais dans ce bout du continent qui avait encore des noms changeants, un dieu nouveau s'avançait, venu de Jérusalem, où il était mort et ressuscité, en même temps qu'il régnait en permanence dans les cieux.

Il balaya devant lui les autres dieux. Ce n'était pas qu'il refusât le partage : il n'en avait même pas l'idée.

Il était l'Unique, il occupait la totalité de l'espace et du temps, qu'il avait créés. Il eût, malgré cela, bien toléré les autres dieux, ils ne le gênaient pas, ils étaient éparpillés, minuscules, ils ne se différenciaient pas essentiellement de lui, ils étaient son propre reflet émietté par les miroirs de la vie. Mais une armée de prêtres et de moines intolérants ratissaient en son nom les campagnes, proclamant qu'il était un dieu jaloux, ce qui était faux, à son niveau on ne peut être ni jaloux, ni vengeur, ni justicier. La justice se fait d'elle-même dans le cœur des vivants.

Les prêtres et les moines, les uns sincères, les autres calculateurs, tous dans l'erreur, promettaient et menaçaient en Son Nom, promettaient à ceux qui L'adoraient et Lui obéissaient les délices d'une moelleuse vie éternelle et menaçaient les mécréants des souffrances abominables de l'Enfer.

C'est ainsi que, par leurs sermons et leurs vociférations, ils coupèrent l'Unique en deux.

Dans l'esprit des croyants alléchés et épouvantés, il y eut désormais en haut le Dieu blanc, dispensateur de la félicité, et en bas le Dieu noir aux dents sanglantes et aux mains de feu, qui guettait leurs défaillances. C'est ainsi que le Diable, puisqu'ils croyaient en son existence, exista.

En peu de temps — deux ou trois siècles — moines et prêtres conquérants occupèrent le Continent et les îles, au nom de l'Unique, et avec l'aide de la crainte qu'inspirait Son Ombre. Les anciens dieux s'étaient réfugiés dans le fond des sources ou les racines des arbres, dans l'attente d'un temps meilleur où il leur serait de nouveau permis de se montrer et d'aider les humains, dans la limite de leurs pouvoirs et dans

40

l'immense bienveillance de l'Unique père de tout.

Les humains, jeunes et vieux, mâles et femelles, continuaient de vivre avec Dieu et le Diable comme leurs anciens l'avaient fait avec les anciens dieux, c'est-à-dire dans une familiarité de tous les instants. Dieu était là, avec eux, quand ils mangeaient la soupe, récoltaient les fèves, tissaient le lin, forgeaient la charrue, bottaient le cul du porc qui s'en prenait aux navets au lieu de se contenter des glands sous le chêne. Dieu ne les quittait jamais, Il accompagnait tous leurs gestes, écoutait toutes leurs paroles, dont beaucoup s'adressaient à Lui. Ils Lui parlaient, moins pour Lui demander ses faveurs ou son aide que simplement parce qu'Il était là, familier, écoutant amicalement tout ce qu'on Lui racontait. Cette présence était merveilleusement réconfortante, c'était une cuirasse de duvet autour de l'existence. On n'était jamais seul, jamais abandonné. Dieu était là.

Le Diable aussi, bien sûr. Un peu plus loin, à l'écart, mais veillant et surveillant, l'œil vif comme l'hameçon, partout, dans les coins d'ombre, sous les lits, dans le grand soleil paresseux, au dernier rayon du placard, au fond de la bourse, guettant les défaillances, ses griffes ouvertes prêtes à se refermer plus vite que l'éclair.

Les humains le craignaient beaucoup, mais faisaient confiance à Dieu pour les protéger, et à Son fils, pour leur pardonner s'ils fautaient.

Ainsi vivaient-ils en compagnie permanente et familière avec Dieu bienveillant et le Diable furieux. Cela donnait à leur vie signification et plénitude.

Furieux, le Diable l'était de plus en plus, car malgré l'aide des moines et des prêtres qui allongeaient chaque jour la liste des fautes impardonnables, son Enfer restait vide. Totalement vide. Jésus pardonnait!...

Un soir, alors qu'il était minuit moins cinq en Bretagne, le Diable parcourait son Enfer souterrain en se broyant les dents de rage. Sa longue Avenue des Tortures, qui allait des Champs-Elysées à Broadway, était absolument vide. Pas une âme! Vides les tours de béton, les usines de fer! Inutiles les marteaux à défoncer les oreilles, les roues à écraser, les musiques à désosser, les plages à rôtir, les mers empoisonnées, les piscines de chlore, les entonnoirs à pétrole, les abattoirs, les cages à poules, les sifflets, les hurlements, les tremblements, les abominations et les dévastations, tout fonctionnait à merveille mais à vide, vide, vide!...

Que faire?

Le Diable est unique, et en même temps légion. A chacun de ses pas, un autre lui-même surgissait de lui et se mettait à le suivre. Et comme il allait de plus en plus vite, il y eut bientôt une multitude de Diables qui tourbillonnaient sur les places et les avenues d'enfer, emplissaient les immeubles cubiques, en coulaient par les fenêtres, se grillaient sur le sable, grouillaient dans la mer de Capri à Vladivostok. Des nuages et des nuages noirs de méduses diaboliques et de taupes cornues infernales fouissaient la terre et les eaux. Et chacun de ces milliards de diables se broyait les dents de fureur.

— J'ai une idée! cria soudain le Diable numéro sept-cent-quatre-vingt-douze.

Tous les autres se tournèrent vers lui. Il grandit, pour être vu et entendu. Il dépassa la plus haute tour de verre et d'acier. Une fusée à décerveler lui entra dans une oreille et sortit par l'autre, sans qu'il la sentît.

— Alors quoi ? dit un milliard de voix.

— Si nous n'avons plus personne ici, c'est à cause de Son Fils ! Il est venu sur Terre pour sauver les âmes, Il est descendu jusque chez nous, Il nous a tout pris, même Caïn et Judas, et Il ne laisse plus descendre personne ! Il pardonne, Il pardonne, Il pardonne, c'est horrible !...

Et le sept-cent-quatre-vingt-douzième se mit à sangloter et à grincer des dents. Et ses larmes creusèrent de nouvelles salles infernales jusqu'au centre de la Terre. Vides, vides, vides...

— On le sait ! dirent deux milliards de voix. Et alors ?

Sept-cent-quatre-vingt-douze cracha six rangées de canines aiguës, et dit :

— Alors, faisons-nous, nous aussi, un fils sur Terre ! Il sera présent partout, il poussera les hommes et les femmes dans le mal, et nous les expédiera avant qu'ils aient eu le temps de se repentir !

— Ouaiai ! hurlèrent les méduses et les taupes cornues, enthousiastes.

— D'accord ! dit le Diable à lui-même. Exécution !...

Et à minuit moins deux il se posa sur le lit d'une fille vierge qui dormait nue comme il était d'usage en ce temps-là, et les jambes ouvertes parce qu'on était au mois d'août et qu'il faisait chaud.

Il n'éprouva aucune difficulté à faire ce qu'il avait à faire. Il aurait aimé y prendre plaisir, comme les hommes qu'il avait vus si souvent se tortiller en d'incompréhensibles ravissements, mais ce fut comme s'il avait trempé son gros doigt dans l'eau torride d'un bénitier. Il se retint de hurler, lâcha sa semence diabolique, et s'enfuit.

— Mais qu'est-ce qui m'arrive ? Mais qu'est-ce qui m'arrive ? se demandait l'innocente en son sommeil.

Elle s'éveilla et se rendit compte qu'effectivement il lui était arrivé quelque chose, et n'y comprit rien du tout, la porte de sa chambrette étant maintenue de l'intérieur par le dossier d'une chaise qui se trouvait toujours en place, et le fenestron à peine assez large pour laisser passer le chat...

Quand le jour fut levé, elle courut tout raconter à son confesseur, qui comprit qu'il y avait là un exploit diabolique, et alerta Dieu aussitôt.

Naturellement, Celui-ci était au courant. Rien ne Lui échappe. Il savait donc aussi qu'un petit enfant mâle avait été conçu de l'œuvre du démon. Il était déjà gros comme la moitié d'une lentille.

Dieu l'appela :

— Tu m'entends, petit.

— Oui, Dieu.

— Tu sais qui t'a fait ?

— Oui, Dieu.

— As-tu l'intention d'obéir à ton père ?

— Je ferai comme Vous voudrez, Dieu.

— Brave petit !... Tu as la bonne nature de ta mère... Je te laisse donc tous les pouvoirs que ton père t'a donnés, mais tu les utiliseras pour le bien au lieu de les employer à faire le mal.

— Oui, Dieu.

— Es-tu satisfait ?

— Oui, Dieu.

— Bon !... Veille sur ta maman, elle va avoir besoin de toi.

On se rend compte, par ce dialogue, que le futur enfant ne disposait pas encore d'un grand vocabulaire. Mais le lendemain il savait le latin, le grec, l'araméen et le chaldéen, et le jour d'après tous les mots du chinois. Aucun Chinois n'en sait autant. Dans les domaines des diverses connaissances il fit des progrès aussi rapides. Quand il sut *tout*, il décida de sortir de cet abri tiède et confortable, où il commençait à s'ennuyer. Il naquit sept mois et deux jours après sa conception.

Il se trouva au sommet d'une tour dans laquelle sa mère avait été enfermée. Ayant conçu hors du mariage et n'ayant pu désigner le père de son enfant, elle aurait dû, selon l'usage, devenir une prostituée. Elle refusa. Alors, toujours selon l'usage, elle fut condamnée à être brûlée sur un bûcher. Mais l'enfant qu'elle portait étant tout à fait innocent, sursis lui fut accordé jusqu'à son accouchement, pour que l'enfant pût être sauvé, et en tout cas baptisé. En attendant, on l'enferma, avec deux femmes chargées de veiller sur elle, dans une tour dont la porte fut murée. Elles recevaient leur nourriture dans un panier qu'elles descendaient au bout d'une corde. Il y avait à l'intérieur de la tour un puits dont elles utilisaient l'eau pour boire et se baigner. Les eaux usées s'écoulaient dehors par un trou du mur, avec tous les déchets, ce qui faisait pousser l'ortie. L'hiver fut très froid mais elles n'eurent pas besoin de faire du feu : il faisait chaud à l'intérieur de la tour, sans qu'elles pussent s'expliquer pourquoi. Il est évident que là où se trouve le fils du Diable il ne peut pas faire froid.

Les deux surveillantes de la jeune mère, qui étaient devenues ses amies, poussèrent des cris d'horreur en voyant surgir le nouveau-né, car il était couvert de poils comme un enfant sanglier. Mais sa mère le trouva très beau et adorable. Aux yeux de son amour, la rude toison n'était qu'un léger duvet à peine visible. Elle le nomma Merlin. Ce nom lui avait été inspiré par Dieu. Il signifie « *tu es mortel* ». C'était pour rappeler à celui qui allait le porter son humaine condition, et l'empêcher de se prendre pour la cinquième cuisse de Jupiter. En tant que fils du Diable il aurait pu prétendre à l'immortalité, mais Dieu la lui refusait. Certes il vivrait longtemps, très très longtemps, mais il devait savoir qu'il aurait à mourir, quand le temps viendrait.

Sa mère, le serrant sur son cœur et le baisotant de mille baisers, l'arrosait en même temps de ses larmes.

— Hélas, beau fils, disait-elle, je vais devoir te quitter !... Maintenant que te voilà né, ils vont venir me chercher pour me brûler sur un bûcher...

— Ne t'inquiète pas, mère, lui dit le nouveau-né d'une bonne grosse voix. Je ne permettrai pas que le moindre mal t'arrive à cause de moi. Porte-moi chez ce taré de juge et je vais arranger ça vite fait !

On voit que l'enfant avait fait de gros progrès dans le domaine du vocabulaire. Sa mère trouva tout naturel que son fils tout neuf sût déjà parler et raisonner, mais ses deux gardiennes en furent à la fois effrayées et émerveillées. Elles tombèrent à genoux et se signèrent, et de cet instant virent le bébé tel qu'il était, c'est-à-dire sans l'affreuse toison, avec une peau douce et dorée comme celle d'une pêche.

La jeune mère comparut de nouveau devant le juge, avec son enfant dans les bras. Celui-ci n'eut pas de peine à démontrer qu'elle était pure et innocente. Il le fit avec tant d'efficacité et de malice que tous les assistants s'extasièrent d'autant plus qu'il n'était alors âgé que de trois jours.

Le juge, ému, déclara à la mère :

— Puisque vous êtes innocente, au lieu de vous brûler vive, nous vous ferons bénéficier, avant le bûcher, d'une mort douce par le fer ou le poison.

— Vieillard stupide ! rugit le nourrisson, comment pouvez-vous condamner à mourir celle qui n'a rien fait ? Sentez-vous le remords qui vous agite ?

Tout le monde put voir le juge gigoter en tous sens sur son fauteuil, claquer des mâchoires et cogner des genoux. On eût dit un mulot secoué par un chien ratier. Il parvint à balbutier qu'il s'était trompé, et ordonna que la jeune femme fût mise en liberté.

Très éprouvée par ce qui lui était arrivé en moins d'un an, celle-ci se retira dans un couvent, où elle devint l'égale d'une sainte. Parfois, dans son lit, elle se souvenait de la visite qu'elle avait reçue pendant une nuit d'août, et cela la troublait. Dieu ne lui en voulait pas, il comprend parfaitement les tourments des femmes seules, et il lui envoyait des rêves apaisants.

On ne sait pas grand-chose de l'enfance de Merlin. Sans doute fut-il mis en nourrice et occupa-t-il son jeune corps à téter, ramper, marcher puis courir, tandis que son esprit faisait l'inventaire de ses pouvoirs et apprenait à les maîtriser. Il put certainement se libérer très vite de l'esclavage du temps, car c'est de cette époque que date le souvenir de sa folie, dont l'image le représente comme un vieil homme tordu, alors que d'après le temps banal il était encore un enfant.

Sa folie, c'était sa bataille contre le Diable. Celui-ci,

frustré, volé, ridiculisé à ses propres yeux, s'était mis à haïr ce fils sur lequel il avait tant compté pour peupler sa Maison vide. Et il décida de le détruire.

Sa première attaque, qui aurait dû être définitive, fut comme l'éclatement d'une bombe dans la tête de Merlin. Sa mère avait fait à celui-ci un crâne solide, et par le seul fragment infinitésimal de son cerveau qui ne fut pas réduit en bouillie, il en reconstitua instantanément tout le reste. Mais il avait été projeté contre les murs avant de se mettre à tourner comme une toupie et de s'écrouler à terre plus plat qu'un tapis, à la grande stupéfaction et terreur de sa nourrice paysanne.

Il la rassura d'un mot, sortit de la chaumière et se transporta au cœur de la forêt de Brocéliande, afin de mener son combat sans effrayer personne.

Des bûcherons et des charbonniers l'aperçurent, vieil homme barbu et sale, vêtu de loques, se roulant à terre, hurlant, frappant les arbres de son bâton, sautant plus haut que les plus hautes branches ou bien restant immobile, assis au même endroit, pendant des jours et des semaines, sans boire ni manger, les yeux ouverts.

Malgré ce comportement étrange, ils n'avaient pas peur de lui. Car là où il se trouvait l'herbe poussait plus épaisse et plus verte, les feuilles des arbres se tournaient vers lui, et les oiseaux continuaient de chanter même lorsqu'il criait.

Ils pensèrent qu'il était un ancien dieu de la forêt revenu clandestinement, et qui avait peut-être, parfois, mal aux dents, ou des coliques, d'où ses crises. Dans ses périodes de calme, ils se hasardèrent à s'adresser à lui et il leur répondit avec amitié, ses yeux brillant de jeunesse dans son vieux visage fripé. Les paysans des alentours vinrent lui demander des conseils et des remèdes, pour eux ou leurs bestiaux. Il les donna, et ils furent efficaces. Mais il les donna au nom de Dieu et de Son Fils, qui ne sont qu'Un, avec le Saint-Esprit aussi. Ce qui rendait les paysans perplexes. Mais après tout, du moment que ça marchait...

Ce séjour en Brocéliande dura plusieurs années. Puis une nuit, à la veille de Pâques, il y eut au cœur de la forêt un tumulte épouvantable. Les paysans terrifiés virent de loin des flammes vert et rouge jaillir jusqu'aux nuages, des centaines d'arbres sauter en l'air avec leurs racines et retomber en braises, tandis que retentissaient les cris de mille démons écorchés, si effrayants que tous les porcs de la région se mirent à hurler comme lorsqu'on les égorge.

Tout redevint calme rapidement. Au matin, les parfums du printemps se répandirent hors de la forêt et quand des courageux se risquèrent à y pénétrer, ils ne virent aucune trace de ce qui s'était passé quelques heures auparavant. Les arbres verdoyaient leurs feuilles nouvelles et l'herbe fleurissait, et des petits lapins montraient le bout de leurs oreilles. Le vieil homme avait disparu.

Le Diable venait de livrer contre Merlin sa dernière bataille, et l'avait perdue. Il renonça de ce jour à détruire celui qu'il avait créé, mais non à le récupérer.

Merlin était retourné auprès de sa nourrice, qui ne se rappela pas qu'il se fût absenté. Il jouait au cheval-pentu avec des garnements de son âge quand il sut que s'approchaient les envoyés du roi Vortigern, qui cherchaient depuis des mois quelqu'un de bien difficile à trouver.

Vortigern était un mauvais roi, qui avait usurpé son trône à Uter Pandragon. Il gouvernait si hargneusement que son peuple et ses vassaux le haïssaient, et il savait que personne ne voudrait le défendre quand Uter Pandragon, qui aurait dû être roi à sa place, aurait rassemblé une armée pour l'attaquer.

Il décida donc de se faire construire, au centre du royaume, une tour si haute et aux murs si épais que personne ne pourrait la prendre. La tour commença de s'élever de terre. Elle était à la fois ronde, carrée et hexagonale. C'était une tour extraordinaire, bâtie d'après les instructions de ses devins et astrologues. Qui essayait d'en chercher la porte ne la trouvait pas, et revenait toujours au même endroit. Mais le quatrième jour de la quatrième semaine, les murs tremblèrent et s'écroulèrent, aplatissant tous les maçons.

Le roi Vortigern, qui avait failli être aplati aussi, eut une grande colère, et fit recommencer et accélérer les travaux. Et le cinquième jour de la cinquième semaine, les murs tremblèrent et s'écroulèrent. Cette fois-ci, les maçons furent saufs, s'étant enfuis au premier frémissement.

Le roi s'obstina, et la tour s'écroula encore le sixième jour de la sixième semaine, et le septième jour de la septième.

Les devins, qui avaient essayé toutes leurs magies sans parvenir à empêcher la tour de se conduire de façon aussi saugrenue, virent dans sa dernière chute une raison de se réjouir.

— Sire, dit au roi l'un d'eux, tandis que les autres l'approuvaient en hochant la tête, la tour maintenant ne s'écroulera plus : une semaine n'ayant que sept jours, elle ne pourra pas se mettre à trembler le huitième jour de la huitième semaine! Elle restera donc debout!

— C'est logique! dit le roi.

Il mit dix fois plus de maçons au travail. Les murs s'élevèrent à merveille. Une semaine passa, trois semaines, cinq semaines... A la septième semaine, la tour mesurait vingt toises de haut. La huitième semaine fut entamée. Un jour, cinq jours, six jours... A la fin de la dernière heure du septième jour, elle était toujours debout.

— Voyez, Sire, comme nous avions raison! dirent les devins.

Le roi se réjouit et fit servir aux maçons deux tonneaux de cidre aigre.

La tour s'écroula le premier jour de la neuvième semaine. Elle ne comptait pas à la façon du calendrier, mais le compte des jours y était.

Le roi ordonna qu'on pendît ses devins, l'un après l'autre dans l'espoir que les derniers, au spectacle de l'agonie des premiers, auraient enfin une idée efficace.

Ce fut le douzième qui poussa un cri au moment de passer sa tête dans la corde :

— Sire! Je sais! Je connais le remède!

— Pas trop tôt! grogna le roi. Pourquoi n'as-tu rien dit avant?

— Je viens d'avoir comme une illumination, dit le devin.

C'était vrai. Le Diable venait de l'inspirer, essayant une fois encore, par moyen indirect, de réussir ce à quoi il n'avait pu aboutir directement.

— Sire, dit le devin en se frottant le cou, pour que la tour demeure solide, il faut arroser ses fondations avec le sang d'un enfant sans père.

51

C'était une condition bien extravagante. Les enfants sans père ne sont pas communs. Les bâtards, oui. Mais sans père...

Le roi Vortigern, pourtant, ne douta pas que le devin eût dit la vérité. Il le fit pendre quand même, pour le cas où il se serait trompé, et envoya douze messagers dans six directions chercher l'enfant nécessaire à sa tour.

Quand Merlin sut que deux d'entre eux s'approchaient de son village, il se mit à gagner sans arrêt au cheval-pentu, si bien que les autres gamins, furieux, l'insultèrent et lui jetèrent des cailloux en le traitant d'enfant sans père.

Les deux envoyés de Vortigern les entendirent et s'approchèrent au petit pas de leurs grands chevaux fatigués.

— Lequel d'entre vous est un enfant sans père? demandèrent-ils.

— C'est moi, dit Merlin. Je suis celui que vous cherchez. Vous devez m'emmener au roi Vortigern pour qu'il me fasse couper le cou au-dessus des fondations de sa tour.

— Comment sais-tu tout cela? demandèrent-ils, stupéfaits.

— Je sais bien d'autres choses! dit Merlin en riant. Emmenez-moi!

Mais les deux hommes n'osaient s'emparer de lui. Il était si gai et si beau avec ses grands yeux verts et ses cheveux bouclés qu'ils ne pouvaient supporter l'idée de l'emporter vers le roi qui voulait le sacrifier.

— Ce n'est pas toi! protesta l'un d'eux, tu es trop petit...

— Tu es trop grand, dit l'autre.

— J'ai sept ans, dit Merlin. N'est-ce pas l'âge qu'on vous a dit ?

— Si, hélas, si !...

Et les deux hommes se mirent à sangloter, leurs larmes trempant leurs barbes poussiéreuses.

— Ne pleurez pas, dit Merlin gentiment, et n'ayez pour moi aucune inquiétude !...

Pour les consoler, il les fit jouer avec lui et les enfants du village à cheval-fondu et à cheval-plumé. Ils oublièrent leur peine et gagnèrent chacun leur tour trois châtaignes. Réconfortés, ils se retrouvèrent sans savoir comment devant le roi Vortigern, avec Merlin qui riait.

— Roi, mauvais roi, dit Merlin, me voici ! Tu peux me faire couper la tête si tu veux, mais la tour continuera de s'écrouler, et personne ne pourra plus te dire pourquoi, car je suis le seul à le savoir.

— Mes devins...

— Tes devins sont des ânes, dit Merlin. Mais ce n'est pas leur faute s'ils se sont trompés, un âne ne sait que braire. Et le Malin s'en est mêlé...

— Alors, dis-moi la cause, et si tu dis vrai, tu auras la vie sauve.

— Ma vie ne dépend pas de toi, dit Merlin. Ta tour s'écroule parce que sous ses fondations se trouvent deux gros vers endormis. Chaque fois que l'un d'eux s'éveille et se retourne, la terre tremble et la tour s'écroule.

— Des vers ?

— Des vers !

— Si gros que ça !

— Encore bien plus gros !

— On va bien voir ! Qu'on creuse ! hurla le roi.

53

Cent quatre-vingt-sept terrassiers se mirent à creuser avec pioches et pelles, et au bout de quelques heures l'un d'eux enfonça son pic dans quelque chose de mou. C'était le dos d'un ver qui, surpris, se retourna, renversant tous les terrassiers et faisant voler la terre. A côté de lui, un autre ver, réveillé par son mouvement, s'agitait à son tour, tandis que s'enfuyaient les hommes épouvantés. Les deux vers étaient grands et gros chacun comme le clocher d'une église. L'un était blanc, l'autre était noir.

Libérés de la terre qui pesait sur eux, ils se tortillèrent si bien qu'ils jaillirent à la surface du sol, se changèrent en dragons, s'envolèrent et se jetèrent l'un sur l'autre en hurlant et en crachant des flammes.

Après un bref combat, le dragon noir fut complètement consumé et réduit en une poignée de cendres que le vent emporta, tandis que le dragon blanc redescendait à terre, y prenait racines et se transformait en un chêne majestueux, au sommet duquel vint se poser une couronne d'or.

— Tu avais donc raison ! dit le roi quand il fut revenu de sa stupéfaction. Dis-moi quel est ton nom.

— Merlin, dit Merlin.

Et ce fut la première fois que la Bretagne entendit son nom, car sa mère et lui l'avaient jusque-là tenu secret.

— Et je vais te dire, ajouta l'enfant merveilleux, ce que signifie le combat des deux dragons : le dragon noir, c'est toi, le dragon blanc est Uter Pandragon dont tu as usurpé le trône et qui vient vers toi avec son armée pour le reconquérir. Il te battra et te tuera, et de lui naîtra un fils qui sera le plus grand roi du monde, et dont ce chêne te montre l'image.

— Qu'on abatte ce chêne! hurla le roi Vortigern.

Mais quand les bûcherons arrivèrent avec leurs cognées, le chêne se changea en un grand cheval couleur de sable, qui s'en alla paisiblement vers l'horizon, balançant sa tête couronnée d'or.

Et Vortigern fut battu et tué par Uter Pandragon, et de celui-ci naquit Arthur.

Viviane ne retrouva pas Merlin au carrefour des genêts, d'où l'arbre bleu avait également disparu. Pous s'assurer qu'elle n'avait pas rêvé, car en se réveillant près de la source elle n'avait retrouvé trace ni du chevalier ni du sang de ses blessures, et au carrefour rien ne rappelait qu'elle y eût vraiment rencontré l'Enchanteur, elle baissa la tête et murmura-souffla-siffla « sfsulsfsuli ! » en se touchant le nez et le menton. Aussitôt, des oiseaux se mirent à surgir de l'air, chantant et voletant en toutes couleurs. Rassurée, ravie, Viviane courut vers le château de son père.

Celui-ci, monté sans selle sur un gros cheval gris placide de la race du royaume de Perche, était en train de discuter avec un de ses bergers qui gardait une centaine de moutons dans la prairie devant le château. Au milieu de cette prairie se trouvait un rocher bas en forme de tombeau sur lequel semblait gravée la vague silhouette d'une femme aux yeux clos. Les paysans disaient que c'était le tombeau de l'ancienne déesse Diane, qui avait dû, comme les autres anciens dieux, se retirer devant l'offensive des combattants du Dieu Unique en trois Personnes, et qui en était morte d'ennui et de tristesse.

Mais les dieux ne meurent pas. Quand le temps de leur puissance s'achève, ils se retirent en des lieux secrets ou se transforment en des phénomènes naturels qui leur permettent d'être présents sans qu'on les reconnaisse. Diane n'était pas morte, et le rocher n'était pas son tombeau mais peut-être un des lieux où elle se reposait.

Viviane arriva en courant et bondissant de joie, suivie par une longue écharpe multicolore d'oiseaux chantants. Et chacun de ses pas semait des fleurs dans l'herbe. Elle s'arrêta devant son père, leva son visage vers lui et ouvrit ses bras pour lui offrir tout son bonheur. Les oiseaux, en piaillant comme des enfants qui jouent, enveloppèrent de leur ronde le père et la fille et le vieux berger. Celui-ci hochait la tête en souriant et marmonnant « Jolis oiseaux ! Jolis oiseaux !... » Il était plus réjoui qu'étonné. C'était une époque où se produisaient fréquemment des événements inexplicables, et quand ils étaient agréables on en profitait sans en faire un problème. On ne croyait pas uniquement à ce qui était raisonnable. La raison rétrécit la vie, comme l'eau rétrécit les tricots de laine, si bien qu'on s'y sent coincé et on ne peut plus lever les bras.

Le père de Viviane se nommait Dyonis. C'est le nom breton de Dionysos, l'ancien dieu des forêts, de la terre et des eaux, et du bonheur de vivre en amitié avec les animaux et les arbres. Peut-être le sang de Dionysos coulait-il, avec celui de Diane, dans les veines de Dyonis. C'était un homme brun, grand, très fort, jeune encore, aux yeux noirs graves et doux. Il portait les cheveux courts, et la moustache, mais non la barbe. Lorsqu'il souriait, ses dents éclataient de blancheur.

Bien qu'il fût chevalier, il avait toujours refusé de s'armer pour la guerre ou le tournoi, mais personne ne doutait de son courage. Il élevait des bêtes et cultivait des fleurs nouvelles dans ses jardins où se promenaient avec orgueil des paons stupides et superbes qui portent toute leur gloire au derrière.

Ce jour-là, vêtu, comme un paysan, de grosse toile et d'un gilet de cuir qui laissait nus ses bras musclés, il était parti faire le tour de son petit domaine dont il aimait le moindre caillou, pour s'assurer que tout allait bien, et, si c'était nécessaire, intervenir et corriger.

Il fit un geste vers la prairie qui s'était couverte de fleurs, et vers les oiseaux qui se posaient sur les moutons et le berger et sur la tête de son cheval, tandis que d'autres naissaient dans les airs.

— Qui t'a donné tout ça, dit-il.

— L'Enchanteur !...

— Ah !... Tu l'as rencontré !... Comment était-il ?

— Beau ! dit Viviane en joignant ses mains. Il est si beau !...

Dyonis sourit, heureux, un peu inquiet.

— Et tu vas les garder ?

— Non !... Ils rentrent chez eux si je pense un mot...

Elle pensa « fini », et les fleurs se fermèrent et les oiseaux devinrent transparents et disparurent, sauf quelques-uns qui l'accompagnèrent désormais partout où elle allait et dormaient dans sa chambre pour s'éveiller en même temps qu'elle. Il y avait une mésange jaune et noir, un guit-guit mauve et bleu, deux hochequeues qui vont toujours par deux, un bul-bul qui est gris avec le cul rouge et qui s'accroche aux branches la tête en bas, et, sans doute pour lui rappeler Merlin, un merlet de l'Ile Heureuse, qui est pareil à un merle de Bretagne, mais plus vif encore et pas plus gros qu'une prune.

Dyonis tendit sa main à sa fille qui s'y accrocha, et d'un élan la fit s'asseoir sur la croupe du cheval de Perche, qui était assez large pour y installer un bœuf. A pas lents et solides ils contournèrent le château jusqu'au bord du lac de Diane, qu'il dominait.

Venant du sud, un voile blanc grandit dans le bleu du ciel et descendit vers le bleu du lac, sur lequel il se posa. C'était un vol de cygnes qui se rendaient pour l'été en Bretagne d'Irlande.

— Es-tu content que j'aie rencontré Merlin? demanda Viviane.

Elle attachait beaucoup d'importance au jugement de son père. Elle l'aimait et l'admirait parce qu'il était son père, mais aussi parce qu'il était un sage et un savant. Il connaissait les lettres, savait les tracer avec un brin de roseau fendu, et les assembler en mots et en phrases, et il savait les lire. Il avait enseigné cet art à sa fille. Les moines du couvent de Saint-Dénoué, tout proche, l'accueillaient avec respect et amitié. Il passait de longues heures dans leur bibliothèque, déchiffrant les secrets des connaissances dans de lourds manuscrits reliés de cuir de veau, aux pages décorées d'images en couleurs.

— Je n'ai pas à être content ou pas, dit-il. La rencontre a eu lieu, je n'y peux plus rien. L'Enchanteur n'a jamais voulu le mal de personne, si ce n'est des gredins. Si tu l'as rencontré c'est qu'il l'a voulu. C'est de lui que dépendra maintenant ce qui va s'ensuivre.

Pivotant sur ses hanches, il prit dans son bras droit sa fille et la ramena devant lui contre sa poitrine où elle se blottit.

— Mais cela dépendra aussi de toi, dit-il : Un enchanteur n'est pas forcément plus fort qu'une femme, même si elle n'est qu'un petit bout de femme comme toi !...

Merlin, sous l'apparence qu'il avait eue à son arrivée à Carohaise, cheval brun, robe verte, barbe rousse, rejoignit Arthur alors que celui-ci galopait vers la bataille dont il se rappelait s'être éloigné pour poursuivre Frolle.

— Je ne sais plus d'où je viens! dit Arthur. Je me suis battu contre Frolle. L'ai-je tué? Puisque j'ai son épée...

— Tu ne l'as pas tué, dit Merlin. Tu lui as crevé l'œil, ôté la joue et fracassé l'épaule. Il a laissé tomber son épée, et a été emporté par son cheval, devenu fou parce que tu lui avais tranché l'oreille...

— Frolle m'a frappé à la tête avec sa masse de cuivre et arraché les cheveux avec la peau, et j'étais ouvert au côté par la lance de Ponce Antoine. Je n'ai plus de blessure et ne sens plus rien! Est-ce toi qui m'as guéri?

— Ce n'est pas moi, dit Merlin.

Arthur brandit Marmiadoise, et tout le paysage en fut illuminé.

— L'ai-je gagnée loyalement?

— Tu l'as bien gagnée, elle est à toi!...

— Ouaaahaaa!...

Poussant un cri de joie et de victoire, Arthur piqua des deux vers le combat, Marmiadoise dans sa main droite et Escalibur dans la gauche.

Mais tout était terminé. Le dernier ennemi avait fui, et sur le champ de bataille, comme un peuple de fourmis, grouillaient les paysans et les petites gens de la ville, occupés à soigner ou à achever les blessés selon leur camp, et à enterrer les morts vaincus après les avoir dépouillés de tout, y compris leur chemise. Plus d'un cheval de guerre devint de ce jour-là cheval de labour.

Les morts étaient peu nombreux du côté du roi Léaudagan, tant ses défenseurs avaient montré de fureur au combat. On les transportait dans la grande belle église de la ville, on les couchait côte à côte sur le sol, ils composaient un tapis d'héroïsme de l'autel jusqu'au porche. Mille cierges de cire brûlaient pour eux, les moines et les curés et l'évêque priaient et chantaient des psaumes, et les pierres de l'église chantaient avec eux. La foule agenouillée sur la place et dans les rues avoisinantes priait pour le salut de l'âme de ceux qui étaient morts sans confession.

Les amis d'Arthur, ne le voyant nulle part, étaient partis à sa recherche. Ce fut Gauvain qui, dans la forêt, trouva sa lance et des traces de sang. Fou d'inquiétude et de douleur, il hurla le nom d'Arthur aux quatre directions du vent et ne trouvant pas son corps, regagna Carohaise partagé entre l'espoir et le chagrin. Il avait vingt ans, il aimait tendrement Arthur et le considérait comme un jeune frère qu'il devait protéger. Il pouvait le faire, car il était fort et dur comme un chêne, et personne n'était capable de résister au choc de sa lance. Il était le neveu d'Arthur, fils de la demi-sœur de ce dernier, mais Arthur le nommait par amitié son cousin.

Gauvain retrouva Arthur au château du roi, et faillit lui briser les côtes tant il le serra contre sa poitrine. Tant que durèrent les aventures, Arthur n'eut jamais de meilleur ami que Gauvain. Si ce n'est Merlin.

Le roi Léaudagan était riche. C'était l'appât du pillage qui lui attirait tant d'ennemis. Il fit distribuer des cadeaux à tout le peuple et de grandes largesses aux chevaliers. Mais il tenait à honorer particulièrement les quarante et un dont il ne savait toujours pas qui ils étaient. Il les invita à souper et coucher dans son château.

La reine elle-même et sa fille Guenièvre, et les dames et les demoiselles de la cour, les désarmèrent, les dévêtirent et les baignèrent dans de grands baquets de bois de frêne pleins d'eau chaude aromatisée d'herbes propres à effacer la fatigue et les meurtrissures. Puis les vêtirent de riches robes de fourrure et les conduisirent aux tables qui venaient d'être dressées. Le roi fit asseoir Arthur à sa droite et Merlin à sa gauche, et Guenièvre, qui avait revêtu ses plus beaux atours, vint s'agenouiller devant Arthur pour lui présenter à boire dans la coupe du roi. Elle était très belle, blanche et rose de teint, avec de très grands yeux bleus, de longs cheveux tressés couleur de blé mur, sur lesquels reposait une petite couronne d'or signifiant qu'elle était l'héritière du royaume, les autres enfants du roi étant morts. Et un collier de précieuses pierres de la couleur de ses yeux enserrait son cou trois fois avant de descendre sur le haut de sa robe que tendaient ses seins ronds et durs comme des pommes de septembre.

Dans ses yeux se lisait toute son admiration pour le chevalier qu'elle servait, et celui-ci, de son côté, la regardait avec beaucoup de plaisir.

Cet attrait réciproque satisfit Merlin qui vit là l'occasion d'engager Arthur sur la voie droite de la vertu conjugale. Il fallait qu'il fût chaste pour la quête du Graal, et le sacrement du mariage place l'œuvre de chair hors du péché.

— Votre fille est belle, dit Merlin au roi Léaudagan, comment se fait-il qu'elle ne soit pas encore mariée ?

— Elle n'a pas quinze ans, dit le roi, elle a le temps...

— Si elle a le temps, vous ne l'avez plus guère, dit Merlin. Il serait bon que vous pensiez à vous choisir un gendre capable de défendre votre peuple et vos biens.

— Il m'en faudrait un qui ressemblât au chevalier qui les a défendus aujourd'hui, dit le roi. Bien que je ne sache qui il est, s'il veut ma fille, je la lui donne, et mon royaume sera le sien.

Et il se tourna franchement vers celui dont il venait de parler.

— Le roi attend ta réponse, dit Merlin à Arthur.

Et voici la façon dont celui-ci répondit : il se leva, fit le tour des tables, s'approcha de Guenièvre toujours agenouillée, la releva, et à son tour s'agenouilla devant elle, en lui tenant les mains.

Merlin dit alors au roi Léaudagan :

— Sire, quels que soient votre rang et vos honneurs, sachez que vous venez de donner votre fille à plus haut que vous. Celui qui a sauvé aujourd'hui votre royaume est Arthur, roi du royaume de Logres, à qui vous devez allégeance. Et voici son cousin Gauvain et ses frères, fils du roi Lot, et voici Ban, roi de Bénoïc, et Bohor roi de Gannes, et Sagremor, fils de l'empereur de Constantinople...

Et il nomma à Léaudagan tous les rois et fils de rois qui s'étaient si bien battus pour lui, et qui se comportaient maintenant si vaillamment devant ses viandes.

La joie du vieux roi fut telle qu'il faillit en mourir. Mais il avait une solide carcasse, il l'avait bien montré, lui aussi, au combat. Il plia le genou devant son suzerain qui le releva aussitôt et lui donna l'embrassade.

Guenièvre croyait rêver. Alors que le matin elle craignait la mort pour son père et un sort pire pour elle, voilà qu'elle se trouvait fiancée au plus grand roi de Bretagne, qui était aussi le plus vaillant et le plus beau. Tout cela était-il vrai ? N'était-ce pas un enchantement de l'homme à la robe verte ?

Mais elle était déjà assez femme pour savoir bien séparer la réalité des mirages, même si ceux-ci sont parfois nécessaires pour faire accepter celle-là. Et quand elle posa ses deux mains sur son cœur si bien protégé par son sein parfait, elle sut que Dieu venait de donner à l'un et à l'autre un maître pour la vie.

En quoi elle se trompait. Et Merlin se trompait aussi. Croyant avoir engagé Arthur dans une voie de sécurité, il venait de semer pour l'avenir la graine des pires désastres. Il avait des pouvoirs sur le monde matériel, mais il ne pouvait rien sur les sentiments des hommes et des femmes, pas même sur les siens...

Le lendemain furent célébrées les fiançailles, et, le
même jour, les funérailles des héros. L'évêque bénit les
morts et les vivants. Les chevaliers furent inhumés
sous les dalles de l'église, et les pieds des générations de fidèles allaient effacer peu à peu leurs noms
gravés.

Le mariage ne pouvait avoir lieu aussitôt, le roi
Arthur devant aller défendre ses terres que les Saines
commençaient d'assaillir par le nord et par l'est.
Léaudagan offrit à Arthur la moitié de son armée, et
les chevaliers s'en furent, toujours sous les armes,
l'enseigne du roi déployée.

Chacun était suivi par son écuyer, ses valets et ses
chevaux de bagage. Ce fut une longue procession qui
disparut lentement au loin, derrière la poussière
qu'elle avait soulevée. Guenièvre la regarda s'éloigner
du haut de la muraille, le cœur à la fois plein de
chagrin et de joie. C'était la première fois qu'Arthur la
quittait et ce ne serait pas la dernière, elle le savait, la
femme d'un chevalier reste souvent seule, et plus
encore celle d'un roi.

Merlin avait décidé de ne pas accompagner Arthur. Fiancé, vainqueur, entouré de son armée, le jeune roi, pensait-il, protégé à tous les niveaux, n'avait pas besoin de lui jusqu'aux prochains combats. Il se trompait. Le Diable ne dort jamais.

L'Enchanteur se transporta au cœur de la forêt de Brocéliande et s'assit sur son pommier, dans son château d'arbres que les gens de la région connaissaient et nommaient *l'espluméor*, sans connaître le sens de ce mot, et personne ne la connaît encore aujourd'hui.

Il s'était construit ce refuge pendant son enfance, lorsque le Diable furieux se démenait en lui et lui déchirait l'esprit pour essayer de l'arracher à Dieu.

Submergé de douleur, secoué, tordu, écorché, lacéré au-dedans et au-dehors, quand il se sentait sur le point de sombrer dans la folie, il allait se jeter dans la source toute proche qu'on nomme fontaine de Baranton, et y trouvait soulagement. C'est une source dont l'eau bout bien qu'elle soit froide. Si on y plonge la tête d'un homme devenu fou, il y retrouve le bon sens, à condition qu'il l'ait eu auparavant, ce qui n'est pas courant. Merlin s'y plongeait tout entier, le Diable enragé donnait à l'eau la véritable chaleur de l'eau bouillante, mais pour Merlin elle restait fraîche et il en sortait apaisé, avec des forces renouvelées pour se défendre. Aujourd'hui, en souvenir du secours que la source apporta à l'enfant « surdoué », le village le plus proche se nomme *Folle Pensée*, ce qui est une déformation de *Fol Pansé*, c'est-à-dire « fou guéri ».

Cette fois encore, Merlin alla demander aide à la source, mais il en sortit aussi fou qu'il y avait pénétré, car sa folie était celle de l'amour, contre laquelle rien ne peut, que soi-même.

Il eut recours alors à la dangereuse conjuration de l'oubli, qu'il n'avait jusqu'à ce moment jamais utilisée. Près de la fontaine était couchée une lourde pierre rectangulaire qui aurait pu lui servir de couvercle, et qui l'était peut-être, et à côté de la pierre se dressait un arbre qui n'était pas de Bretagne mais des pays de la mer Méditerranée, un pin parasol au tronc rose dont les branches, très hautes, s'étendaient à l'horizontale sur toute la clairière. L'arbre était aussi vieux que la source, une chaîne d'or ceinturait son tronc puissant et se prolongeait jusqu'à la dalle de pierre. A son extrémité était fixé un gobelet d'or marqué de signes et de lettres que même les moines savants ne savaient pas lire. Merlin savait. Il plongea le gobelet dans la source, et répandit l'eau sur la dalle, en prononçant les mots inscrits dans l'épaisseur de l'or.

Aussitôt dix mille éclairs éclatèrent à la fois, formant un dôme de feu au-dessus de la forêt, dans un fracas ininterrompu, terrifiant.

Les bûcherons et les charbonniers s'enfuirent en courant, les paysans s'enfermèrent avec leurs animaux dans les étables sombres, le prieur du couvent de Saint-Dénoué fit sonner à la volée toutes les cloches, les bêtes de la forêt se tassèrent au fond de leurs tanières, l'eau de la source se mit à bouillir à gros bouillons et à projeter dans l'air des tourbillons de neige.

Merlin étendit son corps nu sur le sol, entre l'eau, la pierre et l'arbre, ferma les yeux et enfonça dans l'herbe ses mains aux doigts écartés.

Alors la pluie se mit à tomber, verticale, drue, claire, lourde, épaisse comme un bloc. Les éclairs s'arrêtèrent, il y eut encore dans l'air un sourd grondement qui peu à peu se tut, laissant la place au seul, immense bruit de la pluie. Elle tomba pendant des heures, peut-être des jours, c'était le temps de Merlin et il n'a pas la même durée que celui des humains ordinaires. Elle se fit moins drue, moins lourde, et le bruit de sa longue chute devint comme une chanson.

Le corps de Merlin avait disparu. Il s'était fondu dans la forêt, confondu avec elle, il était devenu bois vif, écorces, racines, feuilles vertes et feuilles mortes, graines germées, sèves montantes, odeurs mouillées, couleurs lavées que le soleil revenu chauffait et caressait. Il était dans tous les arbres, de tous âges et de toutes tailles, dans leurs branches et leurs feuilles, leurs fruits et leurs bourgeons. La bienveillance tranquille de la forêt et sa force sans limites l'emplissaient, et il emplissait la forêt de sa compréhension, de sa gratitude et de son amour.

A regret, il se retira d'elle et se retrouva près de la fontaine. Ce qu'il avait risqué, c'était de ne plus retrouver son apparence humaine et de rester absorbé dans la chair de la forêt. Il y aurait trouvé la paix immense et sereine, mais la paix n'était pas son destin.

Le Merlin qui réapparut entre la pierre et l'arbre fut l'enfant aux boucles folles et aux yeux tout neufs. Il sut, dès qu'il se retrouva, que son attachement à Viviane n'avait pas été délié et ne pouvait pas l'être, et qu'il allait en souffrir comme bois dans le feu, mais qu'il était bon qu'il en fût ainsi.

Il sut en même temps ce qui était arrivé à Arthur. Il se transporta aussitôt près de lui, trop tard.

Arthur, voulant faire plaisir à ses « cousins » Gauvain, Agravain, Guerrehès et Gaheriet, infléchit légèrement la marche de son armée de façon à faire étape en Orcanie qui était le royaume de leur père, le roi Lot. Mais lorsqu'ils arrivèrent en son château, le roi venait de partir avec la moitié de sa garnison pour se porter au secours d'une de ses places fortes attaquée par les Saines. Arthur décida d'aller dès le lendemain l'assister avec toutes ses forces. Gauvain et ses frères, sans prendre le temps de se reposer, volèrent à la rescousse de leur père.

L'armée bivouaqua hors des murs, les chevaliers reçurent l'hospitalité chez les seigneurs et les vavasseurs de la cité, et la reine reçut Arthur, Ban, Bohor et Sagremor dans sa demeure.

Le Conte de Bretagne est pareil à un fleuve qui rassemble les eaux d'une quantité d'affluents : ses personnages. Les uns sont impétueux, d'autres calmes et forts, certains sinueux, tous venant s'ajouter à son courant pour suivre la pente unique de la Quête. Au bout de l'Aventure se trouve l'Océan, la Coupe, le Graal...

Si on remonte l'un quelconque de ces cours d'eau,

on le voit composé lui aussi de rivières et torrents, né de rencontres, d'alliances accidentelles ou voulues, parfois secrètes, toutes finalement ayant des conséquences sur les méandres ou les rapides du fleuve. Ainsi en est-il d'Arthur. En remontant le courant de sa vie avant qu'il fût roi, et même avant qu'il fût né, nous débusquerions des péripéties qui expliqueraient une partie de son comportement dans son présent et son avenir. Il ne sait que depuis peu d'années qu'il est le fils d'Uter Pandragon et d'Ygerne. Et il ignore les conditions étranges dans lesquelles il fut conçu. Nous ne les dévoilerons pas ici, car il nous faudrait nous embarquer pour une trop longue croisière. Il nous suffit de savoir ce qu'il sait, ce qu'il a appris en même temps que les noms de ses parents.

Il sait que la reine d'Orcanie, chez qui il vient d'arriver, est sa demi-sœur. Elle ne connut Arthur que lorsque celui-ci, adolescent hardi, triompha de l'épreuve qui fit de lui le roi de Logres. Elle avait été, dès cet instant, très troublée par lui. Le fait qu'il fût son demi-frère ne lui apparaissait pas comme une évidence. Il avait surgi dans sa vie comme un inconnu. Elle ne l'avait pas revu depuis, et lorsqu'elle se trouva en face du garçon superbe qu'il était devenu, elle en fut bouleversée. Il arrivait précédé par la gloire, accompagné de l'odeur des chevaux et des hommes en sueur, et de cette émanation non perceptible, à laquelle sont cependant si sensibles les femmes ayant atteint un heureux épanouissement : celle d'un homme brûlant et vierge.

Ses hôtes ayant été traités à grand honneur et grande liesse, la reine les fit conduire par ses demoiselles aux chambres qui leur convenaient. Pour honorer Arthur, elle le fit coucher dans la chambre du roi son époux, qui touchait la sienne. Alors qu'elle l'y accompagnait, et déposait près du lit le flambeau à six mèches d'huile, il continuait de lui conter la bataille de Carohaise, avec de grands gestes et des éclats de rire, car il ne voulait pas se vanter de ses faits d'arme, et les transformait en épisodes divertissants.

Elle restait debout près de lui et l'écoutait sans mot dire, et il se rendit compte, à la lueur des mèches parfumées, qu'elle tremblait, et devenait rouge, et qu'elle semblait attendre de lui autre chose que des récits héroïques. Peu à peu son débit se ralentit, il cessa de faire des gestes. Ses bras pendaient le long de son corps, une grande chaleur l'envahissait, il ne savait plus du tout ce qu'il devait dire, et moins encore ce qu'il devait faire.

Alors elle franchit la porte qui la séparait de sa propre chambre, et il fit ce qu'il n'aurait pas dû faire : il la suivit.

Elle gagna son lit. Il la suivit encore. L'habitude de coucher nu facilite les rapports humains. Les mains maladroites d'Arthur, rugueuses d'avoir tant serré les armes, trouvèrent des merveilles à explorer, et le firent avec délicatesse et une curiosité infinie.

Et le Diable, qui avait chaudement préparé tout cela, lui fit oublier, ainsi qu'à la reine, qui ils étaient et quels liens de sang les unissaient. Ils se réjouirent sans honte et sans crainte. Il fut d'abord maladroit et rapide, mais elle eut tôt fait de l'enseigner.

Arthur partit à l'aube avec son armée pour aller secourir le roi Lot. Afin d'éviter la poussière soulevée par les chevaux, il avait pris de l'avance et chevauchait seul, à une bonne lieue en avant. Parfois un de ses compagnons, ou son écuyer Girflet, fils de Do, arrivait au galop jusqu'à sa hauteur, s'inquiétant des dangers de sa solitude alors qu'on approchait de l'ennemi. Mais Arthur renvoyait tout le monde. Il n'aurait pu supporter d'échanger des propos avec quiconque, il était à la fois tourmenté et heureux, il avait besoin de réfléchir. Mais plus il réfléchissait, moins il savait comment il devait se juger. Ce qu'il avait fait cette nuit était condamnable, mais il n'arrivait pas à le regretter, il y pensait au contraire en souriant, il eût volontiers recommencé...

Mais elle était mariée! Et elle était sa sœur maternelle!... Il avait commis un double péché très grave.

Au diable le remords! Il se confesserait, et ne remettrait plus les pieds en Orcanie, et il ne lui resterait de cette nuit qu'un plaisant souvenir. Après tout, il n'avait causé de tort à personne...

A peine s'était-il accordé cette indulgence qu'il vit surgir d'un vallon devant lui un chevalier en long haubert de mailles rouges, coiffé d'un heaume empanaché de plumes rouges, ganté de fer rouge et qui arrivait sur lui au grand galop d'un cheval rouge. Ses bras étaient disposés à la façon dont il aurait tenu la lance et l'écu, mais il n'avait ni l'un ni l'autre, et pas davantage d'épée. Il fonça sur Arthur dans la position du combat en criant :

— Garde-toi, roi Arthur !

Arthur commença de tirer Marmiadoise, mais la renfonça dans son fourreau, ne voulant pas s'armer contre un adversaire sans arme, et qui lui paraissait fou. Pour éviter une collision, il fit faire un écart à son cheval, mais le chevalier rouge, en passant près de lui comme la foudre, le frappa d'un tel coup de poing à la poitrine qu'il fut projeté par-dessus le croupe de sa monture et se retrouva étendu sur le dos, la tête ébranlée et les poumons vidés par le choc.

Son adversaire avait sauté à terre et le bourrait de coups de pied en criant :

— Défends-toi, roi Arthur ! Arme-toi ! Te laisseras-tu rosser comme un porcher ?

Arthur se releva d'un bond, courut à son cheval, d'un seul geste tira Escalibur et en frappa au cou le chevalier rouge, qui l'avait suivi. Le coup aurait dû lui faire voler la tête. Mais l'homme avait saisi la lame tranchante à pleine main, arrachait l'épée à Arthur et la projetait contre un arbre dans lequel elle se planta en chantant.

Stupéfait, un instant immobile, Arthur se jeta avec ses deux poings nus contre son adversaire. Celui-ci le repoussa comme une plume et une fois de plus il frappa le sol de son dos.

L'homme lui mit un pied sur la poitrine, et il lui sembla qu'il était écrasé sous le poids d'une montagne.

— Tu étais plus vaillant la nuit dernière! dit le chevalier rouge.

Il ôta son pied. Arthur ne bougea plus, sachant maintenant qu'il n'avait pas affaire à un adversaire ordinaire. Etait-ce un ange guerrier envoyé par Dieu pour le punir? Son cœur tremblait.

— Qui es-tu? demanda-t-il.

— Et toi? Qui es-tu?... Es-tu un roi ou un chien, qui se laisse entraîner par le premier élan du dard qui lui pointe au ventre? Que peut-on faire de toi si c'est ton ventre qui commande?

Il y eut un court silence puis le chevalier rouge soupira et répéta à voix basse, avec, semblait-il, une grande tristesse :

— Que peut-on faire de toi?...

Il remonta sur son cheval, repartit au pas dans la direction d'où il était venu et disparut dans le vallon d'où il était sorti.

Arthur, profondément ébranlé par cette rencontre, après avoir à grand-peine récupéré Escalibur, remonta tout endolori sur son cheval, et, la nuit suivante, alors que l'armée dormait, se rendit dans la forêt proche où se trouvait un ermitage. Il se confessa à l'ermite et resta jusqu'à l'aube étendu les bras en croix à plat ventre devant l'autel, se repentant et pleurant dans la poussière. Il prenait conscience de sa faute et se rendait compte que, plus qu'une faute, c'était une chute. C'était ce que le chevalier rouge lui avait fait comprendre en le jetant à bas de son cheval. Et en faisant de lui, pour la première fois de sa vie, un vaincu. Il avait été vaincu par lui-même. Il s'était amputé d'une partie de sa maîtrise et de sa droiture. Il ne serait plus jamais le même.

Le chevalier rouge était Merlin.

Il avait voulu, sans se faire connaître, donner une leçon à Arthur, comme un père sévère et droit corrige son fils dont la conduite s'est égarée.

Cette leçon fut utile au jeune roi, qui, pour se racheter à ses propres yeux, redoubla de vaillance et de loyauté, au combat aussi bien que dans la direction des affaires du royaume.

Mais, pour Merlin, tout était à recommencer. Il lui fallait trouver ou susciter un autre chevalier qui pût devenir le meilleur chevalier du monde, sans la moindre faiblesse. C'est à ce moment que lui vint l'idée de créer la Table Ronde, qui susciterait l'émulation entre les meilleurs chevaliers de Bretagne et ferait surgir le meilleur des meilleurs.

Il fallait pour cela qu'ils fussent disponibles, qu'ils n'aient plus à se battre constamment contre les incursions des envahisseurs. Avec l'aide de Merlin, Arthur leur livra rapidement bataille. Les Alémans et les Romains se rembarquèrent pour ne plus revenir, les Saxons se retirèrent vers le nord, et l'horrible Claudas lui-même, roi de la Terre Déserte, quitta la Grande Bretagne avec ce qui lui restait de troupes.

Arthur, par son courage et sa générosité, s'était assuré la fidélité de ses vassaux. Pour son peuple, il était en train de devenir un héros de légende. Pour lui-même, il était toujours celui qui avait été vaincu par un chevalier sans armes, et il y avait gagné la véritable humilité, qui est la base de toutes les vertus.

Merlin l'aimait beaucoup et ne lui marchanda jamais son aide. Quand le royaume fut enfin en paix, il lui rappela qu'il avait une fiancée qui l'attendait en Carmélide, et qu'il était temps qu'il se mariât.

— Tic ! Tic ! Tic ! fit le merlet.

Posé près du visage de Viviane endormie, il lui picotait le bord de l'oreille en prenant soin de ne pas appuyer ses coups, car il avait le bec si fin et si pointu qu'il était capable d'attraper un moustique par une jambe.

— Sale bête ! grogna Viviane en ouvrant un œil. Qu'est-ce qui te prend ? Tu ne peux pas me laisser dormir ?

Mais elle ouvrit tout à coup ses deux yeux tout grand : l'arbre bleu était dans sa chambre !

Pour pouvoir y entrer il s'était réduit à la taille d'un rosier, et avait pris racine dans son lit, près de ses pieds. Il luisait doucement dans la nuit.

— Merlin ! cria Viviane.

Elle l'avait attendu si longtemps, jour après jour, sans le voir revenir ! Cela faisait maintenant plus de deux ans, et elle commençait à perdre espoir.

— Merlin !

Elle jaillit de son lit vers la fenêtre, et elle le vit à la lumière des étoiles, assis sur la bordure du puits, en train de l'attendre. Il se dressa, tendit les bras vers elle et dit : « Viens ! », et elle fut contre lui...

Elle sanglotait de joie et lui frappait la poitrine de ses petits poings avec colère.

— Pourquoi ? Pourquoi es-tu resté si longtemps ?

Il n'expliquait pas, il lui caressait le visage, il murmurait seulement : « Viviane... Viviane... », comme un chant de bonheur. Et elle était si heureuse qu'elle se mit à rire.

Elle prit le temps de le regarder, et s'aperçut qu'il avait changé. Lui-même ne s'était pas rendu compte que pour la rejoindre et mieux se rapprocher d'elle il s'était laissé glisser dans l'apparence de ses quinze ans. Il était si beau qu'elle recommença à pleurer. Et il baisa ses larmes, et ils s'embrassèrent et se serrèrent l'un contre l'autre, ils s'aimaient et le savaient et n'avaient pas besoin de le dire. Mais Viviane s'étouffait, c'était trop grand, trop fort, trop léger en elle, cela grandissait dans son corps et voulait le faire éclater, il fallait qu'elle le dise, et elle le lui dit et l'embrassa sur les lèvres. « Oh je t'aime tant !... » Elle avait fermé les yeux et elle appuyait sa joue contre sa poitrine et continuait de murmurer : « je t'aime, je t'aime, je t'aime... »

Elle avait sauté nue de son lit, elle était nue dans ses bras et elle ne s'en souciait pas, mais pour la préserver de la fraîcheur de la nuit, et pour se préserver de la brûlure de son corps, d'un geste de la main il l'habilla avec une robe de voile de laine aussi léger qu'une fumée.

— Pourquoi, pourquoi es-tu resté si longtemps sans revenir ?

— Je ne voulais plus revenir du tout, je ne voulais plus te revoir jamais... Mais je n'ai pas pu...

Stupéfaite, elle répéta :

— Pourquoi ?... Pourquoi ?...

— Parce que je t'apporte la souffrance... Pas le malheur, mais la souffrance. Il y aura la même pour moi, mais si j'ai le droit de me l'infliger et de l'accepter, je n'ai pas celui de te la faire partager. Je ne voulais pas revenir, je ne voulais pas !... Et me voilà...

Il avait repris l'apparence de ses trente ans, et serrant contre lui l'enfant bien-aimée il baisait doucement ses cheveux qui sentaient le foin coupé dont était empli son oreiller de dentelles. Elle avait grandi, elle était maintenant une vraie femme toute fraîche, et il savait qu'elle serait de plus en plus belle à mesure que passeraient les années.

Elle leva les yeux vers lui et vit la forme de son visage se découper parmi les étoiles. Elle lui dit à voix basse :

— Quelle souffrance ? Quelle qu'elle soit, je l'accepte, pour être avec toi...

— Ecoute : plus nous serons ensemble, plus nous nous aimerons, plus nous serons malheureux... Pour une raison simple et terrible : tu es vierge, je le suis aussi, et nous devons le rester, sous peine de perdre nos pouvoirs...

Viviane frappa la mousse de son pied nu, dans un geste de colère, et cria :

— Les pouvoirs, je m'en moque !...

La lune de Diane se coucha.

Viviane avait dit : « les pouvoirs je m'en moque ! », mais ce n'était pas vrai. Elle s'en rendit compte très vite, dès que Merlin lui eut révélé quelques autres des possibilités qui dormaient en elle. Ce n'était pas qu'elle attachât beaucoup de prix à chacune. Faire apparaître sur elle des vêtements splendides et des bijoux somptueux, déplacer un arbre ou une maison, transformer une prairie en désert ou en fleuve, marcher sur l'eau, voler, faire d'un cheval une vache ou un tonneau, se déplacer instantanément d'un lieu à un autre, c'était autant de jeux, mais rien de plus. Ce qui était important, c'était le changement que cela apportait en elle. Disposant de plus en plus, de mieux en mieux, de la matière, de l'espace et du temps, elle s'élevait au-dessus de la condition humaine ordinaire, elle montait dans l'échelle des êtres. Il serait très dur de renoncer à cette ascension. Et elle n'était pas sûre d'en avoir le droit.

Elle sentait vivre en elle encore une multitude de possibilités, qui se bousculaient pour qu'elle les connût et les utilisât. Elle voulait les savoir toutes ! Elle harcela Merlin à chaque minute de la semaine qu'il resta auprès d'elle. Il s'en allait le soir, il ne voulait pas passer la nuit avec elle dans son lit, comme elle le lui demanda : elle aurait été si heureuse de dormir dans ses bras... Sa jeunesse lui permettait de n'être pas encore tourmentée par l'interdiction qui leur était faite d'accomplir totalement leur amour. Malgré son corps épanoui, elle n'était pas tout à fait sortie de son enfance, et ne désirait rien de plus, pour l'instant, que l'immense bonheur de se blottir contre celui qu'elle aimait. Ou même simplement d'être près de lui, de l'écouter, de lui parler, de le regarder sans fin.

Mais pour Merlin le lit de Viviane aurait été un brasier de supplice. Il avait pu, jusqu'alors, se garder de l'amour et du désir, grâce à sa connaissance instantanée et totale des êtres qu'il approchait. Si beau, si bon, si parfait soit un être humain homme ou femme, il cache toujours au fond de son cœur quelques grouillements de crapauds qu'il veut ignorer ou qu'il combat et maîtrise. Il finit par n'en plus tenir compte, il les tient enfermés cadenassés domptés, mais ils sont là. Quand Merlin se sentait attiré par une femme, il lui suffisait de chercher et il les découvrait. Aussitôt, glacé, il retrouvait sa distance.

Cette connaissance des êtres humains, de leurs faiblesses secrètes, des infirmités qu'ils cachaient ou ignoraient, inspirait à Merlin une compassion infinie et était à la base de son dévouement à leur cause.

Il n'y avait rien de tel en Viviane. Elle était comme la source dans laquelle il l'avait vue pour la première fois. Elle était l'eau limpide de la terre, la pluie neuve du ciel, la feuille transparente sortant du bourgeon, les yeux des étoiles. Elle ne lui fournissait aucune arme pour se défendre contre elle et il en était arrivé au point où il ne le voulait plus.

Il lui révéla beaucoup d'elle-même. C'était sans fin. Elle était comme un trésor dont on a percé la voûte, et on en tire à pleines mains les diamants, les perles, les lourds colliers, les écus d'or. C'était inépuisable. Il savait qu'il n'en viendrait pas à bout. Elle était riche comme la nature elle-même. Il savait qu'elle n'utiliserait jamais ses pouvoirs pour faire le mal. Elle rayonnait. Et le mal vient de l'obscur. Les mauvais sont mauvais parce qu'ils sont stupides, gris, sans lumière.

Mais il ne lui donna pas la clé universelle, le mot de trois lettres qui est au commencement de chaque chose, le premier Verbe qui servit à la Création, et qui lui aurait permis de faire dès maintenant tout ce qu'elle aurait voulu. Il fallait qu'elle apprît à se connaître peu à peu, en restant plus forte que ses propres forces. Elle était comme un poulain qui vient de naître. Elle devait apprendre à se tenir sur ses jambes avant de se mettre à gambader et à sauter par-dessus les haies.

Et peut-être, aussi, malgré sa confiance et son amour, voulait-il garder une dernière défense contre elle. Et contre lui.

Il l'emmena au mariage d'Arthur et Guenièvre. Il l'avait transformée en garçon, et la présenta comme son écuyer, du nom de Vivien. Lui-même avait repris sa robe verte et sa barbe rousse, et Viviane pouffait en le regardant. Elle avait une folle envie de planter ses deux mains dans sa barbe et d'y faire un nid. Ses oiseaux l'accompagnaient, et picoraient par-ci par-là dans les plats qui attendaient les convives. Les serviteurs n'osaient rien dire, car ils pensaient que le bulbul et le guit-guit appartenaient à l'Enchanteur. Ils n'en avaient jamais vu de pareils. Quant aux hochequeues ce sont des oiseaux aimés des bergers et des laboureurs, personne n'eût voulu leur faire du mal. Le merlet s'était creusé une place dans les cheveux de Merlin, entre les feuilles de houx. Seule dépassait l'aiguille jaune de son bec, qu'il ouvrait de temps en temps pour gober un moucheron volant, si petit qu'on ne pouvait le voir.

Les fiancés furent conduits l'un à l'autre dans la grande salle du château, jonchée de fleurs coupées et de brassées d'herbe verte. Dans l'odeur du printemps, Guenièvre fut amenée à Arthur par son père Léaudagan, et quand Viviane la vit elle fut bouleversée d'admiration et de compassion.

— C'est la plus belle femme du monde ! dit-elle. Et elle sera la plus malheureuse...

— Et la plus heureuse, dit Merlin.

Elle était vêtue d'une robe d'or battu dont la traîne, de plus d'une demi-toise, était tenue par deux fillettes qui avaient peine à la soutenir. Ses cheveux, en deux longues nattes tressées d'or tombaient sur ses épaules et sa poitrine. Leur couleur était juste un peu plus pâle que celle de sa robe mais ils brillaient autant qu'elle. Sur sa tête, elle portait un cercle d'or orné de pierres qui valaient trois royaumes. Ses chevaliers jurés, qui marchaient derrière elle, étaient les jeunes rois Bohor et Ban, ce même roi Ban qui, en mourant, allait sans le vouloir jouer un rôle si important dans sa vie.

Arthur tendit les bras vers Guenièvre qui lui donna ses mains et ils s'embrassèrent bouche à bouche puis prirent, main dans la main, la tête du cortège pour se rendre à l'église. Ils étaient beaux, fiers, graves et heureux.

— La malheureuse ! dit Viviane. Je sens un énorme malheur rouge et noir sur elle ! Que va-t-il lui arriver ?

— Je ne sais pas, dit Merlin.

Il ferma les yeux, essayant de voir l'avenir, mais celui-ci restait confus, et il eut la surprise d'y rencontrer son visage et celui de Viviane.

— Elle aura un bonheur aussi grand que son malheur... Il me semble que, sans le vouloir, nous allons lui préparer l'un et l'autre. Que Dieu nous en garde...

L'archevêque venu de Brice chanta la messe et unit les époux tandis que ceux-ci et leurs invités piétinaient les héros morts couchés sous les dalles. Après les réjouissances et les repas, Guenièvre et Arthur se retirèrent dans leur chambre tendue de tapisseries joyeuses, où les attendait un grand lit couvert de fourrures blanches et rousses. Trois demoiselles les déshabillèrent et les couchèrent, puis les laissèrent seuls. Et ils furent occupés toute la nuit.

— Je vais te quitter, dit Merlin. J'ai fait durer le temps plus que son temps, mais si long soit-il, il finit par s'écouler. Je dois retourner dans celui des hommes. Tu sais la tâche qui m'y attend...

— Elle peut attendre encore ! dit Viviane en gémissant.

— Je dois partir... Avant de te quitter, je vais te faire un cadeau. Viens...

Il lui prit la main, et s'avança avec elle vers la rive du lac. Ils avaient maintenant le même âge, celui de la jeunesse qui n'a pas de limites précises, seize ans, vingt ans, c'est la même chose. Il portait une robe couleur de soleil, elle était vêtue de blanc de lune. Sur la robe de Viviane, des feuilles et des fleurs grimpaient en guirlandes, jusqu'à ses cheveux, qu'elles couronnaient. Merlin, coiffé et ceinturé de houx, mâchonnait un brin d'herbe, et souriait. Sur la rive opposée du lac se dressait le château de Dyonis, où Viviane était née. Il était si loin que son gros donjon ne paraissait pas plus gros qu'un gland tombé. Au moment où ils atteignirent la limite de l'eau, le paysage changea. Le château de Dyonis avait disparu. Le lac n'était plus le même, il paraissait à la fois plus intime et plus grand. A droite, il s'ouvrait sur un vaste horizon paisible de vallées et de collines, que traversait une rivière, et partout ailleurs il était bordé par une forêt qui s'avançait jusque dans l'eau, et l'eau pénétrait dans la forêt. Au milieu du lac un arbre immense surgissait de l'eau, un chêne qui paraissait vieux comme le monde, et robuste comme lui et dont la cime se perdait dans le ciel. Sous les pieds nus de Viviane et de Merlin, la mousse humide était fraîche et tiède, piquetée de courtes fleurs bleues. Merlin marchait à la droite de Viviane, lui tenait la main droite avec sa main gauche, et la conduisait doucement vers la rive, suivie par ses oiseaux. Au moment où ils furent entrés dans le lac jusqu'aux chevilles, il cueillit dans l'air une rose couleur de feu, et la lui donna.

Le sol s'enfonçait en pente douce, un sable fin avait succédé à la mousse et à l'herbe. Ils avançaient toujours, dans la direction du grand chêne. Quand sa bouche et son nez pénétrèrent dans l'eau, Viviane continua de respirer, et quand ce fut le tour de ses yeux, elle les garda ouverts pour regarder devant elle, vers le bas de la longue pente sur laquelle Merlin la guidait. Et elle poussa un cri de bonheur et d'admiration.

— C'est à toi, dit Merlin. C'est ta demeure...

Au milieu de la plaine, au fond du lac, s'élevait un château comme nul n'en avait jamais vu. Un rang de colonnes légères, se courbant pour s'unir par leurs sommets, remplaçait la muraille extérieure. Derrière elles s'élevaient les diverses enceintes et les logis superposés, faits de pierre blanche éclatante percée de mille portes et fenêtres, ajourée comme de la dentelle. Quelques fines tours rondes, pointues, s'élançaient comme pour s'envoler. La plus haute se terminait par une terrasse au milieu de laquelle jaillissait une fontaine parmi des cerisiers fleuris... Derrière le château se dressait le tronc gigantesque du grand chêne. Un escalier de marbre blanc grimpait autour de lui, large mais sans rampe, jusqu'à une terrasse circulaire, très haut, juste au-dessous de légers nuages.

Autour du château, dans la campagne, les maisons des villageois se blottissaient dans des bosquets, des jardins et des champs qu'animaient des hommes et des femmes vêtus de couleurs vives, se livrant sans se presser à des tâches habituelles. Une fumée blanche, paresseuse, montait par-ci, par-là, de la cheminée d'une chaumière.

— Ceci est ton monde, dit Merlin. Tu peux y entrer et en sortir comme tu veux, mais personne ne peut le découvrir ni t'y rejoindre sans ton consentement. Tous ceux qui le tenteraient seraient noyés par l'eau du lac. Ceux à qui tu le permettras pourront venir sans crainte et sans dommage.

Une jument blanche sans selle, longue queue et longue crinière, s'approcha de Viviane au petit trot et vint frotter sa joue contre le haut de son bras. Viviane caressa ses douces lèvres de velours.

— Donne-lui un nom, dit Merlin.

— Elle a l'air si sage... Je la nommerai Folle!...

La jument eut un petit rire et se mit à danser sur ses quatre pieds. Merlin la calma d'un claquement de langue.

— Va, dit-il à Viviane, tes gens t'attendent. Ton père est déjà là...

Elle se tourna vers lui, le prit dans ses bras et se serra contre lui de toutes ses forces. Elle aurait voulu se

90

confondre avec lui et que rien ne puisse plus les séparer, jamais, jamais...

— Reste! Reste avec moi! Ici! C'est le Paradis!... Pourquoi partir encore? Que veux-tu aller faire dans le monde? Ils peuvent se passer de toi! Je t'en prie, reste!...

Doucement, il l'écarta de lui et la regarda avec tant d'amour qu'elle ne trouva plus rien à dire. Elle leva les bras et lui piqua dans les cheveux la rose qu'il lui avait donnée. Cela le rendait comique, et elle put ainsi sourire et rire un peu, au lieu de pleurer. Il la souleva, la posa sur Folle, répéta à voix basse : « Va!... »

La jument hocha la tête, fit demi-tour et s'en alla au pas vers la demeure et le paysage si surprenants qu'ils firent un instant oublier à Viviane sa peine. Elle avait chaud au cœur bien qu'elle fût en train de s'éloigner de Merlin. Car c'était lui qui avait imaginé tout cela pour elle, cette merveille, et la lui avait donnée.

Le merlet se posa derrière elle, point noir sur la croupe blanche. La jument agacée le chassa d'un revers de queue. Le merlet protesta en sifflant, et vint se poser entre ses oreilles.

Viviane se retourna pour un dernier geste d'adieu. Merlin n'était plus là.

Il pleuvait sur Camaalot, au royaume de Logres. La pluie d'hiver de la Grande Bretagne, fine, froide, interminable, tombant d'un ciel gris uni. L'énorme château massif, accroupi comme un dogue sur sa butte, était tout luisant d'eau, et de la couleur du ciel.

Morgane enrageait. Le roi allait arriver, avec la reine toute neuve. Elle avait prévu de s'avancer à leur rencontre à la tête d'un cortège rassemblant les dames du château et tous les chevaliers présents. Chacun s'était paré de neuf pour faire honneur à la reine. Les chevaux portaient leurs somptueuses robes de tournoi tombant jusqu'aux sabots. Ils attendaient dans la cour de la deuxième enceinte, trempés. Les cavaliers et les dames attendaient au sec, dans la grande salle ronde de la troisième enceinte, au cœur du château. On pouvait y accéder à cheval, au grand galop, si les trois ponts étaient baissés et les trois portes ouvertes. Et si le roi voulait. Sinon, il était aussi impossible d'entrer dans Camaalot que dans un caillou. C'était le château préféré du roi Arthur, le plus sûr, et il avait l'habitude d'y demeurer.

Toutes les chandelles étaient allumées comme en pleine nuit. Morgane allait d'une fenêtre à l'autre,

92

regardant le ciel à travers les étroits carreaux, regardant à l'ouest, à l'est, au nord, au sud, se demandant de quelle direction pourrait venir une éclaircie, mais on n'est sûr que d'une chose en ce pays, c'est que la pluie vient de partout. Morgane serrait les poings, frappait le sol du pied, furieuse. Mais à qui s'en prendre ? Elle aurait tant voulu accueillir joyeusement Arthur et sa femme...

Elle était la plus jeune des trois demi-sœurs du roi. Elle était à peine plus âgée que lui. Elle venait juste d'avoir vingt ans, alors que lui allait en avoir dix-neuf. Et lorsqu'on les voyait l'un près de l'autre c'était elle qui paraissait la plus jeune, parce qu'elle était plus petite, plus mince, toujours en mouvement, et gardait ses cheveux noirs coupés court, ébouriffés en mèches raides de tous sens, ce qui lui donnait l'allure d'un garçon qui joue. Ses yeux sombres brûlaient d'un feu qui était celui de son corps. Elle avait déjà fait entrer dans son lit plus d'un homme, sans que son frère le sût. Elle était intelligente, habile, et ne désirait qu'une chose : la liberté de faire ce dont elle avait envie.

En l'absence du roi, nul ne pouvait l'en empêcher, mais ne voulant causer aucun scandale, elle agissait avec discrétion. Et quand il était là, elle n'avait pas à se gêner davantage. Il riait de ses manières et de son langage vifs. Elle avait tenu auprès de lui, en attendant qu'il fût marié, le rôle de la maîtresse du château. Il l'aimait beaucoup et elle le lui rendait bien.

Elle n'avait pas voulu se rendre à ses noces, prétextant qu'en leur double absence Camaalot sans maîtres s'écroulerait dans le désordre, le sénéchal Kou accompagnant le roi. En réalité, elle avait un nouvel amant, un jeune chevalier qui venait de Petite Bretagne et se nommait Guyomarc'h. Très amoureux, infatigable, il lui donnait de grands plaisirs, et elle n'avait pas voulu en perdre une nuit.

Dans une de ses allées et venues impatientes elle se heurta à un vieil homme courbé sous le poids d'un fagot, et dont les cheveux et la barbe emmêlés se confondaient avec les loques dont il était vêtu.

— Fais attention ! dit-elle agacée. Qui es-tu ? Que fais-tu ici ?

— J'apporte un fagot pour ton feu, dit l'homme. Tu ferais bien d'allumer une grande flambée : le roi arrive, il est à moins d'une lieue... Je parie qu'un peu de soleil te ferait plaisir !

Il jeta son fagot sur les braises d'une des quatre cheminées, des flammes joyeuses s'élevèrent en crépitant, et par les fenêtres de l'ouest un grand soleil lança des barres de lumière jusqu'au milieu de la salle.

— Merlin ! s'exclama Morgane.

Elle embrassa le vieil homme qui riait, et tout le monde lui fit fête. Le ciel s'était, d'un seul coup, dégagé, et les chevaux séchés. On se mit en selle et le cortège sortit du château, Morgane en tête sur son étalon noir qu'elle nommait Barberousse. Il avait effectivement quatre poils au menton, comme une chèvre, et ils étaient roux. Elle était vêtue d'une longue robe de peau de renard dont les manches évasées laissaient voir ses bras gantés jusqu'aux coudes. Au-dessous de ses cheveux fous, un ruban de fourrure maintenait au sommet de son front une lourde pierre ovale couleur de sang, dans laquelle brillait parfois l'éclat du feu.

Déjà, au détour du bois de Sonberlan, apparaissait la tête du convoi royal. Morgane ne put se retenir, et jeta son cri d'alerte à Barberousse, qui partit au grand galop. Le reste du cortège d'apparat suivit, d'abord en ordre puis de plus en plus dispersé, les robes des chevaux et des dames et les enseignes des chevaliers fleurissant la campagne comme un bouquet jeté dans le vent.

Barberousse, qui était lui aussi vêtu de renard, ralentit en arrivant à la hauteur de Lanréi, le cheval d'Arthur. Le roi sourit à Morgane et lui fit un geste affectueux de la main. Il chevauchait à droite d'une litière aux rideaux fermés, portée par deux mules. A gauche de la litière chevauchait Gauvain. Kou, le sénéchal, qui venait quelques pas derrière, fit signe au convoi de s'arrêter. Des chevaliers escortaient d'autres litières, celles des demoiselles et des dames de la suite de Guenièvre. Les écuyers suivaient leurs maîtres avec les chevaux de somme chargés des armes de rechange. Des mules tiraient des chariots à quatre roues bourrés de caisses, de malles et de colis divers. Puis venait la petite foule des serviteurs, et des servantes, montés sur des mules ou sur des ânes, ou dormant dans des chariots. Un groupe de chevaliers fermaient la marche. Tous, depuis le roi, étaient sous les armes, un tel convoi attirant les brigands, et des bandes de Saines traînant encore dans le pays. Les armes des écuyers étaient des gourdins, les chevaliers seuls ayant le privilège d'utiliser la lance, et l'épée, l'arme sacrée.

Les visages étaient gris de fatigue, les chevaux crottés jusqu'au poitrail.

— Nous sommes heureux d'arriver, dit Arthur.

Morgane, habituée à des manières plus chaleureuses de la part de son frère, fut un instant décontenancée, puis se reprit et se mit à rire.

— Nous avons fait chauffer toute l'eau de la citerne! dit-elle. De quoi vous baigner tous avec vos chevaux!

Le rideau de la litière glissa et le visage de Guenièvre apparut. Ce fut comme si un second soleil se levait sur la Bretagne. Morgane en eut le souffle coupé.

— Ma sœur Morgane, dit Arthur, en la désignant à Guenièvre.

Celle-ci lui sourit et la salua d'une aimable inclinaison de la tête. Ses tresses blondes encadraient son visage comme du blé mûr, et ses yeux avaient le bleu tout neuf du ciel dégagé.

« Dieu, qu'elle est belle ! » se dit Morgane, avec un petit pincement au cœur. Ce n'était pas de la jalousie, mais elle venait tout à coup de se rendre compte que cette enfant souriante, à la fois radieuse et grave, devant laquelle elle venait de mettre pied à terre pour lui rendre hommage, et qui allait prendre sa place au château de Camaalot, ce n'était pas seulement la femme de son frère : c'était la Reine.

A la demande de Merlin, Arthur fit savoir qu'il tiendrait sa cour le jour de Noël. Il y aurait un grand tournoi, et il armerait des chevaliers.

De toutes les seigneuries du royaume, ses vassaux se mirent en marche vers Camaalot. Gauvain et ses frères revinrent d'Orcanie, Galessin revint de Garlot, les deux Yvain de Gorre, et il en vint d'autres dont les noms n'ont pas été retenus parce qu'ils ne furent pas inscrits sur les sièges de la Table Ronde.

Ban ne vint pas, ni son frère Bohor. Ils avaient fort à faire à se défendre contre le sinistre Claudas, qui chassé de la Grande Bretagne par Arthur, avait rameuté ses troupes en Petite Bretagne, et brigandait leurs deux royaumes.

Arthur ignorait dans quelle situation se trouvaient ses deux fidèles compagnons de l'épopée des quarante et un. Merlin aurait pu le lui faire savoir mais il ne lui en dit rien. Il avait pour lui des projets plus urgents que la défense de deux lointains vassaux. Des royaumes qui changent de maîtres, cela se voyait tous les jours. La terre de Bretagne était sans cesse en ébullition. Bohor et Ban avaient montré qu'ils savaient se battre. Au plus vaillant la victoire des armes. C'était pour un combat bien plus important que Merlin allait mobiliser ceux qui seraient présents à la cour d'Arthur le jour de Noël.

Tous ceux qui devaient venir étaient déjà arrivés, et Arthur et ses vavasseurs les hébergeaient et les traitaient.

Tous, sauf un, qui n'avait pas été invité, et qui se hâtait vers Camaalot. Il venait de la Forêt Gastée, en Galles.

Il avait quinze ans. Il montait un maigre bidet de chasse couleur d'avoine qu'il maintenait au constant galop. Armé de trois javelots, dont un toujours prêt dans sa main droite, il était vêtu d'une robe et d'une braie de chanvre et d'une cotte de cuir sur lesquelles il avait ficelé, pour se préserver du froid, la peau d'un loup tué par lui-même. Ses cheveux, noirs et lisses comme l'aile d'un corbeau, étaient coiffés d'un bonnet taillé dans la peau d'un daim. A vivre dans la forêt en presque totale liberté, il s'était fait des muscles et des os aussi durs que ceux d'une bête sauvage. Il n'avait jamais eu peur d'un sanglier ou d'une meute de loups, mais n'avait jamais affronté un homme.

Merlin souriait en pensant à lui. Il le voyait, pressé d'arriver, pressant son cheval dans la campagne couverte de neige, riant d'excitation, mordant le vent de ses dents éclatantes, naïf, ignorant de tout, tout neuf... Il arriverait juste à temps.

Son nom était Perceval. C'est le nom sous lequel on l'a connu en Bretagne. Les Alémans l'ont nommé Parsifal.

Ses onze frères aînés avaient été tués en tournois. Sa mère le portait encore quand son père fut tué à son tour de la même façon. Désespérée, mais libre enfin de faire ce qu'elle voulait, elle se jura que, si c'était un garçon, elle le mettrait à l'abri des armes. Et elle s'y prit aussitôt. Elle fit charger dix charrettes de quelques avoirs et de provisions, et quitta son château, avec des chevaux, des vaches, des poules, des moutons, et dix familles de paysans pacifiques pour en prendre soin. Elle dit qu'elle partait en pèlerinage en Ecosse, pour attirer la protection de saint Brandan sur son douzième fils, si c'en était un, afin qu'il ne subisse pas le même sort que ses frères et son père. Et son départ parut ainsi tout naturel.

La meilleure façon d'éviter que son dernier fils trépassât sous les armes, c'était, pensait-elle, de le garder dans l'ignorance totale des batailles, des tournois, de toute cette fureur qui lançait les uns contre les autres les hommes vêtus de fer, pour la conquête, pour la gloire, et pour le plaisir.

Elle entra avec son charroi dans la Forêt Gastée, dont la mauvaise réputation éloignait tous les curieux et dans laquelle les chevaliers ne pénétraient jamais, et après cinq semaines de voyage difficile trouva, au cœur des bois, une large vallée riante avec une source qui donnait naissance à une rivière. Elle décida de s'établir là. Et tandis que les paysans lui construisaient une belle maison de bois, elle accoucha d'un garçon. Elle lui donna le nom de Perceval, qui signifie « celui qui a perdu son domaine ». Parce qu'effectivement, en se réfugiant dans la forêt elle avait abandonné tous ses biens, et son fils se trouvait aussi pauvre que les paysans qui l'avaient accompagnée.

Il fut élevé comme un enfant d'un autre monde, ignorant tout du permanent tumulte de bataille qui lançait les uns contre les autres les royaumes et les guerriers de Bretagne. Il savait que son père était le frère d'un roi, mais il ne savait pas ce qu'était un roi. Il ne connaissait que la forêt sauvage et sa vallée fertile, et personne d'autre que les familles des paysans qui la cultivaient. Leurs enfants étaient ses compagnons. Il apprit en même temps qu'eux à biner la terre, à tanner une peau, à coudre le cuir, à façonner au marteau, sur l'enclume, le fer rougi au feu de bois. Mais il aimait surtout courir dans la forêt après les animaux qui y vivaient en grand nombre. Il commença à les chasser avec des pierres, puis se tailla des branches droites et pointues, auxquelles il eut l'idée de fixer des fers aigus qu'il forgea lui-même. Il devint d'une très grande habileté avec ses javelots.

Un jour, Merlin le vit abattre un sanglier qui courait à plus de dix toises, puis charger presque sans peine l'énorme bête sur son bidet jaune et la rapporter aux paysans du village. Car il courait les bêtes pour le plaisir mais ne tuait que pour la viande nécessaire.

Merlin lut dans son cœur qu'il était aussi innocent que le jour de sa naissance. Alors l'Enchanteur fit naître un brouillard autour de quatre chevaliers qui, à trois journées de là, s'en revenaient de Camaalot. C'était aux alentours de la Toussaint. Et il les égara si bien qu'ils entrèrent sans s'en rendre compte dans la Forêt Gastée, et ne surent plus comment en sortir. Et ils rencontrèrent Perceval.

A celui-ci, sa mère avait dit : « Si tu rencontres des hommes vêtus de fer et coiffés de fer en train de chevaucher, enfuis-toi bien vite en faisant le signe de la croix, car ce sont des démons ! »

Mais quand Perceval les vit, le brouillard qui les enveloppait venait de se lever, et à travers les branches que n'ornaient plus que quelques feuilles dorées, le soleil les baignait de sa lueur d'automne, faisant briller leurs heaumes et leurs hauberts encore humides. Sur leurs chevaux superbes ils resplendissaient comme une apparition. Et Perceval pensa que ce ne pouvait pas être là des démons, mais plutôt le contraire. Il leur demanda :

— Etes-vous des anges ?

Ils répondirent en riant qu'ils étaient seulement des chevaliers.

— Un chevalier, qu'est-ce que c'est ?

— C'est un homme qui se bat pour Dieu, pour les faibles, pour la justice, et pour l'honneur.

Perceval fut ébloui par ces paroles autant que par le soleil qui se plantait dans ses yeux. Il touchait le fourreau de l'épée, la chaussure de fer et l'éperon, choses qu'il n'avait jamais vues, faisant courir son bidet à l'aide de son fouet de cuir.

— Etes-vous né ainsi ? demanda-t-il en posant sa main sur le haubert.

— Bien sûr que non ! dit le plus jeune en riant. Il me semble que tu as l'esprit bien neuf ! Tel que tu me vois, je ne suis chevalier que depuis deux semaines. C'est le roi Arthur qui en a fait ainsi de moi, et m'a donné les armes que tu es en train de toucher.

Un autre chevalier ajouta, pour se moquer de lui :

— Si tu vas trouver le roi Arthur et si tu le lui demandes, il te fera sûrement chevalier toi aussi, et il te donnera des armes comme les nôtres !...

Lancée à ce garçon aux vêtements de serf et aux pieds nus, c'était une plaisanterie facile. Mais Perceval n'avait jamais dit un mensonge, il ne savait même pas qu'on pût dire autre chose que ce qui était vrai, et, en conséquence, il croyait tout ce qu'on lui disait.

A leur demande, il indiqua aux chevaliers la voie la plus courte pour atteindre la lisière de la forêt, puis partit au galop, fonçant dans les branches, sautant les arbres tombés, pour aller raconter à sa mère quelle merveilleuse rencontre il venait de faire, et lui dire qu'il voulait aller voir le roi Arthur pour être fait chevalier.

Sa mère poussa des gémissements de désolation et des cris de colère, et lui interdit de sortir de la forêt, et lui ordonna d'oublier ce qu'il avait vu.

Mais comment oublier ces êtres étincelants, et renoncer à l'espoir de devenir pareil à eux? Perceval, au contraire, ne pensait qu'à cela. Et il restait assis à même le sol dans un coin de la pièce commune, ne mangeant plus et ne dormant plus, les yeux grands ouverts sur sa vision radieuse. Au bout d'une semaine il était devenu si maigre que sa mère, désespérée, comprit que d'une façon ou de l'autre elle allait perdre son dernier fils, et qu'il valait mieux lui laisser la joie d'accomplir son vrai destin que le faire périr de tristesse.

— Va! lui dit-elle, puisque tu en as si grande envie! Je ne te retiendrai plus, même si mon cœur doit se rompre!... Va trouver le roi Arthur!... Il te fera certainement chevalier quand tu lui diras le nom du frère de ton père...

Elle lui dit quels étaient les devoirs du chevalier : défendre les faibles, respecter les dames et les demoiselles, secourir les détresses, défendre la justice, et servir Dieu. Elle y ajouta de nombreux conseils, fixa quelques provisions derrière la selle du bidet et accompagna jusqu'à la rivière son fils illuminé de joie.

— Comment trouverai-je le roi Arthur? lui demanda-t-il.

— Va vers le soleil levant, et renseigne-toi chaque jour...

— Haïïïï!... cria Perceval, en brandissant son javelot.

Il poussa sa monture dans le gué, et s'éloigna sans se retourner.

Sa mère tomba dans l'herbe, et mourut.

A la veille de Noël, les tables avaient été dressées pour le dîner dans la grande salle ronde du château de Camaalot. Il convient de se rappeler que le dîner était le repas de midi, auquel on mangeait des viandes. Le soir on mangeait les soupes, c'était le souper. Quant au déjeuner, c'est-à-dire la rupture du jeûne, c'était évidemment le repas du matin, qui consistait en omelettes, soupes de céréales, fruits cuits dans du miel. Ce repas est demeuré inchangé dans la Bretagne anglaise, sous le nom de breakfast. Sur le continent il est devenu « petit ». L'influence des barbares de l'est, habitués à se nourrir de vent et du lait de leurs juments, l'a réduit à un bol de lait coupé d'infusion d'orge grillée. Il fut café au lait quand le café arriva. Venue du sud, l'influence des vignerons méditerranéens se fit sentir plus tard, remplaçant souvent, aux premières heures de la journée, le café-crème par un canon de vin blanc...

Le roi avait pris place aux tables avec la reine et quelques dames et une douzaine de chevaliers. De grands feux brûlaient dans les cheminées, car le froid vif entrait par la porte. Tous les ponts étaient baissés et les portes ouvertes, pour indiquer qu'on pouvait venir sans crainte et sans obstacle jusqu'au roi.

Merlin avait endormi Girflet, l'écuyer d'Arthur. L'ayant laissé ronflant dans la paille, près des chevaux du roi, il avait pris son apparence et sa place, tranchait les viandes pour Arthur, et jamais celui-ci n'en avait eu sous la dent d'aussi tendres et aussi savoureuses.

La reine était à la droite du roi, et Morgane à sa gauche. A la gauche de Morgane avait pris place Gauvain, et à la droite de Guenièvre le sénéchal Kou. Celui-ci n'était pas un mauvais homme, mais il aimait se railler des uns et des autres, ce qui lui valait souvent des querelles que le roi apaisait, car il se sentait obligé envers lui. Arthur avait été nourri au sein de la mère de Kou, les circonstances ayant empêché sa propre mère de lui donner le sien. Kou était, de ce fait, son frère de lait, et à cause de cela il lui pardonnait beaucoup.

Perceval, sur son cheval maigre, arrivait enfin à Camaalot, après de nombreux jours de chevauchée, et de menues aventures dont certaines auraient pu tourner mal si sa grande naïveté, l'empêchant d'y prendre garde, ne l'en avait chaque fois tiré à temps. Perceval traversa les rues du village, puis la lice où la neige tombante rendait plus vives les couleurs des enseignes et des tentures qui garnissaient les tribunes du tournoi du lendemain, et parvint au château.

Le pont étant baissé, il s'y engagea, franchit la porte, traversa les cours et les défenses, franchit le deuxième pont et la deuxième porte, puis les troisièmes, et entra avec la plus grande simplicité dans la salle ronde dont les dalles résonnèrent sous les pieds de son cheval.

Tout le monde se tourna vers lui avec curiosité. Ses cheveux mouillés et ses yeux noirs brillaient sous son bonnet de cuir couronné de neige, une goutte d'eau tremblait au bout de son nez rouge comme ses oreilles, les flancs maigres de son bidet fumaient.

— Hou! dit-il en regardant les convives, ça sent bon, ici!... Pourrai-je avoir à manger?... Mais je dois d'abord voir le roi. Il se nomme Arthur. Est-il là?

Les chevaliers commençaient à rire. Morgane trouvait ce garçon original et intéressant, et Arthur souriait. Ce jeune cavalier n'était pas sans ressembler un peu à ce qu'il était lui-même à pareil âge, il n'y avait pas si longtemps.

— Où est Arthur? reprit Perceval. S'il est là, qu'il se montre!

Merlin, agenouillé devant son tranchoir, se leva et le désigna.

— Voici le roi, dit-il.

— Ah! Très bien!... Sire, je viens de loin pour que vous me donniez des armes et me fassiez chevalier! Ma mère m'a assuré que vous ne refuseriez pas quand je vous aurais dit le nom du frère de mon père.

— Et quel est ce nom? demanda Arthur.

— Mon oncle est le roi Pellès, le Riche Pêcheur.

Les rires cessèrent d'un seul coup. Ce nom inspirait plus que le respect : une sorte de crainte surnaturelle. On savait que le roi Pellès, dit le Riche Pêcheur, était le gardien du Graal. Mais personne ne l'avait rencontré, ni ne savait où se dressait le Château Aventureux, dans lequel il demeurait.

Kou rompit le silence, à sa manière habituelle :

— Beau neveu de ton oncle, dit-il, tu veux des armes? C'est facile. Tu n'as qu'à prendre celles du premier chevalier que tu rencontreras. Le roi te les donne !

— Grand merci ! cria Perceval.

Et, oubliant sa faim, il fit pivoter son bidet et partit au galop.

— Kou, tu as mal agi ! dit le roi. Ce garçon t'a cru. S'il se fait tuer, je t'en tiendrai pour responsable !

Merlin était ravi. Le neveu de Pellès s'était bien montré tel qu'il l'avait deviné : totalement pur du mensonge, n'en soupçonnant même pas l'existence. Savoir, maintenant, comment il allait se conduire en rencontrant un chevalier et en lui réclamant ses armes ! La première épreuve avait démontré sa fraîcheur d'âme. La seconde mesurerait son courage.

S'approchant de Camaalot arrivait un chevalier connu sous le nom de l'Orgueilleux. Bon guerrier, il avait obtenu de nombreuses victoires en tournoi ou au combat, mais l'opinion qu'il avait de lui-même était encore plus haute que sa vaillance. Pour bien montrer sa valeur, il avait fait dorer son heaume, ses jambières et les mailles de son haubert, et graver en grandes lettres d'or sur son écu : MEILHOR CHEVALIER. La plupart de ses adversaires, ne sachant pas lire, n'en étaient pas impressionnés. Son écuyer le précédait de cinquante pas, et, en arrivant au débouché d'un chemin ou à un croisement, sonnait d'une trompe en corne de bouvillon, et criait : « Place au Meilleur Chevalier ! »

L'Orgueilleux venait à Camaalot pour lancer un défi au roi lui-même, qu'il détestait. Personne ne savait pourquoi, et lui non plus.

A la sortie du village, Perceval entendit le cri de l'écuyer, et vit venir son maître tout flambant d'or. Il pressa son cheval et s'arrêta pile à la hauteur de l'Orgueilleux. Il savait lire les lettres, sa mère les lui avait apprises, et il se réjouit en lisant ce qui était écrit sur l'écu.

— Chevalier, dit-il, je suis heureux de vous avoir rencontré en premier ! Les armes du meilleur chevalier doivent être les meilleures. Elles me conviennent. Elles sont à moi, le roi me les a données. Je vous prie de me les remettre...

— Débarrasse mon chemin ! dit l'Orgueilleux, n'accordant que peu d'intérêt à ce manant à l'esprit dérangé. Et il fit avancer son destrier.

— Ces armes sont à moi ! Donnez-les-moi ! cria Perceval.

Et comme le chevalier passait à sa hauteur, il posa sa main sur le fourreau de l'épée, faisant résonner les clochettes dont l'Orgueilleux avait orné la poignée de celle-ci.

Le chevalier, furieux, frappa Perceval avec le bois de sa lance, d'un coup si vigoureux qu'il le jeta à terre.

Perceval se releva comme un ressort, sauta sur son bidet, le fit pivoter et lui donna de grandes claques pour le mettre à son plus grand galop. Il rattrapa l'Orgueilleux, le dépassa, lui fit de nouveau face, et, brandissant son javelot, cria :

— Donnez-moi mes armes, ou je vais les prendre !

— Pauvre fou ! dit le chevalier.

Il baissa sa lance, éperonna son cheval et fonça sur Perceval.

L'arme légère de ce dernier n'avait aucune chance de percer le haubert. Perceval visa l'œil et lança son javelot, qui pénétra entre le nasal et le frontal, et entra dans l'œil et dans la cervelle. Et l'Orgueilleux ne le fut plus...

Son écuyer, affolé, galopa jusqu'au château pour faire savoir ce qui venait d'arriver. Tout le monde fut ébahi, et Kou plus que les autres. Il se leva pour aller voir ce qu'il en était.

— Ce garçon s'en est bien tiré, dit le roi. Amène-le-moi, il mérite qu'on s'occupe de lui.

— Je m'en charge, dit Girflet-Merlin.

Il disparut de la salle ronde et se retrouva à côté de Perceval qui, accroupi près du chevalier mort essayait, sans y parvenir, de lui prendre ses vêtements de fer.

— Tout cela tient sur lui comme la carapace d'une écrevisse, dit-il. Je vais allumer un grand feu et le mettre dedans. Quand l'intérieur sera réduit en cendres, je pourrai disposer de l'extérieur.

— Il est bon d'être naïf, dit Merlin, mais non d'être idiot ! Regarde : le chapeau de fer se nomme le heaume. Il est attaché au haubert par des liens de cuir. Défais-les. Bien... Ote-le, va le laver au ruisseau... Maintenant, tire le haubert vers le haut par les bras : il se met et s'enlève comme une chemise...

— Merci, dit Perceval. Grâce à vous je vais pouvoir me vêtir et aller demander au roi de me faire chevalier.

— Il ne suffit pas de se glisser dans l'écorce de l'écrevisse pour en devenir une aussitôt... Sais-tu te servir de la lance ?

— Non...

— De l'épée ?

— Non...

— Veux-tu apprendre ?

— Oui !

— Et tout ce qui fait d'un homme un chevalier ?

— Oui ! Oui !...

— Alors tourne le dos au château, et va droit vers le

soleil couchant. Le troisième jour tu arriveras au bord d'un fleuve dont les eaux sont vertes. Tu en suivras le courant pendant deux jours encore, et tu verras un château sur un rocher, au bord du fleuve. Un homme très sage l'habite, qui connaît tout ce que tu ignores. Demande-lui de t'enseigner.

— Je le ferai ! dit Perceval. Ma mère m'a dit de bien écouter ce que disent les hommes sages !...

— Mais il faut d'abord modifier ces armes. Telles qu'elles sont, elles ne te conviennent pas...

D'un geste, Merlin effaça l'inscription de l'écu, et fit disparaître les clochettes et les dorures.

— Voilà qui est net, et t'ira bien... Maintenant tu peux te vêtir.

— Oh ! dit Perceval, vous êtes l'Enchanteur ?

— Oui.

— Alors, apprenez-moi tout d'un seul coup ! Vous le pouvez !

— Je ne le ferai pas. Ce qui s'apprend sans peine ne vaut rien et ne demeure pas. Tu dois devenir ce que tu as l'ambition d'être en faisant transpirer ton corps et ton esprit. Il faut sept ans pour faire un guerrier. Tu devras tout apprendre en quelques mois. Je crois que tu en es capable si tu te donnes assez de peine. Si toi tu ne le crois pas, renonce dès maintenant...

— Jamais !

— Bon... Alors, habille-toi...

Il lui montra comment mettre les habits de bataille, et lui laça le heaume. Mais quand il fut tout vêtu, Perceval dit :

— Voilà la fatigue qui m'arrive... J'ai beaucoup galopé pour arriver jusqu'au roi. Ma mère m'a dit : « Quand tu es fatigué, dors... »

Il étendit sa peau de loup sur la neige, y posa la lance et l'épée, se coucha à côté d'elles dans ses habits de fer et s'endormit d'un seul bloc, un javelot dans une main, dans l'autre la bride du cheval qu'il avait conquis.

Dans le soir tombant, Viviane revenait du château de son père, où celui-ci était allé préparer la fête de Noël qu'il voulait passer avec ses gens. Il avait manifesté l'intention d'y demeurer, et de continuer à diriger son domaine. Celui-ci ne se serait pas accommodé de son départ. Et Viviane n'avait plus besoin de ses conseils ni de son appui.

Elle était un peu triste en faisant galoper Folle vers le lac, mais elle savait que cette séparation était nécessaire. Elle pourrait retrouver son père en un instant, quand elle voudrait, et peut-être, à son tour, lui être utile. Mais ils n'étaient plus faits pour vivre l'un près de l'autre. Elle s'éloignait de lui à chaque pouvoir nouveau dont elle prenait la maîtrise. Il avait vu se développer ses facultés nouvelles avec un peu d'inquiétude, un peu de mélancolie, mais non sans amusement. Il lui avait dit :

— Tu es en train de devenir une grande fille... Très grande... Essaie de rester simple comme lorsque tu étais petite...

La jument blanche, dans la campagne blanche portant Viviane vêtue d'hermine, galopait vers le lac comme l'eût fait un cheval ordinaire. Viviane avait besoin de ce bain d'air glacé. L'absence de Merlin lui brûlait le cœur. Elle aurait pu le rejoindre, rester avec lui, invisible, sans l'importuner. Mais elle s'en abstenait, bien qu'il n'eût rien demandé. Elle savait bien qu'elle n'aurait pas pu s'empêcher, tout à coup, de se montrer, pour le serrer dans ses bras, ou lui faire connaître son opinion sur ce qu'il était en train de faire. Cela ne lui aurait certainement pas plu !

Elle se mit à rire. Elle arrivait au bord du lac. La jument fit un bond et creva la surface de l'eau dans un grand éclaboussement.

Dans le lac, c'était le printemps. Le jour s'achevait. Le soleil bas éclairait la plaine de rayons dorés. Viviane mit Folle au pas, se débarrassa de son manteau et de son bonnet de fourrure et secoua ses cheveux blonds qui lui tombaient maintenant plus bas que les épaules. Le soleil joua avec chacun d'eux et avec tous, et en fit sa lumière vivante.

— Oh ! Les hirondelles ! dit Viviane.

Elles venaient d'arriver. Elles passèrent en sifflant comme des flèches et remontèrent très haut, traversant, sans y causer de trouble, une multitude de petits poissons d'argent. Trois dauphins surgirent de derrière un bosquet et vinrent cabrioler autour de Folle qui en attrapa un par la queue et le lâcha en hennissant. Un paon arriva en volant à grand bruit, se posa au milieu du chemin et ouvrit toute sa gloire en criant son nom :

— Léon ! Léon !...

Il venait des jardins de Dyonis.

Un oiseau caché commença une mélodie avec des variations sublimes, inattendues, interminables. Etait-ce déjà le rossignol ? Viviane souhaita d'être dans son

113

lit, et y fut. Et elle appela la nuit. Elle voulait dormir, oublier l'absence qui la tourmentait.

Elle aurait pu se passer de sommeil, effacer sa fatigue d'un mot et d'un geste, mais elle n'aurait pas effacé l'image de Merlin. Et elle aimait ce moment d'incomparable douceur où la conscience s'éteint peu à peu, tandis que les sensations du corps s'évanouissent dans le bien-être de l'oubli. Elle pensait que le moment de la mort devait être pareil, celui d'un grand apaisement, et elle ne comprenait pas pourquoi hommes et femmes avaient si peur de mourir.

Craignaient-ils de perdre à jamais leurs peines quotidiennes, leurs maladies, leurs souffrances ? Et leurs joies !... Quelles joies ? Si peu d'entre eux étaient capables de connaître celles que le monde offre à chaque instant à qui sait regarder, écouter, toucher, sentir, goûter...

Viviane se demandait si le dernier sommeil était suivi d'un réveil, et dans quel monde. Elle croyait en Dieu, dont tout, partout, lui démontrait l'existence, mais les explications, les objurgations, les interdictions des moines et des prêtres lui semblaient infantiles. Elle ne pouvait pas s'accommoder de ce Père à la fois si sévère et si indulgent, trônant dans l'azur et ne semblant avoir d'autre souci que de surveiller les humains dans leurs actes et leurs pensées pour, d'abord, les déclarer coupables dans tous les détails, et ensuite leur pardonner.

Elle avait, un jour, grimpé l'escalier de marbre, autour du chêne, fait le tour de la terrasse circulaire, s'était projetée jusqu'au sommet de l'arbre, au-dessus de l'eau, et sachant qu'elle se trouvait à la plus haute hauteur des hauteurs du monde, s'était tournée vers le ciel, et avait posé la question : « Dieu qui es-Tu, qu'es-Tu, comment es-Tu ? »

Elle n'espérait pas vraiment de réponse, et n'en avait pas reçu. A moins que, peut-être... : le merlet s'était perché sur son épaule et lui avait dit à l'oreille.

— Tit, tit...

Elle comprenait le langage des oiseaux. Mais ces deux mots ne signifiaient rien...

Elle demanderait à Merlin. Lui savait, peut-être. Elle avait tant de choses à lui demander...

Elle se tournait et se retournait sur son grand lit couvert de soies fraîches, vêtue seulement de la brise tiède qui entrait par les fenêtres, apportant le chant du rossignol et les parfums des narcisses et des lilas, auquel se mêlait par instant le soupir d'une touffe de violettes.

L'oiseau bul-bul, endormi pendu au cordon du rideau, ouvrit un œil, regarda par la fenêtre, et lança les deux notes de flûte, bien rondes, qui lui valaient son nom :

— Bul-bul !...

Viviane, sans bouger, regarda à l'extérieur et sourit de bonheur : l'arbre bleu était là, luisant doucement près d'une fontaine. Elle ferma les yeux et murmura :

— Viens !

Elle sentit Merlin se poser auprès d'elle, tout le long de son corps. Il était frais, il était chaud, il était nu comme elle. Ils refermèrent leurs bras l'un sur l'autre et se turent, noyés dans le bonheur d'être ensemble et de le sentir avec leur chair et leur esprit. Et le bonheur plus grand encore de savoir qu'ils étaient heureux.

Ce fut elle qui commença à le caresser. Lui se méfiait de lui-même. Il avait peur d'être emporté et de ne pas avoir le courage de se retenir. Mais quand il sentit la pointe dure et douce d'un sein contre sa poitrine, il arrondit autour de lui sa main qu'il fit tiède et brûlante, puis il alla à la découverte de l'autre sein, de l'épaule ronde, de la vallée descendant vers la taille, de la douce colline de la hanche. Et il répondit, dans un murmure, à la question qu'elle avait posée en haut de l'arbre :

— Tu es Dieu... Dieu est en toi, Dieu t'habite parce que tu es belle... Tu es tous ses miracles... Les pointes de tes seins sont ses étoiles, tes seins sont la Terre et le Ciel, tes hanches sont les balancements du monde, ta peau est la douceur des fruits du Paradis, ta bouche dit la vérité de ce qui est...

— Je t'aime..., dit Viviane.

— Je t'aime..., dit Merlin.

Emportée par une houle brûlante de bonheur appelant un bonheur plus grand encore, Viviane attira Merlin au-dessus d'elle. Appuyé sur ses coudes, il s'abaissa doucement jusqu'à ce que toute sa peau fût contre sa peau et sa bouche sur sa bouche, et...

— Tit-tit! dit le merlet.

Merlin se redressa et se laissa glisser sur le côté.

Viviane se retourna sur le ventre et, rageuse, frappa le lit de ses poings fermés. Elle sanglotait et demandait :

— Pourquoi, pourquoi cela nous est-il interdit?

— Je ne sais pas encore, dit Merlin. Je crois que je commence à comprendre. Je t'expliquerai quand je serai sûr...

— Est-ce que c'est mal?

— Pire... : cela risque d'être plus fort que nous...

— Alors, tu ne seras jamais dans moi et moi autour

de toi, ensemble, tous les deux?... Même le charbonnier tout noir connaît cela avec sa charbonnière!

— Même le charbonnier, même le chien, dit Merlin. Même la mouche, même l'hirondelle qui la happe pour l'apporter à ses petits, et qui, afin de ne pas perdre de temps, car ses petits ont un appétit énorme, fait l'amour sans cesser de voler, pour engendrer la prochaine couvée...

— Et nous jamais?... Jamais?...

— Il ne faut jamais dire jamais! dit Merlin. Allons nous baigner!

Il se transporta avec elle dans la source de Baranton qui les enveloppa d'un tourbillon de bulles et d'eau fraîche. Et la paix vint en eux.

Le jour de Noël, alors que le roi et la reine, les chevaliers et les dames, les écuyers, les serviteurs, les paysans, et les villageois sortaient de la chapelle où l'archevêque avait célébré la messe pour les petits et pour les grands, un cavalier entra au grand galop jusque dans la cour et s'adressa au roi qu'il semblait connaître.

— Roi Arthur, je ne te salue pas !

Dans le silence provoqué par cette apostrophe insolente, l'homme continua :

— Et mon maître, le roi Rion des Iles, ne te salue pas non plus !... Mais il m'a fait porter pour toi ces lettres, et te demande de les lire, à haute voix, afin que chacun connaisse ce qu'il a à te dire !...

Arthur, amusé, prit le parchemin que lui tendait le cavalier, le déroula, parcourut les lettres qui y étaient tracées, eut un sourire éclatant, et donna le parchemin à l'archevêque :

— Lisez ! Cela vaut la peine !...

Et voici ce que lut le prélat :

Moi, Rion, roi de toutes les terres d'Occident, fais savoir à chacun que je suis en ma cour en compagnie de vingt-cinq rois

118

que j'ai vaincus dans les batailles, après quoi je leur ai pris la barbe avec le cuir, et j'en ai fait fourrer mon manteau. Il manque à mon manteau la frange, c'est pourquoi je commande au roi Arthur de me faire envoyer sa barbe avec le cuir. Et s'il ne le fait pas je viendrai la chercher avec mon armée et lui arracherai la barbe à l'envers.

Arthur et ses chevaliers éclatèrent de rire, mais les dames étaient offusquées.

— Eh bien, dis à ton maître de venir la chercher, dit Arthur au cavalier. Et s'il en prend un seul poil, je lui donne le reste et mon royaume avec!...

Et, se frottant le menton du dos de la main, il ajouta à voix plus basse, toujours souriant :

— Il n'aurait pas de quoi faire une bien forte frange !

Car il n'avait pas vingt ans, et sa barbe dorée était courte et peu fournie.

Il pria tout le monde d'entrer dans la salle ronde pour prendre le déjeuner avant que commence le tournoi.

Quand tout le monde fut assis, le roi et la reine portant couronne, avant que quiconque eût avalé une bouchée, entra dans la salle un homme jeune et très beau, qui portait, comme le roi et la reine, une couronne d'or sur ses cheveux blonds. Sa robe de soie était blanche, brodée de fleurs, et une harpe d'argent pendait à son cou. On voyait à la fixité de son regard qu'il était aveugle, mais il se dirigea droit vers le roi Arthur.

— Qui es-tu, et que veux-tu ? lui demanda celui-ci.

Pour toute réponse, l'homme saisit sa harpe et se mit à chanter :

119

Dames si belles qu'à vous voir mes yeux se sont brûlés,
Prenez garde à l'amour...

Beau sire roi et reine gracieuse
Qui vous aimez si débonnairement
Prenez garde à l'amour...

Fiers chevaliers vainqueurs dans les tournois
Et dans les plus dures batailles
Prenez garde à l'amour...

Après un court silence, il ajouta, sur des notes d'une grande mélancolie :

Celle que j'aime est loin de moi...

Puis il éclata de rire, et lança en l'air sa harpe qui s'évanouit.

— Merlin ! s'écria le roi. Voilà encore une de tes farces ! As-tu entendu le message de ce roi Rion qui me demande ma barbe ?

— J'ai entendu, dit Merlin. Mais c'est toi, un jour qui lui fera perdre la sienne !...

Le ton de Merlin devint grave :

— Sire, ce que j'ai à vous dire aujourd'hui est d'importance, et j'ai choisi exprès pour cela le jour de la naissance de notre Seigneur...

Et tous l'écoutèrent.

— Sire, je vous ai plusieurs fois parlé du Graal, le vase saint dans lequel a été recueilli le sang d'Adam notre père et celui de Notre Sauveur. Depuis que Joseph d'Arimathie l'a apporté en Bretagne, il est gardé par les rois qui sont ses descendants et qu'on nomme les Riches Pêcheurs parce que l'un d'eux ayant pêché un poisson gros comme le doigt, le donna à un mendiant qui passait, et celui-ci le partagea avec un autre, qui le partagea à son tour et ainsi de suite, si bien que sept cent vingt-trois personnes furent nourries.

— Mais qu'y a-t-il dans ce Graal? demanda Kou en frappant sa table du plat de la main.

— Voilà justement la question que devra poser le chevalier qui aura découvert le Château Aventureux, qui y sera entré, et à qui le Graal aura été présenté sous son voile. Je ne peux répondre à la question. Seul connaîtra la réponse celui qui sera invité à regarder dans la Coupe. Ce que je n'ai pas été admis à faire. Ce que je peux vous dire, c'est que le Graal, même dissimulé dans son château introuvable, sert à l'équilibre du monde. Et qu'il est nécessaire que de temps en temps, quand cet équilibre est menacé, un homme pur, courageux, chaste, juste et servant Dieu, le cherche, le trouve et regarde l'ineffable vérité contenue dans la Coupe. Alors l'ensemble des hommes retrouve des forces pour continuer son chemin difficile...

« Or voilà que le temps de la recherche est arrivé! Le Graal doit être trouvé par le meilleur chevalier du monde, qui est peut-être ici...

L'étonnement et l'intérêt faisaient régner dans la grande salle un silence absolu. Merlin continua :

— Aujourd'hui sont réunis à Camaalot les meilleurs chevaliers de Bretagne. Je les invite à s'asseoir à la table que voici...

Les tables auxquelles étaient assis les convives disparurent. Hommes et dames se levèrent, et leurs sièges disparurent aussi. Au milieu de la salle naquit un anneau de lumière qui se mit à tourner en grandissant, s'immobilisa, et devint une table de marbre rouge foncé en forme de couronne, posée sur cent cinquante courtes colonnes et entourée de cent cinquante sièges dont cent quarante-neuf étaient de bois de chêne, et le cent cinquantième d'un bois inconnu de couleur jaune. Sur le dossier des sièges étaient inscrits les noms de ceux qui devaient les occuper : *Ici le roi, Ici Gauvain, Ici Sagremor,* etc. Un bon nombre de sièges ne portaient pas de noms car les chevaliers présents n'étaient pas plus d'une centaine.

— Cette table est la troisième, dit Merlin, la première étant celle de la Cène, sur laquelle Jésus partagea le pain et le vin, la deuxième celle où Joseph d'Arimathie déposa le Graal en arrivant en Bretagne, et autour de laquelle s'édifia le Château Aventureux. La troisième table est ronde pour bien marquer qu'il n'existe et n'existera aucune préséance entre ceux qui prendront place autour d'elle.

Il montra le siège jaune et lut ce qui y était écrit. *Ici est le Siège Périlleux.*

— Celui qui y prendra place sera le meilleur chevalier du monde. Par lui sera découvert le Graal et mis fin aux temps aventureux. Mais qui essaierait de s'y asseoir sans en être digne serait englouti par les profondeurs de la terre.

— C'est Gauvain le meilleur ! cria Kou. Gauvain assieds-toi ! Vas-y !

« Gauvain ! Gauvain ! » crièrent d'autres chevaliers.

Gauvain blêmit.

— Je n'en suis pas digne, dit-il.

— Tu as peur ! cria Kou.

Gauvain devint rouge vif.

— Je te ferai rentrer ces mots dans la bouche avec dix pouces d'acier !

— Prouve ta vaillance ! Essaie le siège ! reprit Kou, On sait que tu es le plus fort ! Prouve que tu es le plus courageux !...

Gauvain avait cette faculté particulière que sa force augmentait à partir du lever du soleil jusqu'à devenir trois fois plus grande au milieu du jour, puis commençait alors à diminuer jusqu'à redevenir normale au coucher de l'astre. Si bien que c'était un homme plus redoutable en été qu'en hiver. Mais même sa force ordinaire faisait peur à beaucoup.

— Kou, dit le roi, tu n'agis pas bien en faisant de ce siège l'enjeu de ta querelle. Si tu as quelque chose à reprocher à Gauvain, tu régleras cela tout à l'heure au tournoi.

— Je n'ai rien à lui reprocher, et je l'aime bien, dit Kou.

Et c'était vrai. Mais il ne pouvait empêcher son caractère agressif de se manifester.

— Ami Merlin, dit le roi, lis-nous les noms qui sont inscrits sur les autres sièges.

Ce que fit Merlin, et au fur et à mesure les chevaliers s'installèrent aux places que l'Enchanteur leur désignait.

Quand tous les hommes appelés furent assis, il en restait six dont les noms n'avaient pas été prononcés, et parmi eux Guyomarc'h, le bel amant de Morgane.

Guenièvre, qui était au courant de leurs amours, regarda longuement sa belle-sœur, et celle-ci crut voir dans son regard l'équivalent d'une phrase comme « Tu vois ce qui arrive à ton amant ? C'est bien fait !... » Et c'est à cet instant qu'elle conçut pour la reine une haine que rien ne put jamais éteindre.

Alors que Guenièvre, en regardant Morgane avec insistance, essayait seulement de comprendre pourquoi une femme libre, et intelligente, pouvait commettre l'inconséquence d'appeler des hommes dans son lit, alors qu'elle-même, obligée par le mariage d'y recevoir Arthur, s'en fût si volontiers passée. Elle n'y éprouvait pas de déplaisir mais pas de plaisir non plus. Cela faisait partie des devoirs de l'épouse, il fallait s'en accommoder. Mais Morgane, elle, n'avait pas d'époux, et aurait pu dormir en paix... Guenièvre avait, bien sûr, entendu parler des plaisirs de l'amour, elle les avait cherchés pendant la nuit de ses noces et celles qui suivirent, mais elle n'avait rien trouvé et rien reçu, et avait fini par croire que c'était là une fable dont on bernait les fillettes pour leur faire accepter et même désirer ce qui était nécessaire à la conception des enfants.

En cela encore elle éprouvait une déception. Elle tardait à être grosse, et il lui semblait bien qu'Arthur lui en voulait. Elle soupira et hocha un peu la tête en la détournant, et Morgane crut que c'était un signe de mépris qui lui était destiné, et sa haine s'en accrut.

Merlin, cependant, prononçait des paroles de réconfort à l'égard des exclus, leur disant que leurs noms avaient sans doute été oubliés, mais que rien n'était perdu, qu'ils auraient encore souvent l'occasion de prouver leurs mérites, et de voir leur nom s'inscrire sur un siège. Il ajouta :

— Il n'y a rien ici de prévu pour les dames, car c'est à un festin de batailles que sont invités ceux qui viennent de s'asseoir, et plus d'un y avalera une bonne ration de fer... Mais qui veut s'en aller peut se lever. Il ne lui en sera pas tenu rigueur.

Nul parmi les assis ne bougea.

Merlin poursuivit :

— D'autres chevaliers vont venir, poussés par leur vaillance, attirés par la renommée du roi, l'honneur d'être assis à la Table Ronde et le désir de prendre part à la grande recherche. Et les noms de ceux qui seront choisis s'inscriront sur les sièges. La Quête commencera quand tous les sièges seront pourvus.

Depuis qu'ils étaient assis, toute animosité avait disparu entre Kou et Gauvain, et tous les chevaliers se sentaient baignés d'une même chaleur fraternelle. Ils s'entre-regardaient et se découvraient de nouveaux visages, éclairés par l'amitié, la franchise et la détermination.

— Je demande au roi, dit Merlin, d'annuler le tournoi qui devait se tenir aujourd'hui. Les chevaliers de la Table Ronde ne doivent pas s'entre-tuer volontairement. Trop nombreux déjà sont ceux qui, pendant la Quête, perdront la vie de la main d'un ami dans des rencontres involontaires.

— Il est bon d'entretenir cavaliers et chevaux, répondit Arthur. Les joutes auront lieu, mais sans épées et à lances déferrées.

Des noms étaient déjà inscrits sur quelques-uns des sièges inoccupés. Arthur les lut. La plupart lui étaient inconnus. Un de ces noms était celui de Perceval.

Il s'étonna de ne pas trouver ceux de ses amis Ban et Bohor. Ne viendraient-ils pas s'asseoir à la Table Ronde et prendre part à la Quête ?

Merlin savait qu'ils en seraient bien empêchés.

Le roi Claudas de la Terre Déserte, vêtu de ses armes noires, avait l'air d'un tronc d'arbre brûlé sur son cheval couleur de cendre. Il avait les jambes maigres et le coffre énorme d'un sanglier. Ses dernières côtes semblaient s'ajuster directement sur ses cuisses, sans laisser de place au ventre. Il était pourtant capable de manger la moitié d'un chevreuil au dîner, et l'autre moitié au souper, ce qu'il faisait en poussant des grognements de plaisir tandis que ses dents broyaient la viande et que le jus et le sang coulaient dans sa gorge. Il était également capable de rester six jours sans manger, si ses actions guerrières ne lui en laissaient pas le temps. Sa force était colossale, et son obstination l'égalait. Il utilisait une épée qui pesait vingt livres et dont la lame était large comme la longueur de sa main, du bout du doigt du milieu jusqu'à l'os du poignet. Une barbe noire frisée lui couvrait le visage, dont on ne voyait que le blanc des yeux et des dents, quand il riait en brandissant son épée sanglante.

Décidé à conquérir les royaumes de Gannes et de Bénoïc, il avait rassemblé assez de forces pour mener une nouvelle offensive. Les deux royaumes étaient situés l'un à côté de l'autre en Petite Bretagne, Ban étant roi de Bénoïc et son frère Bohor roi de Gannes.

Claudas envahit d'abord le territoire de Gannes et blessa gravement Bohor au cours d'un combat. Bohor fut sauvé par ses chevaliers qui le transportèrent dans sa meilleure place forte. Claudas, se rendant compte qu'il lui faudrait beaucoup de temps pour la prendre, se tourna contre Ban et en quelques semaines ravagea le royaume de Bénoïc, contraignant le roi dont les troupes avaient été détruites, à s'enfermer dans sa place de Trèbes avec ses derniers fidèles, sa femme Hélène et son fils nouveau-né. Claudas vint y mettre le siège.

Trèbes était facile à défendre, car des marais profonds l'entouraient sur trois côtés. Mais Ban, ne pouvant plus compter sur son frère pour l'aider à rompre le siège, ne vit d'autre solution que de faire appel à Arthur. Et il décida d'aller lui-même lui demander de secourir les deux royaumes.

L'armée de Claudas occupait tout le terrain sec. Le roi Ban ne pouvait quitter Trèbes qu'en traversant le marais. Cela paraissait impossible mais ne l'était pas, car il existait un chemin secret, caché par un pied d'eau, qui courait à travers les roseaux pendant plus de deux lieues pour parvenir enfin à la forêt.

Le cœur déchiré mais ne voyant pas la possibilité de faire autrement, le roi Ban confia la défense de la place à son sénéchal, après lui avoir fait jurer de la défendre comme ses yeux et son sang, et lui avoir promis de venir bientôt délivrer la ville, et s'engagea au milieu de la nuit sur le chemin noyé. Il emmenait sa femme, la douce et frêle reine Hélène, tout juste âgée de seize ans, et leur fils nouveau-né. Il n'avait pas voulu les laisser au péril de la ville. Il jugeait celle-ci imprenable, mais qui peut se garantir contre la trahison ?

Le roi Ban chevauchait le premier, l'épée au côté, suivi de la reine, et d'un troisième cheval monté par son écuyer qui portait l'enfant nouveau-né dans un panier d'osier tressé en forme de dentelles et garni de douces étoffes.

Ils atteignirent sans encombre le milieu du marais. A ce moment, Viviane, dans son sommeil, entendit la voix de Merlin qui lui disait :

— Le roi Ban vient de quitter Trèbes avec la reine et leur fils Galaad. Les soldats de Claudas vont bientôt les poursuivre pour les tuer. Ban va mourir. Sauve l'enfant !...

Et il lui montra l'endroit où elle devait intervenir.

A peine son roi parti, le sénéchal avait pris contact avec Claudas sous prétexte de conclure une trêve, et, au cours d'une entrevue nocturne, lui avait appris le départ du roi Ban, et proposé de lui livrer la ville s'il le faisait roi de Bénoïc. En retour de quoi il deviendrait son vassal. Claudas accepta, fit apporter des reliques, et les deux hommes jurèrent leurs promesses.

Le sénéchal, en rentrant dans la ville, en laissa les portes poussées mais non fermées. Claudas et ses hommes le suivaient de peu. La garnison endormie fut d'abord surprise, mais un combat furieux s'engagea pourtant, au cours duquel le feu fut mis à de nombreux édifices. Finalement, la place fut prise. Mais au cours du combat, un sergent, fidèle au roi Ban, convaincu de la trahison du sénéchal, d'un coup d'épée lui fit voler la tête.

Celui qui trahit, il ne doit pas pouvoir s'en vanter.

Après avoir traversé le marais et une partie de la

forêt, les fugitifs arrivèrent au bord d'un lac que dominaient des collines. Le jour se levait. Le roi Ban, jugeant tout danger écarté, décida de faire halte.

L'écuyer posa sur l'herbe fraîche le panier contenant l'enfant et donna le poing à la reine pour l'aider à descendre de son cheval. Elle vint prendre son fils, le mit tout nu, le lava dans l'eau du lac ce qui le fit hurler car l'eau était fraîche, le sécha, le frotta, l'enveloppa d'un fichu de fine laine, se délaça et tendit en souriant de bonheur, à la bouche du goulu, son sein douillet.

Ban avait poussé son cheval vers le haut de la colline dans l'espoir de jeter un dernier coup d'œil sur sa ville quittée. Quand il parvint au sommet, il vit, à l'horizon, des colonnes de fumée s'élever derrière les murs que la distance rendait minuscules. Il comprit que Trèbes était prise, et en éprouva une telle douleur qu'il s'évanouit. Sa conscience perdue, il tomba de son cheval et sa chute fut si mauvaise qu'il se brisa le cou.

Le cheval redescendit nonchalamment en cueillant, de-ci, de-là, la pointe tendre d'un rameau ou une touffe d'herbe fraîche du matin.

Le voyant revenir sans son cavalier, la reine s'affola, confia son fils à l'écuyer et courut vers la colline. L'écuyer l'entendit, au bout d'un moment, pousser de tels cris qu'il courut à son tour vers elle, et la trouva accroupie, désespérée, près de son mari mort, dont elle tenait la tête sur ses genoux.

Mais, regardant l'écuyer, elle se dressa brusquement.

— Mon fils ? Qu'avez-vous fait de mon fils ? cria-t-elle.

Affolé par les cris de la reine, il avait, pour courir plus vite et les mains libres à son secours, tout simplement posé le bébé dans son panier, sur l'herbe.

Et la mère dévala la colline en pensant au loup, au renard, au sanglier, à la belette, aux frelons, au perce-cœur, à mille dangers parmi lesquels elle oubliait Claudas, alors que l'écuyer apercevait, d'en haut, un groupe de cavaliers du roi noir en train de sortir de la forêt.

Courante, éperdue, essoufflée, la reine arriva au bord du lac pour y découvrir, stupéfaite, une jeune femme très belle, à peine vêtue, qui tenait dans ses deux mains, à bout de bras, son fils tout nu, comme pour le présenter au soleil levant. Elle riait, et l'enfant riait, et le soleil semblait rire aussi, et les illuminait d'or.

— Madame, Madame, cria la reine, c'est mon fils. Rendez-le-moi.

Elle se précipita pour arracher à l'inconnue son bien précieux.

Mais la jeune femme semblait ne pas l'entendre. Elle marchait dans le lac, vers les eaux profondes, serrant l'enfant contre sa poitrine, et elle disparut avec lui sous la surface des eaux.

Les cavaliers de Claudas trouvèrent le roi Ban mort, et la reine à moitié folle, criant qu'on lui avait noyé son fils et leur offrant sa gorge pour qu'ils y plongent leur épée et la délivrent de la vie. Mais, pris de pitié, ils l'épargnèrent, la confiant à son écuyer.

Celui-ci la conduisit au couvent le plus proche, où elle se fit nonne. Elle y resta sa vie durant, ayant perdu en un instant, à la fleur de son âge, son mari, son fils, son royaume et ses biens. C'est elle que l'histoire des hommes nomma la Reine aux Grandes Douleurs.

Après avoir laissé la reine Hélène en sécurité dans le couvent, l'écuyer fidèle prit la route de la place forte dans laquelle le roi Bohor blessé subissait le siège d'une partie de l'armée de Claudas. Sans armes, brandissant une enseigne blanche, les épaules couvertes d'une étoffe rouge en signe de deuil, il obtint passage des assiégeants. Introduit dans la chambre du roi, il le trouva couché, très maigre, le teint verdâtre sous sa barbe, en proie aux mouches qu'attirait la mauvaise odeur de ses blessures, et que chassait de son mieux sa femme, présente à toute heure à son côté.

L'écuyer, qui se nommait Pharien, mit genoux en terre, et laissa sortir de lui toutes les mauvaises nouvelles dont il était porteur et qui l'étouffaient. La reine s'évanouit, les servantes l'emportèrent. Le roi se sentit si mal qu'il sut qu'il allait mourir. Il dit à l'écuyer, qu'il connaissait bien :

— Rien ne pourra plus, maintenant, empêcher Claudas le noir de prendre tout mon royaume. Je crains pour la vie de la reine et de nos deux fils. Quand je serai mort, nul ne les défendra...

— Sire, confiez-les-moi, dit Pharien. Je les ferai

131

sortir de la ville comme s'ils étaient ma propre famille...

— Approche-toi, dit le roi.

Saisissant avec ses dernières forces son épée couchée près de lui sur son lit, il en frappa l'épaule de Pharien, et dit :

— Au nom de Dieu, je te fais chevalier... Que cette épée soit désormais la tienne. A sa garde, et à ta fidélité je confie ce qui m'est le plus cher...

Le roi Bohor mourut trois jours plus tard. Les assiégés, ayant obtenu la vie sauve pour tous les habitants et combattants, ouvrirent les portes aux soldats de Claudas.

Pharien réussit à quitter la ville avec la reine, ses enfants, et une suivante qui avait l'habitude de s'occuper d'eux.

L'aîné des enfants se nommait Lionel. Il avait vingt et un mois. Son frère, âgé de neuf mois, se nommait Bohor comme son père.

Sachant que Claudas allait les faire rechercher pour les mettre à mort, l'écuyer fit comprendre à la reine qu'elle devait s'en séparer. Déchirée de douleur, elle accepta, et exprima le désir de se retirer dans le même couvent que sa sœur, la veuve du roi Ban. Pharien l'y conduisit et s'éloigna avec les enfants, qu'elle pourrait revoir un jour, si Dieu voulait.

Pharien proposa à la suivante, qui était jeune et belle, de l'épouser. Ils furent unis en mariage par un ermite de la forêt. Ils en sortirent pour aller s'installer dans un petit manoir que Pharien tenait de sa famille, avec les deux enfants comme s'ils étaient nés d'eux. Outre Pharien, seule sa femme connaissait qui ils étaient.

132

— Pourquoi m'as-tu fait sauver cet enfant? demanda Viviane.

Merlin, qui était très loin d'elle, en train de s'occuper de Perceval, lui répondit :

— A cause de son nom. Il a reçu en baptême le nom de Galaad, qui signifie « le plus fort ». Si tu l'éduques bien, il deviendra peut-être aussi le plus intelligent et le plus vertueux. Le tout réuni pourrait faire de lui « le meilleur! ». Pour l'instant, il a l'air d'être seulement le plus affamé!... Mais il n'aime guère ce que tu lui offres!...

Viviane, assise au pied d'un pommier fleuri, avait appelé une petite chèvre blanche qui nourrissait son chevreau, lui avait ordonné de se coucher, et la chèvre s'était couchée, car les animaux lui obéissaient. Elle avait posé sur l'herbe, entre ses pattes, Galaad qui criait de faim, et lui avait mis sur les lèvres un des deux bouts de la mamelle gonflée de lait.

L'enfant avide l'avait aspiré, avait bu, puis recraché en hurlant le lait et le tétin, puis repris ce dernier, recommencé à boire et à cracher, partagé entre sa faim et sa répulsion. Il était furieux, son visage barbouillé de lait, son petit corps nu, potelé, constellé de pétales du pommier qui tombaient en neige rose nonchalante au moindre souffle de la brise.

— C'est du lait de femme qu'il veut et qu'il lui faut, dit Merlin.

— Je vais demander à mon père de m'envoyer une nourrice...

— Non! dit vivement Merlin. Le lait que l'enfant boit au sein de sa mère est comme le sang dont elle l'a nourri dans son ventre. Il y retrouve les qualités qui l'ont construit, et qui vont le faire grandir. Encore faut-il que qualités il y ait. Si ce bel enfant boit le lait d'une femme ordinaire, il deviendra un homme ordinaire...

— Alors il faut le rendre à sa mère...

— Claudas la surveille. Si l'enfant lui revient, il le fera saisir et périr. Mais, dans son malheur, qu'il ignore, le petit perdu va trouver mieux que le lait de sa mère...

— Comment ?

— C'est toi qui vas le nourrir !...

— Moi ?...

— Est-ce que cela te déplaît ?

Elle regarda le nourrisson rageur et superbe qui pétrissait de ses petites mains la mamelle de la chèvre, et elle se mit à rire d'amour. Cet enfant remplacerait celui qu'il lui était interdit d'avoir avec Merlin. Il serait *leur* enfant. Elle l'avait aimé dès qu'elle l'avait vu, au bord du lac, posé dans son panier, pareil à un fruit offert. Elle l'avait déshabillé de son fichu et tendu à bout de bras vers le ciel du jour neuf, et il s'était mis à rire comme s'il attendait ce moment depuis sa naissance...

— Non, cela ne me déplaît pas, dit-elle, mais comment ferai-je ? Mes seins sont secs...

— Tes seins sont sources et fontaines, sources de joie et fontaines de vie... Si je suis un jour admis à regarder dans le Graal, c'est certainement eux que j'y verrai. Ils sont la double perfection du monde, ils expliquent les mouvements et les formes, et éclairent les mystères. Maintenant ils vont emplir la fonction qui est la leur... « Perceval !... Si tu lèves ton épée sans te couvrir de ton écu, tu vas recevoir la mienne dans la gorge ! Là ! Tu peux considérer que tu n'as plus de tête »... Ne laisse pas cet enfant boire plus longtemps ce lait de biquette, qui le détruit... Endors-le, allonge-toi dans l'herbe, ferme les yeux, et croise tes deux mains sur ton ventre... »

Viviane posa un doigt sur le front de l'enfant qui s'endormit dans un sourire. Puis elle s'allongea comme Merlin lui avait dit. Avant de fermer les yeux elle vit au-dessus d'elle ses oiseaux se percher dans le pommier dont les fleurs emplissaient le ciel. La chevrette, en quatre bonds, avait rejoint son biquet.

Elle croisa ses mains sur son ventre, et au loin Merlin le sut et fit le signe qu'il fallait. Alors elle sentit, sous ses mains, son ventre se mettre à vivre. Il y eut des fleuves et des soleils, des volcans et des dragons, et les oiseaux et les poissons des profondeurs, et les flux et les reflux du premier océan, et une immense plaine paisible couverte de fleurs. Et puis il y eut quelqu'un de décidé, qui tenait toute la place, la trouvait trop exiguë, et lui donnait des coups de pied dans le cœur pour qu'elle le laissât sortir. Alors elle s'ouvrit et Galaad cria, avec un cri pointu, pour faire savoir qu'il était là et qu'il avait faim.

Elle sentit la vie monter en un courant chaud de son ventre à sa poitrine, elle arracha son vêtement, prit l'enfant contre elle, et le nourrit.

— Perceval !... Tu te bats comme une chatte d'amour, la bouche ouverte et le ventre à l'air ! Ferme ta bouche ! Ou je vais l'emplir de fer ! Couvre ton ventre avec l'écu ! Baisse la tête ! Abrite-toi et fonce ! Plus vite ! Plus vite !... Je suis là devant toi, tu dois me pulvériser, m'envoyer de l'autre côté de la rivière !...

« C'est raté ! Il a suffi que mon cheval fasse un écart d'un pied ! Où sont donc tes yeux ? Ils doivent être au bout de ta lance ! Allez ! Recommence !...

A de tels moments, Perceval haïssait le maître qu'il avait trouvé exactement où Merlin le lui avait indiqué, et qui avait accepté de lui enseigner ce qu'il savait.

Ce maître était Merlin lui-même. Il avait pris l'apparence d'un vieux chevalier mort quelques années auparavant, de sa mort naturelle, sans jamais avoir été vaincu en tournoi ou au combat. Ses cheveux et sa barbe étaient blancs comme neige, sa peau couleur cuivre, ses yeux d'un bleu très pâle. Une cicatrice rouge lui dessinait un éclair sur toute la longueur du front. De son oreille gauche il ne lui restait qu'un fragment pas plus gros qu'une noisette. Un habile barbier avait remplacé ses dents brisées par celles d'un loup, ce qui lui donnait quand il souriait un air terrifiant, bien que ses yeux fussent pleins de gaieté. Il n'avait plus de main droite, mais il maniait l'épée de l'autre bras avec tant de force et de rapidité que Perceval n'avait jamais le temps de voir arriver le coup qui aurait pu l'occire.

Et sans cesse le vieux dur-à-cuire le faisait recommencer, recommencer, recommencer. Le garçon devenait ce que voulait Merlin. Peu à peu il lui apprit à dominer sa rage, à en être le maître et à la diriger droit sur son adversaire.

— Tu ne dois penser qu'à une chose : le détruire... Même s'il est ton meilleur ami. Le temps du tournoi il devient ce que tu dois faire disparaître, l'obstacle, l'ennemi, le Diable (Que Dieu t'en garde!), l'horreur du monde! Tu dois nettoyer l'horizon, faire le vide devant toi! Toute ta force, ta volonté, ta fureur, sont dans ton corps et dans tes bras qui frappent avec la lance et l'épée. Mais ta tête reste claire. Ton œil voit venir le coup de l'adversaire. Et tu frappes *avant!* Tu es le plus rapide, et le plus fort... Recommence!...

« ... Même si ton adversaire est l'homme que tu hais le plus au monde, quand tu l'as jeté à terre, désarmé, ne l'achève pas. Il n'y a aucune gloire, seulement de la honte, à tuer un homme sans arme. Rends-lui son épée et recommence à te battre.

« Tu ne peux le tuer que s'il peut se défendre. S'il se reconnaît vaincu, envoie-le avouer sa défaite et s'incliner devant celui qui t'aura fait chevalier, ou la dame que tu auras choisie... Recommence!...

Jamais apprenti chevalier n'avait eu pareil maître, et jamais aucun n'avait fait si rapidement de tels progrès. Mais chaque fois que Perceval riait, enfin content de lui, Merlin lui démontrait aussitôt qu'il ne valait rien, et le faisait, encore, recommencer...

Ce jour-là, au sixième assaut que Merlin lui fit rater, Perceval, furieux, jeta sa lance loin de lui. Alors la voix du maître gronda comme un tonnerre :

— Viens ici ! Viens ! Approche-toi !

Et quand les deux chevaux furent côte à côte :

— Ce n'est pas ta lance qui est maladroite ! C'est toi ! C'est toi qui mérites d'être jeté !

Et de sa seule main gauche il le saisit par son haubert, qu'il froissa comme de la paille, l'arracha à sa selle et à ses éperons, et le jeta à terre à côté de son arme.

— Fais-lui tes excuses !

Perceval se redressa d'un bond.

— Des excuses ?... Jamais !...

Merlin sourit de son sourire de loup.

— Je devrais te frapper sur la tête jusqu'à t'enfoncer en terre comme un pieu que tu es ! Ta lance est ta meilleure amie après ton épée, mais même devant un adversaire il n'y a pas d'humiliation à s'excuser quand c'est justifié. Se rendre compte qu'on a eu tort, c'est s'éclairer sur soi-même, et le reconnaître devant autrui c'est faire preuve de qualité.

Perceval regardait son maître avec ses yeux naïfs grands ouverts, et comprenait... Son maître avait toujours raison, et lui apprenait toujours quelque chose. Il se laissa tomber à genoux devant sa lance, et lui dit :

— Dame lance, ma fidèle, je me suis mal conduit, je vous demande pardon !...

Puis il la prit dans ses deux mains, la souleva jusqu'à ses lèvres et la baisa.

L'Enchanteur fut satisfait. Ce garçon était bon. Très bon...

— Tu peux te reposer un moment, dit-il. Nous continuerons à l'épée tout à l'heure...

Perceval s'allongea sur place et s'endormit en une seconde. Son écuyer, que Merlin lui avait choisi, s'occupait de son cheval, qui fumait.

Merlin ne lui enseignait pas seulement les armes, mais aussi les manières de courtoisie, le service des faibles, de la justice, des dames et des demoiselles, et bien entendu, de Dieu... Il était ravi par sa pureté de cœur, son courage, sa force exceptionnellement grande pour son âge, sa résistance, son opiniâtreté à suivre le dessein qu'il s'était fixé, tout droit, clairement, en déblayant son chemin avec ses armes ou ses paroles franches.

Un jour, il commença à lui parler de l'amour. Il voulait lui recommander de se méfier de ce qu'il croirait être les élans de son cœur d'homme, alors qu'ils ne seraient que ceux de sa nature animale. Et de l'attirance violente que pourraient exercer sur lui des filles qui n'auraient pas d'autre mérite que d'être des filles...

Mais il se tut brusquement. Comment osait-il donner des conseils en cette matière, lui qui avait succombé au premier coup d'œil, et que la non-possession de la femme aimée, et l'éloignement qu'il s'imposait, tourmentaient comme fers rouges ? Et d'ailleurs, dans ce domaine, tous les conseils qu'on peut donner ne sont-ils pas vains ?

Il soupira. Non, il n'avait plus rien à apprendre à ce garçon. Il fallait maintenant que ce soit la vie qui l'enseigne. En six mois de leçons, plus dures chaque jour, et grâce à ses qualités innées, il en avait fait un combattant magnifique. Il n'y avait sans doute pas, dans les trois Bretagnes, un seul chevalier capable de résister à son assaut, sauf peut-être Gauvain avec sa triple force de midi.

Il fit à Perceval juste assez de compliment pour l'encourager sans le rendre vain, et lui dit qu'il pouvait maintenant se rendre à la cour du roi Arthur pour se faire armer chevalier.

Et qu'il ne fallait plus tarder.

Il le pourvut de linge et de vêtements, lui donna une bourse pleine afin qu'il pût secourir les misères rencontrées, et lui laissa les armes qu'il avait gagnées sur l'Orgueilleux, ainsi que son cheval qui était excellent et auquel il s'était habitué.

Suivi de son écuyer, Perceval, heureux comme un gerfaut qu'on vient de décapuchonner, s'en alla sans se retourner, de la même façon qu'il avait quitté sa mère, dont il ignorait qu'elle était morte de le voir partir.

Et Merlin, le regardant s'éloigner, se disait qu'il venait de lancer un beau guerrier dans la Quête. Et il se demandait : « Sera-ce celui-là ?... »

Pendant tout le temps qu'avait duré son enseignement de Perceval, il s'était abstenu de se rendre auprès de Viviane. Il la voyait chaque fois qu'il le désirait, quelle que fût la distance qui les séparât, et conversait avec elle comme si elle s'était trouvée à son côté. Mais il craignait de s'en approcher véritablement avec toute la présence de son corps.

Après le départ de son élève, auquel il s'était attaché, il se sentit tristement solitaire. De grandes tâches l'attendaient encore, mais c'était un moment de détente dont il pouvait profiter pour faire à Viviane dans son lac une brève visite. Pourquoi pas ? Etait-il si faible ?

Une voix murmurait dans sa tête : « Tu ne risques rien, tu le sais bien, tu es maître de toi, tu es le plus fort... Et elle est si belle... Tes mains ont tellement envie de se poser sur elle... »

Il crut sentir ses mains caresser ses hanches, ses seins, ses épaules... Sa peau si douce... tiède... fraîche...

Il cria : « Va-t'en !... » en dessinant sur son front le signe de la croix.

Il y eut dans l'air un énorme éternuement, une trombe d'eau fit déborder le fleuve. Tout s'apaisa sur un signe de Merlin. Il soupira. Son père noir, en essayant de le tenter, lui avait rendu service, lui permettant de se rendre compte de sa faiblesse. Il avait besoin de solitude, de silence et de recharger ses forces. Il sourit à l'évocation de ses amis les arbres et se retrouva au milieu d'eux, dans sa chère forêt de Brocéliande. Il s'assit sur son pommier.

— Sire, voilà peut-être celui qui nous manquait, dit Gauvain.

Assis à la gauche du roi, face à la porte ouverte, il voyait comme lui approcher de la troisième enceinte un chevalier dont les armes brillaient au soleil comme si elles eussent été d'argent neuf.

Depuis que Merlin avait fait surgir la Table Ronde, Arthur, quand il se trouvait à Camaalot, y prenait place chaque samedi avant le dîner, avec les chevaliers présents. On ne s'asseyait pas à la Table Ronde pour manger, mais pour se recueillir et se sentir baigné de ce sentiment d'amitié et de ferveur qui unissait tous ceux qui prenaient place autour d'elle. C'était également ce jour-là, à cette heure, qu'on accueillait les nouveaux venus dont les noms s'étaient inscrits sur les sièges vacants.

Le nombre des chevaliers admis à la Table avait rapidement augmenté, ceux qui en avaient d'abord été écartés ayant pour la plupart fait des preuves de leurs mérites et d'autres étant venus de partout, attirés par le désir de participer à la grande aventure. Quelques sièges étaient encore inoccupés, mais portaient tous des noms. Il ne restait qu'un inconnu : le cent cinquantième, celui qui occuperait le Siège Périlleux. Personne, jusque-là, ne s'en était jugé digne.

Celui qui arrivait, aux armes qui semblaient d'argent, c'était Perceval. Cette fois-ci il fit preuve de l'éducation qu'il venait de recevoir : il mit pied à terre et laissa son cheval dehors.

Aussitôt entré, il reconnut Arthur et s'adressa à lui :

— Sire, je suis venu vous demander de me faire chevalier. Mon maître m'a dit que nul autre que vous ne devait m'adouber. Aujourd'hui j'ai des armes, et je sais m'en servir...

— Qui est ton maître ? demanda Arthur.

— Je ne sais pas, répondit Perceval avec simplicité.

Arthur regarda avec amusement le jeune garçon dont les yeux noirs brillants fixés sur lui, grands ouverts sous le heaume, paraissaient clairs comme source.

— Tu ne sais pas qui t'a enseigné ?

— Je sais bien ce qu'il est : le meilleur jouteur du monde, et le maître le plus dur. Mais je ne connais pas son nom.

— Tu ne le lui as jamais demandé ?

— Ma mère m'a dit de ne jamais poser de question indiscrète...

— Ah ah ! ce n'est pas un guerrier qui nous arrive, c'est un nourrisson ! cria Kou, rompant l'amitié de la Table.

Dans un geste fulgurant, Perceval brandit son bras vers lui, l'index tendu.

— Toi, je te reconnais ! Tu m'as fait commettre une mauvaise action la première fois que je suis venu ici... Ces armes que je porte, je les ai prises, à cause de tes paroles mauvaises, à un chevalier que j'ai tué avec un javelot, comme s'il était une bête. Je m'en suis confessé, mais tu as ta part dans ma faute et tu devras payer. Quand le roi m'aura fait chevalier, c'est toi qui recevras mes premiers coups!

Le roi intervint pour l'apaiser.

— Nous avons tous déploré ce qui t'est arrivé, et a causé la mort de l'Orgueilleux, dit-il. Mon sénéchal Kou, qui t'y a poussé par des paroles imprudentes, s'en est repenti... Tu nous as dit le nom de ton oncle : le roi Pellès le Riche Pêcheur, mais tu ne nous as pas dit le tien...

— Mon nom est Perceval!

— Ce nom est déjà inscrit sur un siège. Il t'attendait... Ta place est parmi nous. Je te ferai chevalier demain matin. Va te préparer... Mais tu ne pourras pas affronter le sénéchal : les chevaliers de la Table Ronde ne doivent pas se battre volontairement entre eux, leurs vies sont trop précieuses, et réservées à la Quête.

— Je ne veux pas lui prendre la vie, dit Perceval, mais il doit être puni, et par moi.

— Ce jeune garçon a certainement besoin d'encore quelques leçons, dit Kou. Sire, permettez-nous de nous rencontrer, avec promesse de vie épargnée.

— Qu'il en soit ainsi, dit le roi.

C'était la veillée de la Saint-Jean de juin. Dans la forêt, la nuit douce bruissait de l'activité des bêtes nocturnes, Merlin écoutait vivre les fourmis qui ne dorment jamais, les mille-pattes qui font leur chemin sous l'écorce, les mulots dans leurs tunnels, le vol velours des chouettes, le petit grognement des hérissons, le battement lent du cœur des biches endormies, et celui des oiseaux, si rapide qu'on dirait un frémissement. Il entendait tout, il sentait toutes les odeurs, de l'humus et des feuilles fraîches, des fleurs fatiguées et de celles qui allaient s'ouvrir à l'aube, et du sang des arbres perlant par des écorchures. Il tendit ses mains ouvertes, et il toucha toute la forêt dans le creux de ses paumes.

Il murmura le nom de Viviane, et Viviane l'entendit et prononça le nom de Merlin avec la même tendresse. Il lui dit :

— Je te donne la forêt de la Saint-Jean...

Et Viviane reçut les parfums, et la fraîcheur des feuillages, et les frôlements et les chuchotements, le pépiement de l'enfant-faisan qui rêve, le ronflement du sanglier, les dernières notes du rossignol, et elle sentit dans ses mains toutes les écorces lisses et rugueuses, et la mousse humide 'et douce comme le nez d'un agneau...

Elle flottait à la surface d'une mer de feuilles, elle se laissa submerger, elle devint la forêt, ses doigts ouverts fleurissaient...

— C'est Brocéliande, dit-elle à voix basse. Tu es tout près... Pourquoi ne viens-tu pas ?

— Bientôt, dit Merlin. Bientôt... Bientôt...

Sa voix s'éloignait, s'éteignit dans le lointain, et dans Viviane et autour d'elle la forêt lentement s'effaça. « Bientôt... » Viviane se demandait quelle était la signification de ce mot prononcé par un être pour qui un an, un jour, une heure, pouvaient avoir la même durée...

Autour de Camaalot, des feux perçaient jusqu'aux horizons la nuit pâle, trop brève pour avoir eu le temps

145

de devenir noire, nuit la plus courte de l'année, ponctuée de feux qui disaient au soleil « Reste près de nous, ne recommence pas à t'éloigner, garde-nous l'été, ne laisse pas l'hiver venir... » Les villageois dansaient autour d'eux et les garçons les plus hardis sautaient à travers les flammes. Les prudents attendaient qu'elles fussent devenues braises et cendres.

Perceval veillait, debout dans la chapelle chaude de la flamme des chandelles qu'un clerc renouvelait par bouquets. Six chevaliers en armes veillaient avec lui, parmi lesquels avaient tenu à se trouver Kou et Gauvain. Perceval était pieds nus et tête nue, vêtu d'une robe de lin blanc qu'il avait revêtue après s'être baigné. Il passa toute la nuit en prière. Des petits garçons somnolents chantaient avec des voix d'anges des cantiques en latin auxquels ils ne comprenaient rien, mais le rossignol comprend-il ce qu'il chante? Quand l'aube fut passée, Perceval prit un second bain et revêtit une fine chemise et une robe de soie rouge que lui avait données le roi, suspendit son épée à son cou.

L'archevêque et ses clercs arrivèrent, puis le roi en armes, tenant par la main la reine couronnée.

Perceval donna son épée à l'archevêque qui la tint devant lui horizontale et lui chanta quelque chose que peut-être elle comprit. Cependant, le roi fixait au pied droit de Perceval un éperon d'or, tandis que la reine fixait celui du pied gauche. Gauvain et Kou le vêtirent d'un haubert à doubles mailles qui ne faisait qu'un avec le bonnet de mailles, sur lequel le roi fixa un heaume pointu au large nasal. La reine lui passa baudrier et ceinture de cuir cloutés d'or.

Alors le roi prit l'épée bénie par l'archevêque, et la

fixa à la ceinture et au baudrier, en disant à Perceval :
« Sois chevalier ! » puis lui donna la colée, c'est-à-dire,
de sa paume gantée de fer, un grand coup sur la
nuque, en ajoutant d'une voix forte : « Sois preux ! »

A demi assommé, Perceval réagit comme il se
devait, en se redressant d'un mouvement vif et en
courant hors de la chapelle, devant la porte de laquelle
l'attendait son écuyer, qui tenait son cheval, sa lance,
et son écu.

Sans prendre appui à l'étrier, il bondit en selle,
empoigna la lance et l'écu et galopa vers la lice où il
allait rencontrer Kou. Il parcourut plusieurs fois la
longueur du champ dans les deux sens, pressant son
cheval au maximum, sous les cris de joie de la
population de la cité, venue saluer le nouveau chevalier et assister à la joute.

Kou arriva à son tour, puis d'autres chevaliers qui
avaient voulu profiter de la permission du roi pour se
dérouiller un peu.

Enfin Arthur et Guenièvre prirent place dans les
tribunes qui avaient été édifiées pendant la nuit, et
Kou et Perceval se firent face aux deux extrémités de la
lice et, au signal du roi, s'élancèrent l'un vers l'autre.

Le choc fut d'une grande violence. Les deux lances
volèrent en éclats, mais tandis que Perceval continuait
sur sa lancée, Kou fut projeté à terre et son cheval,
arrêté net comme s'il avait heurté un mur, se mit à
trembler, puis s'effondra. Lorsque Kou reprit ses
esprits il vit Perceval à terre, debout devant lui qui lui
demandait :

— Reconnais-tu m'avoir poussé à une mauvaise
action et veux-tu en exprimer le regret ?

Pour toute réponse, Kou se redressa vivement et tira

147

son épée. Mais l'épée de Perceval paraissait dix fois plus rapide que la sienne, et frapper dix fois plus fort. Elle lui trancha son baudrier et sa ceinture, fit voler les plaques de sa cotte, écorna son heaume, coupa en deux son écu et finalement lui arracha son arme des mains et l'envoya au pied de la tribune.

Alors Perceval s'immobilisa et attendit. Et Kou dit :

— Je reconnais que je t'ai fait du tort. Je reconnais que tu m'as battu. Et j'ajoute que je n'ai jamais rencontré un adversaire aussi vaillant que toi.

— Va le dire au roi ! dit Perceval.

Et Kou se rendit devant la tribune pour témoigner de sa défaite de la main de Perceval. Il le fit sans humiliation, c'était l'usage, et tout le monde avait pu voir en action les qualités de Perceval. Il n'y avait pas de honte à être battu par lui.

Arthur et ses chevaliers avaient suivi le combat avec excitation, en connaisseurs. Le plus excité était Gauvain. Il cria :

— Perceval ! Je veux t'essayer ! M'acceptes-tu ?

Perceval se tourna vers le roi pour lui demander son accord, et Arthur fit un signe d'assentiment. Il n'était pas mécontent de ce défi. La défaite de Kou n'était pas entièrement probante. Il était bon guerrier, mais pas des plus hauts. Tandis que Gauvain, à cette heure du jour, disposait déjà de sa deuxième force. Le temps que Perceval réussirait à lui résister serait la mesure de sa valeur.

Ce fut bref. Au premier assaut, Gauvain vida les étriers et se retrouva à terre. A la fois amusé et furieux, il remonta en selle, et au deuxième assaut fut de nouveau jeté bas. Dans les tribunes et tout autour de la lice, le roi et les spectateurs n'en croyaient pas leurs yeux. Gauvain, le grand Gauvain avait trouvé son maître! Pour le troisième assaut il choisit une lance lourde et épaisse, bien équilibrée, qui se terminait par un fer de tournoi à trois pointes. Perceval en prit une semblable, la soupesa, la posa sur le feutre, et les deux hommes s'élancèrent.

Il y eut alors, montant de la foule, une sorte d'énorme soupir d'étonnement, car à tout le monde apparaissait ce qui était le phénomène Perceval : il n'était qu'élan, force, vitesse. Confondu avec son cheval et pointant sa lance comme si elle était le prolongement de lui-même projeté devant lui par sa volonté absolue d'abattre son adversaire, il fonçait sur celui-ci à la façon d'un fléau naturel, foudre, ouragan, contre lequel il n'est pas de défense.

Et à ce troisième choc il renversa non seulement l'homme, mais son cheval.

Gauvain, se relevant, alla directement, sans y être convié, témoigner devant le roi de la victoire de Perceval.

— Sire, dit-il, vous avez aujourd'hui donné la colée au meilleur de nous tous. Je ne le prendrai pas à l'épée car pour l'arrêter il faudrait que je le tue. Mais peut-être me tuerait-il avant... Pour moi il ne fait pas de doute que c'est lui qui doit s'asseoir au Siège Périlleux!...

Mais au repas qui suivit, alors que le roi, la reine, et les chevaliers renommés, et les dames les plus belles et les mieux parées, prenaient place aux tables hautes, Perceval alla s'asseoir à une table basse, parmi les chevaliers les plus humbles, car rien ne pouvait entamer sa simplicité.

Alors une suivante de la reine entra dans la salle,

vêtue d'une robe blanche, et se dirigea vers lui, et resta immobile devant lui à le regarder, sans dire un mot. Elle était jeune et belle et son visage était illuminé de tendresse, et ses yeux pleins de larmes de joie.

Perceval, se rappelant que sa mère lui avait recommandé de ne jamais poser de question indiscrète, n'osait lui demander ce qu'elle voulait. Et peu à peu le silence se faisait dans la salle, et tout le monde regardait Perceval et la jeune fille que chacun connaissait au château, sauf Perceval nouveau venu. Et chacun savait pourquoi elle ne disait rien, sauf Perceval.

Et tout à coup elle parla. Elle dit :

— Chevalier de Jésus-Christ, tu as bien choisi ta place aujourd'hui, dans la pureté de ton cœur. Quand tu t'assiéras à la Table Ronde, sache choisir aussi bien entre le Siège Périlleux et celui qui porte ton nom...

Les larmes coulèrent de ses yeux et elle ajouta :

— Quand tu me rencontreras de nouveau, ce sera pour me voir mourir...

Puis elle se détourna et sortit.

Dans la salle régnaient la stupéfaction et l'émerveillement. C'était un miracle qui venait de se produire. Car tous savaient, sauf Perceval, que les mots qu'ils venaient d'entendre étaient les premiers que la jeune fille ait prononcés de sa vie : elle était muette depuis l'instant de sa naissance. C'était d'ailleurs pourquoi on la nommait *Celle-qui-jamais-ne-mentit...*

Le samedi suivant, quand se tint la Table Ronde, le roi dit à Perceval :

— De l'avis de tous, tu es le meilleur chevalier de ceux qui sont ici présents. Il semble que ce soit toi qui doive t'asseoir au Siège Périlleux. Veux-tu y prendre place ?

— Sire, répondit Perceval, je vois sur ce siège des lettres tracées qui signifient qu'il doit être occupé par le meilleur chevalier du monde. Comment saurais-je que je suis le meilleur alors que je n'en ai encore rencontré que deux ? Pour m'affirmer le meilleur, il faudra que je batte tous ceux qui sont dans le monde. Si Dieu m'aide, j'en suis peut-être capable, mais cela prendra du temps... Si vous m'y autorisez, Sire, demain je commencerai par ceux qui sont ici et qui le voudront. En attendant, puisque cet autre siège porte les lettres qui disent mon nom, je crois que c'est la place qui me convient...

— Ce garçon n'est pas bête, dit Kou, il a su éviter le péril du siège...

Mais Arthur savait que Perceval n'y avait mis aucune malice. Il lui dit :

— Tu as bien raisonné, avec un esprit droit. Mais il

151

est certain que tu ne pourras jamais rencontrer tous les chevaliers du monde! Il faudra que tu prouves ta valeur autrement. Demain j'autorise ceux qui sont ici à te rencontrer et à se rencontrer entre eux, avec promesse de vie épargnée. Ce sera la dernière joute à Camaalot avant longtemps, car maintenant nous sommes autant de chevaliers que de sièges autour de la Table Ronde, même si certains sont absents et si nous ne savons toujours pas qui doit s'asseoir au Siège Périlleux. Il convient donc que la Quête du Graal commence...

Il y eut un moment de profond silence, puis le roi s'assit, et les cent douze chevaliers présents en firent autant. Quand ils furent dans leurs sièges ils sentirent s'établir dans leur corps et dans leurs sentiments cette sérénité, cette confiance et cette amitié qui les liait entre eux comme des frères.

— Lundi, reprit le roi, ceux qui voudront partir pour l'Aventure partiront. Voici les deux règles que je mets à la Quête, et qui me sont inspirées de plus haut : la première est que l'absence de chacun ne devra pas durer plus d'un an et un jour; la deuxième est que lorsque l'un d'entre nous disparaîtra, les autres s'en iront à sa recherche, pendant un an et un jour. Et j'en ajoute une troisième, qui me concerne : je ne participerai pas personnellement à l'Aventure. Le royaume en est le centre, et il a besoin de moi pour le maintenir et le défendre...

Il se tut. Il attendait quelque chose. Et tous attendaient la même chose : qu'en ce moment solennel, Merlin, maître de la Quête, vînt ou se manifestât.

Mais Merlin ne vint pas.

A la joute du lendemain, Perceval battit Alain le

gros, Alain le long, Alain le jeune, Léonce de Payerne, et Galessin, et Sagremor, et Gaheriet, et Agravain, et Gauvain encore, avec ses trois forces du milieu du jour, et dix-sept autres, jusqu'à ce que plus personne ne se présentât contre lui.

Quand il descendit de cheval il s'endormit debout et se réveilla alors que les dames étaient en train de le baigner. Parmi elles se trouvait Morgane qui n'avait jamais vu de jeune corps aussi beau, et dont la main s'attardait quelque peu dans l'eau tiède. Mais Perceval refermait déjà les yeux. Et le lendemain il partit le premier.

Le petit Galaad poussait à merveille, nourri du lait de Viviane et bientôt de belles bouillies de farine blanche tirée du froment moissonné au fond du lac. Viviane n'avait dit son nom à personne, et les servantes, qui l'adoraient, le nommaient *beau-trouvé* et *fils-de-roi*, sans savoir qu'il en était vraiment un, mais parce qu'il était très beau, et déjà décidé et fier, même en marchant à quatre pattes. Et puis elles le nommèrent en riant *Lancelot*, à cause de son sexe enfantin qui parfois, quand elles lui faisaient sa toilette, pointait en avant comme une menue lance. Et Viviane elle-même, amusée, lui donna ce nom, qui lui resta.

Viviane aimait l'enfant comme si elle l'avait vraiment porté dans sa chair. Mais à sa grossesse factice accélérée, qu'elle avait vécue avec tant d'intensité, avait manqué de façon cruelle la sensation première, le point de départ : la bouleversante joie de l'ensemencement.

Il lui arriva un jour, après une des douces averses du lac, de voir deux escargots avancer l'un vers l'autre en laissant derrière eux, sur la branche du cerisier, deux pistes brillantes. Ils se rencontrèrent lentement, dressèrent l'un contre l'autre leurs bustes vulnérables, se

regardèrent et se touchèrent du bout de leurs yeux-
antennes, se firent la cour en molles ondulations, puis
unirent leurs visages et leurs sexes, qui sont proches de
leurs bouches, et qui sont doubles, chaque escargot
étant à la fois mâle et femelle. Et Viviane entendit ce
que nul ne peut entendre, l'immense soupir de bonheur du quadruple accomplissement.

Passant au même endroit deux heures plus tard, elle
vit que les escargots étaient encore unis. Dans leur
long baiser immobile, ils avaient répandu autour d'eux
un mucus transparent collant comme de la gomme, le
long duquel ils avaient glissé, et qui les tenait suspen-
dus, enveloppés, au-dessous de la branche, comme un
noyau double dans un fruit de lumière et de joie.

Viviane arracha une feuille du cerisier et, d'un geste
nerveux, la froissa dans sa main et la jeta. Ce que
même les bêtes rampantes connaissaient leur serait-il
refusé, à elle et Merlin ?

La voix de Merlin lui dit doucement :

— Tu as le pouvoir, et le choix, d'être ce que tu
veux. Préférerais-tu être un escargot ?

Elle fut surprise, puis se mit à rire, et répondit :

— Avec toi, oui !...

Elle s'assit au milieu des marguerites, la mésange
dans les cheveux, les hochequeues piquetant l'herbe
autour de ses pieds ; elle demanda :

— Tu n'es donc pas privé de moi ?...

La voix de Merlin se fit grave :

— Depuis que je t'ai vue je sais que je ne suis que la
moitié de moi-même. Tu es mon autre moi qui me
demande et dont j'ai besoin. Je suis la terre assoiffée et
la pluie qui ne tombe pas, je suis la soif et la faim et la
nourriture refusée. J'ai double souffrance, la tienne,

que je connais, en plus de la mienne... Un jour nous ne pourrons plus les supporter, et il nous faudra choisir... Mais maintenant nous devons avoir du courage, le monde a besoin de nous...

— Viens au moins près de moi !... Que je puisse te voir, te toucher... Pourquoi restes-tu loin ? Viens !...

— Bientôt ! dit la voix de Merlin, qui s'éloignait. Bientôt...

Viviane tendit les mains dans un geste vain, pour saisir quelque chose dans le vide.

— Où es-tu ? demanda-t-elle. Où vas-tu ?...

Merlin ne répondit pas.

Elle s'allongea à plat ventre dans l'herbe et les fleurs, les mains sur les yeux, refoulant une envie folle de sangloter comme une femme ordinaire. Pourquoi n'était-elle pas une femme ordinaire, amoureuse d'un chevalier ordinaire ou d'un bûcheron ?...

Cette idée saugrenue lui rendit son courage. Merlin était incomparable. En n'importe quelle circonstance et pour n'importe quel prix, personne ne pouvait lui être préféré. Mais pourquoi restait-il toujours si loin ?...

Elle entendit un froissement d'air, comme un grand oiseau doux qui se pose, et elle sentit l'odeur chaude de la résine d'Asie. Elle poussa un cri de joie et rouvrit les yeux : l'arbre bleu était là, à la place du cerisier... Et Merlin arrivait, marchant vers elle en lui souriant, ses bras déjà à demi tendus pour la serrer contre lui, tel qu'il était quand elle l'avait vu pour la première fois, plus beau encore que dans son souvenir, beau comme le soleil et la vie au printemps.

Et lui, venant vers elle pensait, la regardant, qu'elle était toute la beauté et la jeunesse de la Terre et du Ciel.

Il resta avec elle tout l'après-midi. Ils se promenèrent main dans la main, baignés de paix, ayant conclu
une trêve avec les désirs de leurs corps. Leur amour
était aussi nouveau qu'au premier jour, ils redécou-
vraient le bonheur d'être ensemble, cette plénitude de
la présence ajoutée et partagée. On est enfin deux et un
seul, l'univers a retrouvé son équilibre, on est son
centre, dans le rayonnement de l'amour présent,
l'amour donné, l'amour reçu, l'amour de tout.

Ils sortirent du lac, entrèrent dans la forêt. Où ils
passaient le vert devenait plus vert, les couleurs plus
vives, l'air plus fluide, et en même temps ils pouvaient
le voir et il se laissait prendre dans leurs mains. Les
branches s'écartaient devant eux après les avoir
touchés du bout de leurs feuilles, avec amitié.

Dans un buisson fleuri d'églantines rouges, qu'elle
avait à demi écrasé dans les soubresauts de son agonie,
ils trouvèrent une biche sur le point de mourir. La
gorge traversée d'une flèche, elle avait perdu presque
tout son sang.

Viviane lui ôta la flèche d'un geste, et commença à
promener sa main sur elle pour la sauver et la guérir.

— Attends !... dit Merlin. Tu vas encore t'épuiser...
Tu dois apprendre à ménager tes forces, en utilisant
celles qui sont disponibles autour de toi... Prends les
forces de l'églantier. Demande-les lui... Tu pourrais les
prendre sans rien lui demander, mais ce serait mal
agir... Il te les donnera volontiers, car la terre lui en
donnera d'autres autant qu'il voudra...

— Bel églantier, dit Viviane, donne-moi tes forces
pour la biche qui meurt...

L'églantier soupira, se secoua, et ses feuilles, rapidement, jaunirent et pendirent tandis que ses fleurs se

157

flétrissaient. En même temps, la plaie de la biche se fermait, ses yeux se rouvraient, elle soulevait sa tête mais la laissait retomber, épuisée.

— L'églantier ne suffit pas, dit Viviane.

— Prends les forces du rocher..., dit Merlin, montrant un bloc biscornu haut comme le genou, décoré de lichen pourpre et jaune.

— Beau rocher, dit Viviane, donne-moi tes forces pour la biche qui ne meurt plus mais ne vit pas...

Le rocher trembla, craqua, se fissura, s'émietta, se ramollit, devint terre répandue, couverte de champignons.

— Dans dix fois cent mille ans il sera de nouveau rocher, dit Merlin.

Il avait fallu moins de temps à l'églantier pour retrouver sa fraîcheur. Ses feuilles étaient de nouveau vaillantes et ses fleurs vives.

Et la biche était debout sur ses quatre sabots. Elle regardait Viviane et Merlin.

— Merci !..., dit-elle.

Elle cueillit du bout des dents l'extrémité d'une branche de l'églantier et la dégusta. Et l'églantier lui écorcha la gencive avec une épine. Ce sont les relations normales entre habitants de la forêt. Elle frétilla de sa courte queue et disparut d'un bond.

Merlin disparut en même temps qu'elle.

Viviane se retrouva auprès de Lancelot qui, avec un arc à sa mesure, s'exerçait à tirer sur la ressemblance d'un daim taillé dans du bois. Sa flèche se planta dans l'oreille.

— Je n'aime pas les chasseurs maladroits, dit Viviane. Si tu as besoin de chasser, ne blesse pas : tue. Si tu n'es pas sûr de tuer, garde ta flèche.

Lancelot se souvint toute sa vie de ce conseil, qui devint la règle de ses combats : ne porter que des coups efficaces. Et ceux de ses adversaires qui survécurent, c'est que, volontairement, il les épargna.

Pour l'instant, il regardait Viviane avec des yeux pleins d'adoration et si écarquillés par l'attention et le besoin de bien comprendre, clairement, et tout de suite, ce qu'elle lui disait, qu'ils en paraissaient ronds comme des cerises. Envahie d'amour, elle se mit à rire, le souleva et le serra contre elle, lui embrassant cent fois les joues, les lèvres et les oreilles, ce qui lui faisait pousser des petits cris.

C'était un enfant superbe. A quatre ans il en paraissait six. Ses cheveux très fins, d'un blond cendré, coupés court, dégageaient son grand front lisse, sous lequel brillaient ses yeux d'une étrange couleur gris pâle, pareils à des pierres fines transparentes. Ils devenaient presque noirs lorsqu'il prenait une des violentes colères auxquelles il était sujet. Il brisait ou déchirait alors tout ce qu'il pouvait saisir, et ne se calmait que lorsqu'on lui avait fait justice. Car ses colères n'étaient pas dues à des caprices mais à son sens très vif de ce qui ne devait pas être fait, ni à lui ni aux autres. Ainsi, un jour, un écuyer ayant battu sans raison un chien que Dyonis lui avait donné, il se jeta sur l'homme qui était deux fois plus haut que lui, et le frappa au visage avec son arc, si fort que l'arc se brisa.

Mais il n'y avait chez lui ni méchanceté ni rancune, et son tempérament le portait à la rêverie et à l'émerveillement. Il passait de longs moments à regarder les nouvelles roses écloses du matin, et baisait leurs pétales frais en prenant soin de ne pas les blesser. Il aimait monter l'escalier de marbre autour du grand chêne jusqu'à ce que le vertige le saisît. Il s'allongeait alors sur une marche, la tête vers l'extérieur et son cœur se gonflait de joie à voir le monde si grand et si beau. Les oiseaux venaient lui tenir compagnie et lui apprenaient à chanter. Viviane lui donna une petite harpe d'or qui grandit en même temps que lui, sur laquelle il s'accompagnait en chantant d'abord des mots sans suite, puis des phrases qui étaient belles et simples comme le nuage qui passe ou les dessins du vent dans l'herbe. Ses yeux, alors, devenaient bleus du bleu de la mer au bout de l'horizon.

Viviane ne lui donnait pas d'ordres, lui laissait toute initiative, mais intervenait pour lui dire si ce qu'il avait choisi de faire était bon ou mauvais, et pour le lui démontrer si ce n'était pas évident. Heureuse de l'amour qu'il lui portait, elle craignait que cet amour l'inclinât à croire trop facilement tout ce qu'elle lui disait, et prenait garde de ne lui dire, toujours, rien que la vérité, de ne lui faire aimer que ce qui était droit, bien et beau.

Dyonis l'emmenait souvent hors du lac, dans la forêt, assis devant lui sur son large cheval du royaume de Perche. Il lui apprenait à connaître toutes les bêtes et tous les arbres, et à les aimer.

Un jour, après une de ces promenades, Lancelot devint rêveur, puis demanda brusquement à Viviane :

— Dyonis est-il mon père ?

— Non, dit Viviane. Ton père est mort. Il venait de mourir lorsque je t'ai trouvé...

— Trouvé !... Trouvé ?... Alors vous n'êtes pas ma mère ?

— Non, dit Viviane avec tristesse. Et je le regrette... M'aimeras-tu moins, maintenant que tu le sais ?

Pour toute réponse, Lancelot se jeta dans ses bras en sanglotant, se serrant contre elle, suffoquant, reniflant, n'interrompant ses pleurs que pour lui dire des mots d'amour.

— Ne pleure pas, beau-trouvé, lui dit-elle. Ta mère est vivante. Tu la retrouveras un jour.

— Et mon père ? Qui était-il ? Quel était son nom ?

— Ce n'est pas à moi de te le dire. Tu l'apprendras quand il le faudra. Le temps n'en est pas encore venu...

— On me nomme parfois fils-de-roi, dit Lancelot. Qu'est-ce qu'un roi ?

— Rien de plus qu'un homme, dit Viviane.

La Quête piétinait. Arthur se demandait s'il avait bien fait de la déclarer ouverte avant que le chevalier qui serait reconnu comme le meilleur du monde eût pris place au Siège Périlleux. L'absence de Merlin lui confirmait qu'il avait dû trop se hâter. Certes les chevaliers partis de Camaalot n'avaient pas manqué d'aventures, mais aucun n'avait rencontré l'Aventure, la grande, celle dont les péripéties amèneraient le plus méritant jusqu'à l'enceinte de pierre close autour du Graal. Les batailles des chevaliers emplissaient de tumulte les forêts de Bretagne. Ils combattaient les félons, les pillards, les sans-parole, les violeurs, les sauvages, les usurpateurs, les ravisseurs, tous ceux qui brutalisaient les faibles, manquaient de courtoisie aux dames et de respect à Dieu.

S'ils n'avaient pas encore trouvé les traces du Graal, les chevaliers de la Table Ronde, par leurs actions multiples et exemplaires, étaient en train de nettoyer la Bretagne des restes de la barbarie et d'y installer le règne de la justice et de l'honneur.

En plus des adversaires charnels, ils avaient souvent à combattre des sortilèges dressés devant eux par le Diable ou par d'anciens dieux qui ne se résignaient pas à disparaître. Enfin il arrivait qu'ils se combatissent entre eux, sans se reconnaître. Et dans toutes ces aventures, plus d'un perdit la vie, ou la liberté. Mais d'autres arrivaient à Camaalot, prenaient place dans les sièges rendus vacants, et partaient à leur tour se battre contre toutes les formes du mal.

Ceux qui avaient trouvé sur leur chemin le noir mystère de la Douloureuse Garde et qui s'y étaient affrontés avaient tous succombé.

Il se présentait sous la forme d'un vaste et solide château bâti au sommet d'une colline escarpée, et dominé par un donjon carré si haut que le sommet en était souvent coiffé de nuages. Derrière ses enceintes vivaient des hommes, des femmes, des enfants, des paysans, des chevaliers avec leurs écuyers, qui n'en pouvaient pas sortir, et dont on ne savait rien, sauf qu'ils étaient si malheureux qu'on les entendait gémir, sangloter à une lieue à la ronde et pousser des cris déchirants demandant qu'on vienne les délivrer.

Une bonne douzaine de chevaliers avait tenté cette aventure. Tous étaient morts ou avaient disparu. Le dernier dont on connut le sort était Guyomarc'h, le bel amant de Morgane.

Quand vint le temps, après un an et un jour d'absence, où il devait retourner auprès du roi Arthur pour lui conter ce qu'il avait fait, ce fut son écuyer qui se présenta à sa place à l'audience du roi.

Arthur était assis sur son trône carré au dossier raide. Il portait couronne pour honorer ceux auxquels il rendait justice et ceux qu'il devait punir. A sa droite, sur un second trône, était assise la reine, portant également couronne, et dont ceux qui ne la voyaient que de temps en temps pensaient qu'elle devenait de plus en plus belle et de plus en plus triste. Et Morgane était là également, assise sur un siège sans dossier, impatiente d'avoir des nouvelles de son jeune amant. Elle en avait accueilli d'autres depuis son départ, mais celui-là était particulièrement cher à son cœur et à son corps.

— Où est ton maître ? Qu'est-il devenu ? demanda le roi.

— Je sais où il est, dit l'écuyer, mais ce qu'il est devenu je ne le sais.

Et il raconta :

— Nous étions en Petite Bretagne, nous avions chevauché tout le jour et une partie de la nuit sans trouver lieu où nous reposer, quand nous vîmes devant nous un grand feu qui semblait suspendu en l'air. En nous approchant nous vîmes qu'il brûlait au sommet d'une colline, près des murailles d'un château, qu'il éclairait. Mon maître dit : « Voilà enfin où nous allons trouver abri et nourriture. » Mais en nous approchant encore nous commençâmes d'entendre les cris et les lamentations qui nous firent reconnaître la Douloureuse Garde. Mon maître se réjouit à l'idée de l'aventure qui s'offrait. Mais il ne pouvait rien faire pendant la nuit. Nous nous couchâmes au pied d'un arbre et mon maître s'endormit aussitôt, mais je ne réussis à en faire autant qu'après m'être bouché les oreilles avec des tampons d'herbe, pour ne plus entendre les gémissements et les cris.

« A l'aube mon sire Guyomarc'h se déshabilla, se baigna au ruisseau, s'agenouilla et resta longtemps en prière, puis je l'aidai à s'armer, lui laçai son heaume, lui donnai son épée et, quand il fut à cheval, lui tendis sa meilleure lance, courte et solide, et dont le fer tranchait comme un rasoir. Avant de l'empoigner, il la signa du signe de la croix.

« L'un derrière l'autre, moi derrière et lui devant, nous gravîmes la route qui menait au château, dont la porte fermée était gardée à l'extérieur par deux énormes chevaliers tout vêtus et armés de rouge. Les gémissements et les cris devenaient de plus en plus forts. Mon maître, courtoisement, demanda droit d'entrer pour aller secourir ceux et celles qui se plaignaient si fort. Il lui fut répondu qu'il avait à tourner bride et à s'éloigner. Alors il baissa sa lance et s'élança vers le chevalier le plus proche. Au moment où il allait l'atteindre, celui-ci soudainement disparut ainsi que l'autre, la porte du château s'ouvrit, mon maître pénétra au galop dans le château, la porte se referma derrière lui en grondant et de l'intérieur de l'enceinte s'éleva un énorme ricanement, tout pareil au bruit qu'auraient fait en poussant leurs cris affreux une centaine d'oies grosses comme des taureaux. Puis il y eut un nuage de fumée rouge et puante qui se rabattit sur la colline et manqua me faire périr étouffé. Et le concert des cris et des gémissements recommença et parmi les voix qui criaient je reconnus clairement celle de mon maître qui demandait elle aussi qu'on lui vienne en aide...

Morgane se leva de son siège et s'adressa avec véhémence au roi son frère :

— Tu dois y aller toi-même avec toutes tes forces ! Tu ne peux pas laisser sans secours les chevaliers qui t'ont fait serment !

— Tu as raison, dit Arthur. Je ne laisserai pas plus longtemps ce sortilège attirer et détruire mes gens. J'irai délivrer ceux qui sont retenus et venger ceux qui sont morts, dussé-je moi-même y perdre la vie !...

Alors Guenièvre la reine se tourna vers lui et lui dit avec un grand calme :

— Roi, n'oublie pas tes devoirs de roi !...

Morgane regarda Guenièvre avec tant de fureur que chacun put lire l'envie de meurtre sur son visage. Et, perdant toute retenue, elle allait se mettre à l'insulter quand elle se sentit tout à coup devenir l'objet d'une horrible métamorphose. Elle vit ses mains, en un instant, flétrir et se recroqueviller, elle entendit craquer les os de son dos tandis qu'elle se courbait en avant et que ses cheveux, devenus d'un blanc verdâtre, coulaient en mèches visqueuses de chaque côté de son visage. Elle passa une main tremblante sur ses joues et cela fit un bruit d'écorce râpeuse, et dans sa robe ses seins, séchés en gourdes plates, pendaient jusqu'à son nombril.

Elle se mit à gémir de désespoir. Le roi et la reine, et tous les assistants, la regardaient avec horreur et les plus proches s'écartaient d'elle car elle puait.

— Te voilà telle que tu es, dit une voix grave, quand tu te laisses envahir par la haine. Et telle que tu deviendras vraiment si tu ne la chasses hors de toi...

Tout le monde se tourna vers la porte, où se tenait un homme jeune en robe d'or, au visage orné d'une courte barbe blonde. Ses cheveux bouclés étaient entourés d'un ruban vert tressé et sa robe serrée par une ceinture verte. Il tenait dans sa main droite un haut bâton de houx écorcé, dont la pointe s'appuyait à terre. Une lumière chaude rayonnait de lui, comme si le soleil l'accompagnait.

— Merlin ! s'écria Arthur.

Il se leva, courut à lui, et l'étreignit.

— Pourquoi, mon ami, nous as-tu laissés si long-temps sans nous voir ?

Merlin sourit :

— J'ai beaucoup à faire, dit-il. N'êtes-vous pas capables de vous conduire seuls ? Resterez-vous tou-jours des enfants ?

— Nous aurons toujours besoin de toi, dit Arthur, mais hors de cela, ta présence nous chauffe le cœur et ta longue absence nous désole. Dis-moi si j'ai bien fait d'envoyer les chevaliers dans la Quête ? Ils semblent ne rencontrer qu'embûches et scélérats.

— Tu as fait ce qui devait être fait. Ils nettoient le pays comme le peigne nettoie la barbe d'un homme qui a dormi dans le foin... Quand le temps du Graal arrivera, tu en seras averti... Pour toutes les choses du royaume, suis les conseils de la reine. Elle voit, elle sait, et elle dit ce qu'il faut...

Il regarda Guenièvre, qui répondit à son sourire par un sourire pâle. Il connaissait les raisons de sa tristesse, il aurait pu lui donner ce qui lui manquait mais ce n'était pas clair dans son esprit, il soupçonnait son père noir d'être pour quelque chose dans cette confusion, et pour ne pas l'aider involontairement il se refusait d'intervenir dans la vie de Guenièvre.

Il dit à Arthur :

— Pour toi, une tâche va bientôt se présenter, qui sera un travail de roi...

— Peux-tu me dire quelle tâche ?

— Tu devras aller châtier le roi Claudas, et lui reprendre les royaumes qu'il a conquis par traîtrise sur tes amis Ban et Bohor, qui en sont morts.

— Je voulais déjà le faire au printemps, mais il m'a fait savoir qu'il tenait prisonniers les deux fils de Bohor et que si j'entreprenais quelque chose contre lui il les ferait périr...

— Il ne les gardera plus longtemps, dit Merlin. Prépare-toi. Quand ils auront quitté le donjon de Gannes où il les tient enfermés, tu devras agir aussitôt...

Morgane avait repris rapidement son aspect habituel, son corps ferme, ses yeux brillants, ses cheveux rétifs, sa bouche vive, tout ce qui faisait d'elle la femme la plus attirante de l'entourage du roi. Ce qu'elle venait de subir l'avait bouleversée, mais ne l'avait pas délivrée de la haine, au contraire. La rage bouillonnait dans son sang. Elle profita de l'attention fixée sur Merlin pour se glisser hors de la salle, en se demandant comment elle pourrait se venger de Guenièvre, d'Arthur et de l'Enchanteur. Il lui faudrait un allié puissant pour venir à bout de ce dernier.

Cette disposition d'esprit combla d'aise le Diable. Il était tout à fait disposé à l'aider.

Pendant trois ans, Pharien, l'écuyer fidèle fait chevalier par le roi Bohor à l'article de la mort, était parvenu à tenir les deux fils qu'il lui avait confiés à l'abri des recherches du roi Claudas. Mais un jour ce dernier qui avait un grand appétit de femmes et qui en cherchait sans cesse de nouvelles, entendit parler de la beauté de celle de Pharien et, au cours d'une partie de chasse vint, alors que la nuit tombait, demander avec sa suite l'hospitalité à son vassal. Il trouva la jeune femme si bien à son goût que le lendemain, il envoya Pharien porter à son sénéchal à Gannes un message écrit. C'était pour l'éloigner et pouvoir profiter de son épouse. Ce qu'il fit. Elle ne se fit guère prier : il n'était pas d'usage de résister au roi. Mais ce qu'elle n'aurait pas dû faire, c'était de lui confier, sur l'oreiller, qu'elle n'avait jamais eu d'enfant, que ceux qu'elle élevait étaient en réalité les fils du roi Bohor.

Claudas la fit aussitôt conduire dans un bordel de son royaume de Bourges, non pour lui avoir cédé, ce dont il l'eût récompensée, mais pour avoir trahi les secrets de son mari, ce à quoi aucune femme ne doit être encouragée. Quant à Pharien, il le fit enfermer dans le donjon de Gannes, avec les deux fils du roi mort, l'aîné Lionel et le plus jeune qui portait le nom de son père, Bohor.

A ceux de ses familiers qui s'étonnaient qu'il laissât la vie sauve aux héritiers du roi, qui pourraient un jour comploter contre lui, il répondait avec une fausse magnanimité qu'il avait l'intention de leur rendre les deux royaumes quand ils seraient en âge, pourvu qu'ils le reconnaissent comme leur suzerain. En réalité, il les gardait vivants parce qu'ils étaient plus utiles ainsi que morts. Déjà, la menace de les faire périr avait dissuadé Arthur de lui faire la guerre.

Merlin pensait que leur qualité d'otages était la meilleure garantie de leur sécurité, et il ne se pressait pas de les délivrer. Mais quand Viviane lui confia un projet qu'elle avait conçu, il s'en amusa beaucoup et lui donna son accord entier.

Viviane trouvait que la solitude de Lancelot risquait de lui être nuisible. A l'âge de sept ans, elle l'avait, comme il se devait, ôté des mains des femmes pour le confier aux hommes qui allaient lui apprendre les arts, les sciences, les armes, et les règles de vivre en chevalerie, qui sont les meilleures règles du monde.

Viviane avait fait venir les plus excellents maîtres qu'on ait pu trouver en Bretagne et en d'autres royaumes, et elle et Merlin avaient rendu leurs connaissances dix fois plus étendues et leur manière d'enseigner dix fois plus efficace qu'ils ne les avaient au naturel. Lancelot en profitait pleinement, et apprenait vite, mais il avait de longs moments de mélancolie, et Viviane pensait que cela provenait de l'absence de camarades de son âge. Il risquait de devenir un de ces hommes qui, ayant mûri seuls, restent toujours un peu farouches et hors du monde. Elle ne voulait pas de cela. Et elle se dit que ses cousins, les fils de Bohor, d'aussi bonne lignée que lui et à peine plus âgés, lui feraient d'excellents compagnons. D'où lui vint l'idée qu'elle avait exposée à Merlin.

Le jour de Sainte-Maleine, le roi Claudas tenait sa cour à Gannes comme il faisait chaque année. Devant lui sur la haute table étaient posés, à droite son épée, à gauche sa couronne et son sceptre, et d'un côté et de l'autre étaient assis son fils Dorin, son sénéchal, les dames et les chevaliers, dont certains avaient servi Bohor et ne l'aimaient guère.

Il allait donner l'ordre de faire apporter les viandes quand on vint lui annoncer qu'une dame très richement parée demandait à être reçue. Ce à quoi il consentit volontiers, espérant une aventure nouvelle.

Elle entra, tenant en main deux lévriers blancs attachés par des chaînes d'argent, elle-même vêtue de blanc, couronnée et ceinturée de fleurs.

Sa beauté rayonnante éblouit le roi, qui en perdit la clarté de son jugement. Lui ayant demandé son nom, elle répondit simplement qu'elle était la Dame du Lac. Il se contenta de cette réponse, et la pria de lui faire connaître ce qu'elle voulait de lui, l'assurant que quel que fût son désir il serait satisfait.

— Sire, répondit-elle, je suis venue vous dire mon étonnement de savoir les fils de Bohor maintenus dans votre triste donjon alors que vous avez l'intention de leur rendre un jour leurs terres. Puisque vous les estimez ainsi, ne devraient-ils pas, en ce jour de fête, être assis en honneur à vos côtés, comme des fils de roi ?

La voix de Viviane pénètre par les oreilles aux plus secrets replis de la cervelle du roi Claudas, l'envahit complètement, y fait danser des rondes et des caroles, jouer des luths et des trompettes. Ce que dit cette voix est la vérité! Il doit honorer les jeunes princes! Il donne des ordres : qu'on aille les chercher, avec leur maître, qu'on se presse, qu'on leur fasse place, qu'on déménage les tables! Vite!

Et il prie la Dame du Lac de venir s'asseoir à son côté. Mais elle répond qu'elle ne saurait s'asseoir avant les fils de Bohor. Ceux-ci arrivent, fiers, droits, farouches, suivis de Pharien.

L'aîné, Lionel, a reçu ce nom en baptême parce qu'il porte sur la poitrine une tache rouge en forme de lion. Il méritera plus tard d'être nommé « cœur-sans-frein ».

Il va donner en ce moment la première preuve de son courage sans retenue.

Depuis qu'il sait comment sont morts son père et son oncle, et à qui ils le doivent, il brûle de les venger. Voyant devant lui Claudas, et l'épée sur la table, il se jette sur l'épée qui est presque aussi haute que lui, s'en empare et en frappe le roi, qui a juste le temps de parer le coup avec son bras, lequel est entamé jusqu'à l'os. Bohor s'empare de la couronne, la jette à terre, la piétine et l'aplatit, puis prend le sceptre et en frappe au visage Dorin qui vient au secours de son père. Tout le monde s'est levé, le désordre est grand, la mêlée générale, les uns prenant le parti du roi présent, les autres celui des fils du roi ancien. Ceux-ci vont être saisis, mais dans la confusion, Viviane donne à ses lévriers la ressemblance des enfants, et aux enfants celle des beaux chiens blancs dont elle lâche les chaînes comme s'ils les lui avaient arrachées de la

main, tandis qu'elle leur ordonne dans leur esprit :
« Sauvez-vous ! Courez ! Courez ! »

Et les deux enfants courent hors de la salle, hors du château, hors de la cité, à la vitesse des lévriers. Et la Dame du Lac, déplorant la fuite de ses chiens, se hâte d'aller donner des ordres à ses gens pour qu'on les rattrape, tandis qu'on s'empresse auprès de Claudas et de Dorin blessés, et que les deux chiens à l'apparence humaine sont enfermés au donjon avec Pharien...

L'agitation est grande dans les rues de la cité, où l'on sait déjà que les enfants du roi Bohor, si jeunes, si courageux, se sont révoltés contre Claudas. On craint pour leur vie, et la ville est prête à se soulever pour empêcher leur meurtre. Mais le roi, prudemment, fait savoir qu'il admire leur courage et qu'il ne leur fera aucun mal.

Viviane, hors des murs, a retrouvé son cheval blanc, et Merlin qui l'attend en compagnie des deux faux lévriers. Chacun place un des chiens devant soi, sur son cheval, et ils s'en vont à bonne allure vers le lac. Merlin a son apparence véritable, Viviane également, et ceux auprès de qui ils passent, ne sachant qui ils sont, s'arrêtent dans leur tâche ou dans leur marche, et les regardent longuement s'éloigner, remerciant la lumière de ce jour de leur avoir permis de voir tant de beauté réunie.

Merlin félicita Viviane de la réussite de son plan. Elle ou il aurait pu agir plus simplement et plus directement pour délivrer les garçons, mais ces péripéties avaient été très réjouissantes, et elles avaient permis de se rendre compte des belles qualités de Lionel et Bohor. Ils allaient être de bons compagnons pour Lancelot.

Dès qu'ils se trouvèrent en campagne déserte, ils se transportèrent directement au Pays du Lac, et Viviane rendit aux deux enfants leur véritable apparence. Comme ils s'inquiétaient du sort de leur maître Pharien, Merlin leur affirma en souriant qu'il ne tarderait pas à les rejoindre.

Puis il disparut.

— Sire, dit le chevalier de Clamadieu, genou en terre devant Arthur, je viens vous demander ma grâce. J'ai honte de dire que j'ai été battu par un chevalier qui est presque un enfant. Il a nom Perceval, et ne m'a laissé la vie que sur ma promesse de venir me mettre à votre merci.

— Il n'y a pas de honte à être battu par Perceval, dit le roi. Vous n'êtes pas le premier ! Il ne se passe pas de semaine que je ne reçoive l'hommage d'un de ses adversaires jetés bas. Il semble que personne n'ait encore réussi à lui faire vider les étriers... Relevez-vous, chevalier, vous vous assiérez tout à l'heure à nos tables et serez honoré comme il se doit...

— J'ai autre chose à vous dire, Sire... C'est en Petite Bretagne que j'ai combattu Perceval. Pour me rendre ensuite auprès de vous, il me fallait traverser le grand Canal. Alors que j'approchais du rivage, après deux jours de chevauchée, j'ai été abordé par un vieux bûcheron monté sur une mule maigre, qui m'a dit : « Puisque tu vas rencontrer le roi Arthur — comment pouvait-il le savoir, Sire ? — dis-lui que le moment est venu d'accomplir la tâche qui lui a été prescrite... Et qu'il ne se laisse pas arrêter si on lui affirme que les

lionceaux sont toujours en cage... » Et le vieux bûcheron a ajouté : « Hâte-toi ! Hâte-toi ! » Et je me suis
retrouvé en train de galoper, à une lieue de Camaalot,
ayant traversé terre et mer sans m'en apercevoir !

Arthur se mit à rire. Il appréciait toujours la malice
de Merlin. Et il se réjouit à la pensée qu'il allait enfin
pouvoir venger Ban et Bohor, les beaux amis de sa
jeunesse. Son armée était prête et les vaisseaux attendaient au port pour transporter hommes et chevaux en
Petite Bretagne. Il donna aussitôt des ordres, il ne
voulait pas perdre un jour, et le lendemain, après avoir
embrassé la Reine, il s'ébranla à la tête de ses
chevaliers. Il n'avait pas rassemblé beaucoup de
monde. Il voulait frapper vite et fort, et comptait qu'à
son arrivée de l'autre côté du Canal, les anciens
vassaux et guerriers de Ban et de Bohor, soumis par
Claudas, se soulèveraient et viendraient grossir
l'armée du roi libérateur.

Il espérait aussi que Merlin appuierait son combat,
comme il l'avait fait, au temps des Quarante-et-un,
sous les murs de Carohaise. Mais cet espoir était
mince. Depuis que le royaume de Logres était stabi-
lisé, Merlin se manifestait de moins en moins auprès
de son roi. Et à sa dernière apparition il avait dit à
Arthur qu'il était très occupé. Chevauchant vers le
rivage, dans le bruit et la poussière, Arthur se demandait quelles pouvaient bien être les occupations de
l'Enchanteur.

Merlin était effectivement très occupé. Assis sur son pommier, dans son espluméor au cœur de la forêt de Brocéliande, il recevait du matin au soir ceux qui venaient lui demander son aide. Des gens de toutes conditions et de tous âges faisaient la queue pour lui exposer leur cas. Il écoutait en croquant une pomme, il soulageait, il consolait, il exauçait, il réconciliait, il donnait la paix et parfois le bonheur. Chacun de ceux qui s'adressaient à lui le voyait sous une apparence qui correspondait à ses désirs ou ses craintes. Pour les femmes il avait les traits un peu imprécis de l'homme idéal dont elles rêvaient d'être aimées. Les hommes lui ôtaient tout caractère qui aurait pu en faire un rival, et lui prêtaient les attributs qu'ils croyaient être ceux de la sagesse : un grand âge et une longue barbe, avec parfois un gros ventre bien rond, assorti à la rondeur du pommier.

Nous ne pouvons pas imaginer comment il était assis *sur* son pommier. Non pas sur une branche, mais sur le pommier lui-même en son entier. C'était un pommier de taille normale, et Merlin se présentait sous les proportions normales d'un être humain. Il était pourtant assis sur le pommier, et bien à la portée

177

de la voix et des regards de ceux qui s'adressaient à lui, et qui n'avaient pas besoin, pour ce faire, de crier ni de lever la tête. Il nous faut donc faire comme eux, admettre le fait sans nous préoccuper du comment : il était assis sur son pommier... Eux ne se disaient pas que ce qu'ils voyaient était impossible : c'était possible puisqu'ils le voyaient... Et ils ne s'étonnaient pas non plus de voir Merlin mordre toujours dans la même pomme, craquante et juteuse, dont n'aurait dû rester depuis longtemps que la queue. On ne s'étonnait de rien devant l'Enchanteur : tout lui était naturel. Et on n'éprouvait ni fâcherie ni dépit si tout à coup il disparaissait : on savait qu'il était parti s'occuper de la Table Ronde, ou secourir quelqu'un qui n'avait pas eu la force de venir à lui et dont il avait entendu l'appel, même s'il n'avait pas été appelé. On s'asseyait sur la mousse en attendant son retour, et on cassait la croûte. Il y avait des pommes pour tout le monde.

Bénigne était la veuve d'un pêcheur noyé en mer. Elle habitait une dure petite maison de granit, près du grand Océan, sur la lande nue. De tous les enfants qu'elle avait faits, les uns étaient morts, les autres partis, il ne lui restait que la dernière qui s'appelait Bénigne comme elle, parce que lorsqu'elle l'avait mise au monde, elle était si fatiguée qu'elle n'avait plus eu assez d'idées pour lui trouver un autre nom. Afin de ne pas confondre, les voisins qui passaient raccourcissaient le nom de la petite et la nommaient Bénie. Son apparence permettait difficilement de lui donner un âge, car elle n'avait pas de formes, étant maigre comme une arête, et son visage était parfois tout rond et enfantin, et parfois ridé comme celui de sa mère. Ses cheveux étaient pareils à ceux du mouton et son œil

178

gauche entièrement tourné vers son nez, de sorte qu'on n'en voyait que le blanc. Et les voisins qui l'appelaient « Bénie » hochaient la tête et se disaient que la pauvre aurait bien eu besoin de l'être. Mais les voisins étaient peu nombreux et habitaient loin. La maison de Bénigne était tout à fait isolée, accroupie, au bout de la lande, dans le vent.

Bénigne se lamentait : il n'y avait de nouveau plus de bois... Il allait falloir retourner à la forêt, toutes les deux, et revenir chacune avec un fagot. La forêt était presque à l'horizon. Aller et retour, ça leur prendrait la journée. Et la petite ne pouvait pas porter beaucoup. Un petit fagot. De branchettes. Du menu-menu. Comme elle.

— Ah ! soupira Bénigne, si jamais l'Enchanteur passait par ici, je sais bien ce que je lui demanderais !...

Justement il passait. Bénie l'avait vu, avec son seul œil. Un œil voit parfois ce que deux ne voient pas. Elle l'appela, et il vint. C'était le vieux bûcheron sur sa mule maigre, qu'avait rencontré le chevalier de Clamadieu. Il portait devant lui sur sa mule une jolie branche sèche, qu'il donna à Bénigne. Elle le remercia et la mit aussitôt au feu, qui était sur le point de s'éteindre. Puis elle se redressa et regarda Merlin.

— Alors c'est vous l'Enchanteur ?

— Oui, dit Merlin.

— Eh ben, vous feriez bien de vous soigner un peu !... Vous n'êtes pas tellement beau à voir !... A peu près comme moi !...

Ils éclatèrent de rire tous les deux. Puis elle redevint grave et hocha sa vieille tête.

— Vous êtes bien bon de nous avoir apporté une branche... Mais elle va être vite finie... La misère qu'on a, la misère des misères, c'est que les choses durent pas : quand le bois a fini de brûler, y en a plus ! Quand on a mangé la soupe, y en a plus ! Quand je vois la cheminée pleine de cendres, quand je vois le fond de mon écuelle, je me dis c'est pas possible, va falloir encore recommencer, aller à la forêt, éplucher les fèves et en semer d'autres pour qu'elles poussent et qu'on les mange et de nouveau y en aura plus ! Pourquoi les choses durent pas, l'Enchanteur ? C'est la misère ! Vous pourriez pas les faire durer ?

— Bénigne, lui dit Merlin, la branche que je t'ai apportée ne s'usera pas. Regarde : tu vois ce petit robinet qui a poussé à côté de la cheminée. Si tu veux que ton feu brûle, tu le tournes comme ça, et pour l'éteindre tu le tournes en sens inverse... Essaye !...

De ses vieux doigts maigres tordus, elle tourna le petit robinet de cuivre et la flamme de la branche baissa, baissa, et s'éteignit. Elle tourna le robinet dans l'autre sens, et le bois fit « flop ! » et les flammes jaillirent.

— Hé ben ! Hé ben ! dit Bénigne, ça c'est quelque chose !

— Pour les fèves, dit Merlin, je te promets que ton écuelle sera toujours pleine...

— Des fèves, toujours des fèves ! grogna la vieille. Je mange que ça depuis que mon Yorik s'est noyé... Vous pourriez pas y mettre un peu de poisson ?

Merlin se mit à rire. Il dit :

— Regarde dans ton placard...

Elle ouvrit la porte de bois qui grinça, et vit, sur les planches, des piles de boîtes brillantes, depuis le bas du placard jusqu'en haut. Fascinée, elle regardait les images en couleurs qui étaient dessinées sur les boîtes.

Elle ne connaissait pas les lettres, et ne pouvait pas lire les noms des nourritures, mais elle reconnaissait bien le bout de lard et la saucisse et les petites fèves — qui étaient des haricots — du cassoulet. Elle reconnaissait du poisson, des drôles de pommes — qui étaient des pêches, elle n'en avait jamais vu —, elle voyait des espèces de grains de blé marron aplatis qui étaient des lentilles, elle voyait des carottes avec des pois, et encore des choses qu'elle ne connaissait pas, et qui avaient l'air d'être bien bonnes à manger. Et pas de fèves ! Pas de fèves !...

— C'est tout préparé, tout cuit, dit Merlin. Tu n'as qu'à ouvrir la boîte que tu as choisie, comme ça...

Il lui montra, souleva l'anneau plat, passa un doigt dedans, tira, le couvercle de la boîte se déchira et une délicieuse odeur de ragoût se répandit dans la pièce.

— Miam, miam !... fit Bénigne.

— Quand vous aurez mangé toutes les boîtes, tu n'auras qu'à m'appeler : « Merlin, il faut me faire une livraison ! » Même si je suis très loin je t'entendrai, et ton placard sera de nouveau plein...

— Hé ben ! Hé ben ! on voit bien que vous êtes le cousin du Bon Dieu !

Bénie ne disait mot. Un doigt dans sa bouche, elle regardait Merlin avec émerveillement, de son œil droit, essayant désespérément de le voir aussi avec son œil gauche. Elle sortait son doigt de sa bouche, l'enfonçait entre son nez et son œil et poussait pour remettre celui-ci à sa place. Mais il n'y avait rien à faire, l'œil restait coincé.

Elle voyait Merlin comme un prince vêtu d'or et de lumière, sa voix était une musique et son visage souriait de toute la bonté du monde.

Il s'approcha d'elle et lui dit :

— Et toi, n'as-tu rien à me demander ?

— Z... me... me... é... ga...

— Si tu ôtais ton doigt de ta bouche, je te comprendrais mieux, dit Merlin.

Il avait bien compris. Ce qu'elle voulait, c'est ce que veulent tous les enfants, mais il la fit répéter pour avoir le temps de passer son pouce — doucement, comme ça — sur l'œil gauche de la fillette, et l'œil se mit tout droit, et Bénie vit l'Enchanteur avec ses deux yeux. Il était encore plus beau, plus brillant, et elle était sûre qu'il allait l'exaucer. Elle ôta son doigt de sa bouche et dit :

— Je voudrais être grande !...

Merlin la regarda avec un peu de mélancolie. C'était une pauvre petite fille toute maigre, avec des cheveux de mouton. Mais l'enfance, si misérable qu'elle soit, c'est quand même le temps où l'on sait encore voir les merveilles du monde, un peu de sable dans les mains, une fourmi qui trotte... Que trouverait-elle en perdant cela ?

— Tu es bien sûre que tu veux être grande ?

— Oh oui, mon Enchanteur !...

Il soupira.

— Eh bien c'est fait...

Elle n'avait rien senti, mais comme la pièce et tout ce qu'elle contenait avaient rapetissé ! Et sa mère aussi ! Et Merlin aussi ! Elle se tâta : ses bras et ses épaules étaient restés maigres, mais elle avait deux petites rondeurs sous sa robette. Cela la fit rire. Elle passa une main sur son crâne. Les cheveux de mouton étaient toujours là... Elle dit :

— Je voudrais des longs cheveux blonds ! Longs jusqu'aux pieds...

Elle les eut...

Ils l'enveloppaient d'une longue lourde robe somptueuse sur laquelle dansaient les reflets de la flamme.

— Eh ben, nous voilà jolies ! dit Bénigne. Tu vas ramasser toute la poussière avec ça !

Mais Bénie ne l'entendait pas. Ses yeux brillaient, ses deux yeux bien droits, ses joues étaient roses d'exaltation. Elle s'écria, en étendant les bras :

— Je veux voler !

Et elle vola...

Elle se cogna aux quatre murs de la pièce, à la solive et au placard, et tomba sur son derrière, tout enveloppée de ses cheveux emmêlés pleins de toiles d'araignées.

— Ta tête a peut-être grandi, dit Bénigne, mais pas ce qu'il y a dedans !... Va chercher les ciseaux à moutons, que je te coupe cette toison !...

— Mais, maman...

— Tais-toi ou tu as une gifle !...

Et la vieille regarda Merlin en fronçant ses maigres sourcils :

— Vous, vous feriez bien de réfléchir un peu avant de faire tout ce que veulent les gamines ! Où ça la mène, de savoir voler ? A se cogner la tête ! Et si jamais un voisin la voit, il criera à la sorcière, et ils vont me la brûler !

— Ne t'inquiète pas, Bénigne, dit Merlin. Elle apprendra à voler sans se cogner. Et à sa faculté de voler j'ajoute une protection : quand elle volera personne ne la verra... Tu n'as pas besoin de lui couper les cheveux. Regarde : ils ont maintenant une longueur raisonnable. Et ils ne s'emmêleront plus et ne ramasseront ni la poussière ni les brindilles, ni les maisons des araignées...

Les cheveux de Bénie avaient raccourci. Ils lui arrivaient à la taille. Elle secouait la tête en riant, et ils dansaient autour d'elle en brillant comme de la soie. Elle étendit les bras, s'envola... et disparut.

— Eh ben! Eh ben!... Nous voilà jolies!... répéta Bénigne.

Mais on entendait toujours le rire de Bénie, et elle réapparut en se posant adroitement sur ses pieds, juste devant sa mère qu'elle serra dans ses bras et baisa à gros bruit sur les deux joues.

— Je me demande, dit la vieille...

Elle regardait alternativement Merlin et la cheminée.

— ... Je me demande si ce feu qui brûle avec un robinet et qui se réteint et qui se rallume, avec cette branche qui reste toujours pareille au lieu de devenir un paquet de cendres..., je me demande si ça serait pas un morceau du feu de l'enfer...

— Signe-la! dit Merlin.

Elle fit d'abord le signe de la croix sur elle-même, puis elle le répéta, en tendant le bras, en direction de la cheminée.

La flamme se tordit, comme bousculée par le vent, devint verte, noire, rouge, puis reprit.

— Elle s'est pas éteinte, dit Bénigne, mais ça me paraît quand même pas bien chrétien...

— Où il y a du feu, dit Merlin, il y a toujours un peu du Diable.

Perceval en était à son cinquante et unième combat et sa septentième victoire, car plusieurs de ses adversaires, une fois jetés bas, avaient continué à l'épée et il les avait ainsi vaincus deux fois avant de les envoyer se rendre à la merci du roi Arthur. Il était temps qu'il reprît à son tour le chemin de Camaalot. Il craignait d'avoir dépassé le délai d'un an et un jour. Il ne se rappelait plus très bien quand il avait quitté le royaume de Logres, et ne se rendait pas compte du temps qu'il lui faudrait pour y retourner. Huit jours, un mois? S'il trouvait tout de suite un vaisseau pour traverser le Canal, cela irait vite. S'il devait attendre, ce serait plus long. On verrait bien... Il n'avait pas un caractère à se faire du souci. Dieu aiderait...

Il portait toujours, accroché à sa selle, un de ses javelots gallois, les précieuses armes de sa jeunesse. Alors qu'il longeait un étang, un canard s'envola, et avec son javelot il l'abattit en plein élan.

Il avait appris à son écuyer comment conserver de la braise dans une boîte en terre cuite, au cœur d'un bois charbonneux enveloppé de feuilles. L'écuyer rassembla des branches sèches et fit rôtir le canard dont ils ne laissèrent que les os. Après quoi, la nuit étant tombée,

Perceval reprit son chemin vers l'étoile qui marque le nord. Il ne se souciait pas énormément de trouver un asile pour la nuit, sa rude enfance l'ayant habitué à coucher dehors. Mais il pensait au confort de son écuyer et quand il vit, un peu sur sa gauche, briller les flammes d'un grand feu, il dirigea son cheval vers lui. C'était le feu de la Douloureuse Garde.

Mais Merlin ne voulait pas qu'il risquât d'être capturé par le sortilège. Il allait avoir besoin de lui dans les prochains jours. Il souleva le feu et le déplaça, lentement, de façon que Perceval ne pût s'en rendre compte, et conduisit le chevalier dans une autre direction. La promenade du brasier dura plusieurs heures, et Perceval, bien que rien ne l'étonnât, commençait à trouver étrange ce feu dont il ne parvenait pas à s'approcher. Enfin le feu commença à grandir à ses yeux et il put bientôt voir qu'il brûlait à proximité d'un château dont la porte ouverte était gardée, non par des hommes d'armes, mais par une jeune fille qui tenait bien haut une torche allumée.

— Etes-vous Perceval ? demanda-t-elle.

— Oui, dit Perceval, comment le sais-tu ?

— L'Enchanteur m'a prévenue de votre arrivée, et vous fait dire que vous ne cherchiez plus à rejoindre le roi Arthur en Grande Bretagne, car il est en train de traverser le Canal avec son armée, et vous devez vous joindre à elle. Elle arrivera par là, dès demain...

Elle montra une direction avec sa torche, puis étendit les bras et disparut.

Perceval ne s'étonna pas de la disparition de la fille mais il la regretta, car il l'avait trouvée bien belle, avec ses longs cheveux qui brillaient à la lumière de la torche. Il entra au château sans réveiller personne. La deuxième enceinte était close, mais les écuries ouvertes et il s'enfouit avec grand bonheur dans la paille fraîche après s'être désarmé et dévêtu.

Bénie, tout excitée, disait à sa mère :

— Si tu avais vu comme il est beau ! Il a des yeux noirs tout brillants, et des cheveux noirs qui pendent sous son casque.

— Toi et les cheveux ! dit Bénigne... A quoi ça te sert, cette perruque ? Quand je pense qu'à la place j'aurais pu demander qu'il me fasse repousser mes dents ! J'ai perdu ma dernière après ta naissance. C'est vrai qu'elle me servait plus à grand-chose, toute seule... Elle me gênait plutôt... Hé ben ! Hé ben !... gueu... gueu... ché ché cha ?

Sa langue trébuchait, butait contre des obstacles dont elle n'avait plus l'habitude : sa bouche était de nouveau pleine de dents. Toutes neuves. Et la distance entre son nez et son menton s'était allongée de deux centimètres.

— Tu as souffert pour les perdre, dit la voix de Merlin, tu vas souffrir encore en les perdant de nouveau... Mais tu l'as voulu !...

— Ah ! dit la vieille, on voit bien que vous êtes le cousin du Diable !...

Mais elle était bien contente... Elle alla chercher des noix dans le placard, et en fit craquer la coquille sous ses molaires. Un instant lui vint la tentation de demander de redevenir jeune, et belle si possible. Mais alors il lui faudrait recommencer toute une vie ? C'était trop de peine. Et jolie, ça lui servirait à quoi, sauf à lui attirer des ennuis ? Tandis que des bonnes dents, ça c'était quelque chose...

Et elle se mit à mâchouiller avec volupté un croûton de pain de sa cuisson du mois dernier.

— Où c'est que vous êtes? demanda Bénie à Merlin.

— Je suis ici et je suis ailleurs...

— En même temps?

— Le temps, qu'est-ce que ça veut dire?

— Je sais pas, dit Bénie. J'ai fait votre commission au chevalier Perceval...

— Je sais, dit Merlin.

— Pourquoi vous lui avez pas dit vous-même, puisque vous pouvez parler de loin?

— Je voulais qu'il te rencontre, dit Merlin.

Elle ouvrit tout grand son œil tout neuf, et l'autre aussi.

— Pourquoi faire?

— Tu verras bien... Tu l'as trouvé beau?

— Oh oui!

— Va dormir avec lui...

— Je peux?

— Oui...

Elle battit des mains de joie, étendit les bras, et disparut.

— Eh ben! dit la vieille.

— Ne t'inquiète pas, Bénigne, dit la voix de Merlin. Malgré son apparence, elle n'a que dix ans.

— Neuf ans et onze mois, dit Bénigne. Mais pas lui!...

— C'est ce qui te trompe. Malgré son âge, il est aussi enfant qu'elle...

Et Perceval fut réveillé par une pluie de baisers bruyants et mouillés. Elle l'embrassait comme elle embrassait la poupée que sa mère lui avait faite avec un bout de bois et un chiffon. Mais en y prenant beaucoup plus de plaisir, tant de plaisir qu'elle étouffait de rire en l'embrassant.

A la lueur de la chandelle qui achevait de fondre dans un trou du mur, il la reconnut et se mit à rire aussi.

— Tu es la fille qui était à la porte ?
— Je m'appelle Bénie.
— Ça te va bien !... Et moi Perceval...
— Je sais... Tout le monde parle de toi dans le pays. Il paraît que tu es terrible !

Elle se mit à le chatouiller. Il craignait cela énormément. Il se tortillait, riait, criait. Il essayait de lui rendre la pareille mais elle était plus vive que lui.

Enfin elle se calma et lui dit :
— Moi je te trouve beau.

Il la regarda et dit :
— Tu es belle.

Dans toute leur bataille, ses cheveux dorés n'avaient pas ramassé un brin de paille et brillaient comme s'ils venaient d'être lavés à l'eau de saponaire.

Il tendit une main vers elle. Elle poussa un petit cri et recula, croyant qu'il voulait recommencer leur jeu. Mais il voulait la caresser, la toucher doucement pour mieux la connaître. Elle le caressa aussi, et la chandelle s'éteignit. Bénie se blottit contre Perceval, poussa un grand soupir et dit : « Je suis bien... », et s'endormit.

Il mit ses bras autour d'elle et s'endormit aussi vite.

A l'aube, ils furent réveillés par le brame rauque des cornes de guerre. Perceval, joyeux, sauta sur ses pieds et cria :
— Le roi !

Le comportement des deux adolescents aux cœurs d'enfants avait empli Merlin de satisfaction. Il lui était apparu qu'un grand amour était né entre eux pendant cette nuit chaste, et il espérait que cette belle et joyeuse passion garderait Perceval contre les autres tentations féminines, jusqu'à ce qu'il eût, enfin, trouvé le Château Aventureux.

Le Graal, il le savait, ne serait révélé qu'à un chevalier chaste et sans doute vierge. Il ne comprenait pas pourquoi, mais puisqu'il en était ainsi, il devait s'efforcer de protéger de son mieux ses chevaliers contre les tentations de la chair.

Il avait souvent demandé à Dieu de lui expliquer le pourquoi de ce paradoxe dont Viviane et lui-même souffraient tellement : s'Il avait fait l'homme et la femme différents et complémentaires, pourquoi était-ce un péché pour eux de se compléter ? Pourquoi avait-Il établi entre eux une telle attirance, s'ils devaient user leurs forces à y résister ? Pourquoi un homme ou une femme qui voulaient s'élever sur le plan spirituel devaient-ils sacrifier le plan sexuel ? La joie partagée était-elle condamnable ? La souffrance était-elle le comble de la vertu ?

Mais si le Diable parle parfois, Dieu se tait, toujours. Il faut trouver les réponses seul. Merlin cherchait.

Pour Perceval et Bénie, il s'était encore une fois trompé sur les conséquences de son action. Ses résultats allaient être très différents de ce qu'il avait escompté. S'il savait impeccablement transformer une betterave en lapin il n'était jamais aussi habile dans ses interventions concernant les sentiments.

A la nouvelle du débarquement de l'armée d'Arthur, toute la population des royaumes de Gannes et de Bénoïc s'était soulevée pour se joindre à elle. Il était habituel que le vainqueur d'une guerre s'assît sur le trône du vaincu. Il y avait beaucoup de royaumes, beaucoup de rois et beaucoup de guerres, chaque petit roi essayant de faire de son petit royaume un grand royaume en annexant les voisins. Les sujets des uns et des autres s'en accommodaient. Le nom du roi changeait, mais la vie restait la même.

Le cas de Claudas était différent. Alors qu'il était breton, le roi de la Terre Déserte avait fait appel, pour ses conquêtes, aux Saines détestés et aux Alémans et même aux Romains. C'était triple trahison. Les peuples des deux royaumes, seigneurs, citadins ou paysans, ne les lui pardonnaient pas. Pas plus que la façon dont il s'était emparé de Trèbes, par la traîtrise du sénéchal du roi Ban. Pas plus que d'avoir fait massacrer ceux qui ne voulaient pas lui rendre hommage. Pas plus que de tenir prisonniers les fils de Bohor dans son donjon carré. Le roi Arthur venait les délivrer, tout le monde marcha derrière lui, les guerriers avec leurs armes fourbies, et les paysans avec leurs fourches et leurs faux. Et les femmes et les enfants suivaient, avec les ânes chargés de marmites, de volailles et de potirons.

Claudas fit proclamer que si l'armée d'Arthur ne se retirait pas en Grande Bretagne, il ferait décapiter les fils du roi Bohor. Mais elle continua d'avancer, presque sans bataille, car qui a trahi sera trahi, et les hommes de Claudas, au lieu de le défendre, se ralliaient à Arthur. Celui-ci arriva sous les murs de Gannes et envoya un héraut muni d'une enseigne blanche frapper à la porte de la ville et sommer à haute voix Claudas d'avoir à se rendre et à se présenter sans armes, en chemise et pieds nus devant le roi de Logres.

Un rugissement lui répondit, et un flot de poix bouillante lui tomba dessus, le cuisant jusqu'à l'os. En haut du rempart, au-dessus de la porte, Claudas criait :

— Arthur ! Roi sans père ! fils de pute ! usurpateur ! adultère ! fève véreuse ! saucisse pourrie ! si tu ne donnes pas immédiatement l'ordre à tes hommes de quitter mon royaume, je vais moi-même trancher la tête de ces deux avortons ! Et leur sang retombera sur la tienne !

La foule de guerriers assemblée devant la ville frémit d'angoisse, et Arthur blêmit, car on venait d'amener devant Claudas les deux enfants enchaînés, et le roi noir tirait de son fourreau son énorme épée qui pesait cinquante livres.

— Ne crains rien ! chuchota la voix de Merlin. Réponds-lui...

— Claudas ! cria Arthur, la terre n'a jamais porté une ordure aussi puante que toi ! Si tu ôtes la vie de ces enfants, ce ne sera qu'un crime de plus, que tu paieras avec les autres... L'ordre que je vais donner à mon armée, c'est de donner l'assaut à cette ville, qui n'est pas la tienne !

Avec un cri de rage, Claudas leva son épée, et en frappa — han ! — la tête de Lionel.

Mais où l'épée passa il n'y avait plus rien... Les deux lévriers blancs de Viviane venaient de reprendre leur apparence naturelle et couraient en jappant sur le haut de la muraille. Puis, malgré sa hauteur, ils sautèrent en bas et, courant et cabriolant, traversèrent les rangs des guerriers ébahis, puis la foule des paysans et des femmes et des enfants réjouis. Garçons et fillettes leur coururent après, mais ils étaient bien plus rapides, et disparurent vers l'horizon.

L'armée donna l'assaut. On dressa les échelles contre les murailles, on donna de grands coups de béliers dans la porte, mais avant qu'elle fût enfoncée, Claudas, qui savait la ville perdue, et qui était un guerrier de grand courage, la fit ouvrir, et, entouré de ses fidèles, fonça dans les rangs des assaillants. Son dessein était d'atteindre Arthur et de le tuer. Alors la situation pouvait se retourner à son avantage.

Sa terrible épée fauchant et tranchant, son fils Dorin le gardant sur sa gauche, il avançait vers la bannière portée par l'écuyer d'Arthur. Et Arthur avançait vers lui, voulant abattre personnellement le roi de la Terre Déserte. L'épée de Claudas rencontra l'épée étincelante d'Arthur et du choc jaillit un volcan d'étincelles. Pendant qu'ils se portaient et paraient des coups terribles, le fils de Claudas fit le tour des deux combattants et, par-derrière, trancha les jarrets du cheval d'Arthur. Ce fut son dernier geste : l'écuyer d'Arthur, Girflet fils de Do, d'un coup de sa masse de bronze, lui aplatit son casque sur les épaules, sa tête, à l'intérieur, étant réduite en purée.

Le cheval d'Arthur s'écroula, emprisonnant la jambe de son cavalier. Tandis que celui-ci cherchait à se dégager, Claudas, ricanant, souleva sa lame pour lui ôter la tête et la vie...

Un éclair blanc jaillit droit vers lui et le frappa : Perceval !... Claudas se retrouva dans la poussière, sur le dos. Perceval avait déjà sauté à terre et lui appuyait la pointe de son épée sur la gorge.

— Ne le tue pas ! cria Arthur. Il doit être jugé !...

Perceval ayant tourné le regard vers son roi, Claudas se dégagea, se releva et frappa de son épée ramassée. Mais celle de Perceval était si rapide qu'elle semblait une lumière. Avant que Claudas ait pu comprendre ce qui lui arrivait, le chevalier aux armes qui semblaient d'argent lui avait tranché le poignet droit et fendu les deux chevilles. L'épée du roi noir tomba, sa main coupée crispée sur sa poignée, et il tomba près d'elle.

Il fut jugé après avoir été soigné et ses plaies guéries. Le tribunal, que présidait l'archevêque de Trèbes, le condamna à être brûlé. Bien que manchot et boiteux, il gardait sa fierté et son arrogance.

— Vous ne pouvez pas me brûler ! déclara-t-il. Je suis chevalier : on ne brûle pas un chevalier !...

C'était vrai. Le tribunal révisa alors son jugement et condamna Claudas à être destitué de sa qualité de chevalier. Et brûlé ensuite.

L'exécution de la sentence eut lieu sur la plaine devant Gannes, le jour de la Saint Bérenger. C'était un jour bien choisi, car Bérenger signifie l'ours et la lance.

195

La lance est l'arme du chevalier. Quand on l'aurait ôtée à Claudas, il ne resterait de lui que l'ours...

Il avait plu toute la nuit, et il soufflait encore un vent d'ouest qui déchirait des nuages et des morceaux de ciel bleu. Une grande foule piétinait la boue et recevait parfois des torchées de pluie, mais il aurait fallu un déluge pour la disperser. Les hommes, et les femmes aussi, sont toujours curieux de tels événements. Et les enfants ne sont pas les derniers à y courir.

Un bûcher avait été dressé dans un endroit dégagé, de fagots bien secs, pour que ça brûle vite et vif. Avec une bonne couche d'herbes au sommet pour protéger les fagots de la pluie. C'était des herbes choisies, par compassion, pour faire une grosse fumée, afin que le condamné fût déjà mort étouffé quand les flammes commenceraient à le griller.

Près du bûcher était érigé un échafaud sur lequel se tenait un forgeron près d'une enclume. A ses pieds étaient posés une lourde hache et un marteau de fer carré qui pesait vingt livres.

Quatre sergents amenèrent Claudas, vêtu de fer et heaume en tête, comme pour le combat. Ils l'aidèrent à grimper l'escalier qui menait à l'échafaud et le maintinrent face à la tribune tendue de rouge dans laquelle avaient pris place le tribunal, les principaux vassaux de Ban et de Bohor, et les clercs chargés de noter tout ce qu'ils entendaient et voyaient. Un d'eux se leva, lut la sentence et se rassit. Claudas ne dit mot. Il avait accepté son sort, contre lequel il ne lui restait plus rien à tenter.

Il ne pouvait être destitué que par son égal. Le roi Arthur arriva, en armes, sur son cheval paré comme pour le plus beau tournoi. Il portait devant lui, à deux

mains, horizontale, l'épée de Claudas dans son fourreau. Son écuyer Girflet le suivait, dressant son
enseigne.

Ayant arrêté son cheval près de l'échafaud, Arthur
saisit la poignée de l'épée, la tira hors du fourreau et la
brandit vers le condamné.

— Claudas, est-ce bien là ton épée ?

— Je n'ai plus ma main droite, dit Claudas, mais
donne-la seulement à ma main gauche, et tu verras
comment elle te répondra !

Arthur répéta sa question :

— Claudas, est-ce bien là ton épée ?

— Oui, dit Claudas.

Alors Arthur jeta l'épée et son fourreau à terre. Un
sergent les piétina dans la boue, puis ramassa l'épée,
monta sur l'échafaud, et, tenant la poignée à deux
mains, posa la lame en travers de l'enclume. Le
forgeron, ceint de son tablier de cuir portant de
nombreuses cicatrices de brûlures, se signa, car ce
qu'il allait faire lui semblait sacrilège, puis souleva à
deux mains son énorme marteau carré, et frappa l'épée.

La lame rebondit en chantant, s'arracha aux mains
du sergent, fit un tour en l'air, retomba et se planta
dans le bois de l'échafaud.

Claudas éclata d'un grand rire sauvage et la foule
ondula d'inquiétude. Toute épée était arme sacrée
même si celui qui s'en servait était un forban. La
frapper avec une masse, non pour la forger mais pour
la détruire, était une profanation dont les témoins se
sentaient complices.

Au second coup de marteau, l'épée échappa de
nouveau au sergent et fendit le tablier du forgeron,
manquant de l'éventrer.

197

— Tiens-la sur son tranchant! cria Arthur au sergent.

Celui-ci obéit. Se cramponnant à deux mains à l'énorme poignée, il plaça le fil de la lame verticalement en travers de l'enclume, et fit un signe du menton au forgeron. Celui-ci, à la fois effrayé et furieux, mit toute sa force dans son troisième coup, et frappa l'épée comme si elle était son ennemi mortel.

Il y eut un bruit comme lorsqu'un arbre éclate sous la foudre. La lame se brisa en fragments qui volèrent dans toutes les directions. L'enclume et le marteau étaient fendus en deux.

Une femme criait, un œil crevé par un morceau de l'épée. Les autres morceaux fumaient dans la boue. Un clerc donna des ordres à un sergent, qui alla les ramasser et les jeter sur le bûcher.

Arthur monta sur l'échafaud, et ôta le heaume de Claudas, qui n'avait pas été lacé. Les cheveux et la barbe du roi de la Terre Déserte apparurent comme un morceau de nuit, dans lequel brillait le blanc de ses yeux injectés de sang. Arthur donna le heaume au forgeron qui l'aplatit avec sa masse écornée, sur les débris de l'enclume. Un sergent ôta à Claudas sa cotte garnie de plaques noires et la présenta à Arthur qui la coupa en quatre avec des cisailles de tailleur de cuir.

Enfin le forgeron présenta au roi Arthur le manche de la hache. Arthur la refusa, tira sa belle épée et, d'un seul coup chaque fois, trancha au ras des talons les éperons du chevalier déchu. Le forgeron les ramassa et les défigura avec sa masse.

Alors Arthur fit face à Claudas et lui dit d'une voix grave et un peu triste :

198

— Tu n'es plus chevalier !...

Cette simple phrase sembla frapper Claudas plus que tout ce qui l'avait précédée. Il regarda autour de lui avec une espèce de panique. Le monde n'était plus le même. Tout avait changé... Puis il se reprit et resta immobile, bien droit, tandis qu'Arthur, descendu de l'échafaud, remontait sur son cheval et s'éloignait avec Girflet. Il ne voulait pas assister à la suite.

L'archevêque se dressa dans la tribune et cria :

— Claudas, tu vas mourir, confesse tes péchés !

— Je les ai tous commis mille fois ! cria Claudas.

— T'en repens-tu ? cria l'archevêque.

— NON ! cria Claudas.

L'archevêque lui demanda encore trois fois :

— Claudas te repens-tu ?

Et trois fois il répondit non.

Alors l'archevêque fit un geste vers le bûcher, et les sergents y conduisirent Claudas et l'attachèrent au poteau qui se dressait au centre. On jeta à ses pieds les débris de ses armes, puis les quatre sergents, munis de quatre torches, mirent le feu en même temps aux quatre coins du carré de fagots.

Dans un grand silence, le crépitement du bois fit se hérisser la peau de tous ceux qui l'entendirent, comme si leurs propres poils brûlaient. Quand les flammes atteignirent les herbes, une épaisse fumée noire et verte s'en dégagea. Un coup de vent la tordit en tourbillon autour du condamné debout, qui disparut à la vue.

Du fond de son enfer, qui était là comme il est partout, le Diable avait suivi toute la cérémonie. Il exultait ! Enfin en voilà un ! Un vrai pécheur qui n'est pas un chiffon mou ! Qui ne se repent pas ! Qui ne s'est pas repenti ! C'est gagné : A moi, à moi, à moi !... Tu es

à moi !... Tu commences à cuire ? Tu n'as pas fini !...
Viens, viens, viens !... Tout est prêt pour toi ! Nous
t'attendons !...

Mais il ne vint pas...

Au dernier instant, dans l'horrible solitude de la
fumée et des flammes, il avait tout à coup partagé les
souffrances de ses victimes et de toutes les victimes du
monde, et compris leur détresse et leur avait adressé
un mot : « Pardon »... Juste avant de mourir.

Il fut pardonné.

Les royaumes de Bénoïc et de Gannes étaient délivrés, mais où se trouvaient les héritiers légitimes des rois défunts ? Nul ne le savait. Arthur interrogea à haute voix Merlin. L'Enchanteur ne répondait que quand il voulait. Et il ne voulut pas.

Arthur installa à la tête des deux royaumes des vassaux fidèles de Ban et Bohor, avec mission de les bien gérer et défendre, et de veiller à la justice et au bonheur de leurs peuples, en attendant le retour des enfants perdus. Puis il s'ébranla avec son armée.

Mais pas dans la direction du Canal et de Logres : dans la direction contraire. Il avait décidé, après avoir châtié Claudas, de punir ses complices, les rois de Romanie et d'Alémanie.

Ce fut un long voyage, plein de batailles et de gloire. Arthur et son armée traversèrent des fleuves larges comme le Canal, franchirent des montagnes qui touchaient le ciel, battirent des armées nombreuses comme des fourmis et soumirent vingt-huit rois parmi lesquels le roi Rion, celui qui s'était fait un manteau de barbes, et qu'Arthur fit courir tout nu dans la campagne, rasé totalement, sans un poil de la tête aux pieds.

Enfin Arthur arriva à Rome, prit la ville et soumit l'empereur-roi Ponce Auguste. C'était le successeur de Ponce Antoine tué de la main d'Arthur sous les murs de Carohaise, au temps du roi Léaudagan. Ponce Auguste n'avait pas participé lui-même aux campagnes de Claudas, mais il lui avait fourni des hommes et de l'or. L'armée d'Arthur battit la célèbre armée romaine, et Ponce Auguste reconnut la souveraineté d'Arthur et se déclara son vassal.

Arthur alla s'agenouiller devant le pape, qui le bénit, puis il reprit avec son armée le chemin du nord. Il passa par l'Alémanie et battit le roi Frolle qu'il avait déjà battu devant Carohaise, quand Frolle n'était que duc. Dans le second combat qui les opposa, c'est avec l'épée Marmiadoise, qu'il lui avait prise lors du premier combat, qu'il réduisit le géant à merci.

Frolle reconnut la souveraineté d'Arthur et se déclara son vassal. Ainsi le roi Arthur avait-il soumis trente rois régnants, et sa souveraineté s'étendait de Logres jusqu'à Rome au sud, et, vers l'est, jusqu'aux forêts impénétrables derrière lesquelles vivent les sauvages qui ont les deux yeux en forme de fentes et un troisième tout rond au milieu du front. Arthur fut le plus grand roi d'Occident jusqu'à Charles empereur.

Il s'engagea enfin sur le chemin du retour. Mais cette expédition avait duré des années. Et pendant tout ce temps la reine était bien seule.

Et dans le merveilleux abri du lac, Lancelot avait grandi.

Les chevaliers de la Table Ronde n'avaient pas suivi Arthur dans sa longue guerre. Ils devaient mener leur propre guerre, contre les obstacles qui continuaient de les séparer du Château Aventureux. La reine Guenièvre administrait sagement le royaume, avec l'aide du sénéchal Kou, qui était un fidèle, bien qu'il eût un caractère déplaisant. Et les chevaliers faisaient régner l'ordre et la justice par leur présence et leur action dans toutes les parts de la grande et de la petite Bretagne. Chacun d'eux, après une absence d'un an et un jour, venait rendre compte à la reine, en l'absence du roi, de ses aventures ou mésaventures. Et Perceval, qui s'était séparé de l'armée après sa victoire sur Claudas, continuait d'envoyer à Logres ses adversaires vaincus. C'était la reine qui les recevait. Mais Perceval, comme les autres, soupirait après le retour du roi.

De combats en aventures et en chevauchées, il n'avait pas eu le temps de retourner voir Bénie, mais sa pensée ne le quittait pas, et il lui arrivait de rire tout seul en chevauchant, à l'évocation de ses cheveux brillants, de sa douce peau, de ses formes mignonnes et de son grand rire. Et il se mettait à chatouiller son cheval, qui agitait une oreille et la queue.

Il était devenu un homme très fort et très beau, et la nature bouillonnait dans ses veines, sans qu'il sût exactement ce qui, parfois, lui donnait envie de s'envoler avec les oiseaux, et, d'autres fois, le rendait si furieux qu'il attaquait à grands coups d'épée un arbre qui n'en pouvait mais.

Un soir d'hiver, il arriva en vue d'un château entièrement entouré par une rivière d'eau boueuse, et auquel on ne pouvait accéder que par un pont étroit. Son écuyer ayant corné et crié son nom, les portes s'ouvrirent, et Perceval fut reçu par la châtelaine toute vêtue de bleu car c'était la couleur du deuil en ces lieux, et elle avait perdu son mari, mort auprès d'Arthur dans son expédition vers la Romanie. Elle était jeunette et dodue, avec un visage rond et rose qui aurait aimé être heureux. Avec l'aide de ses servantes elle baigna Perceval dans de l'eau bien chaude parfumée d'herbes et d'épices, le frotta avec des fleurs séchées de lavande du royaume de Sault, que son mari lui avait fait parvenir avant de périr, et le vêtit d'une robe de marmotte doublée de petit vair, puis le conduisit aux tables. Il mangea de grand appétit, tandis qu'elle lui racontait dans quelle situation pénible elle se trouvait. Elle avait grand besoin de lui, et déjà elle le remerciait pour l'aide qu'il allait lui donner. On connaissait sa valeur et son courage. Merci, merci d'être venu, merci d'être là, mangez bien, il vous faut prendre des forces ! Encore une tranche de cette cuisse de cerf ?... Et quelques petites cailles... Et ce vin de Venterol comment le trouvez-vous ? Mon mari m'en a fait convoyer une barrique. Elle est arrivée après la nouvelle de sa mort, le malheureux...

Entre les cailles et l'oie en broche, Perceval assura

son hôtesse que jamais une dame ne pourrait lui demander son aide sans qu'il la lui accordât. Mais quelle était l'épreuve qui la tourmentait ?

— C'est mon voisin Géraud, dit-elle. Vous avez peut-être vu son château en venant, avec ses trois tours carrées et sa tour ronde ?

— Non, dit Perceval.

— Dès qu'il a su que j'étais veuve, il est venu me dire qu'il désirait être mon nouveau mari. Je n'en veux pas ! Il est affreux ! On le nomme le Malcouvert parce qu'il n'a plus un cheveu sur la tête, mais il a une petite barbe blanche et jaune, il a l'air d'une chèvre qui a perdu ses dents... Alors il a commencé à prendre mes terres, à tuer ou chasser les paysans, et il a envoyé ses chevaliers donner l'assaut à mon château. Les miens me défendent, mais j'en perds chaque jour, il ne m'en reste plus que trois, alors que ceux du Malcouvert sont près de cent ! S'il fait beau demain ils vont encore arriver. Ils ne viennent pas quand il pleut...

Après les fatigues et les nourritures, Perceval commençait à avoir sommeil. Son hôtesse, qui se nommait Berthée, le conduisit à sa chambre et le dévêtit, et quand il se fut glissé sous les couvertures de fourrure, elle s'agenouilla près du lit et lui raconta comment était mort son mari, non pas au combat, mais en franchissant des grandes montagnes. Il était tombé à cheval entre les lèvres d'une longue bouche de glace qui s'était ouverte à son passage. L'écuyer qui avait apporté la nouvelle avait dit à la dame que si elle voulait elle pourrait le retrouver dans vingt ans au bas de la montagne, bien conservé dans la glace sur son cheval.

— Penser à cela me donne tellement froid ! gémit

205

Berthée. Touchez comme mes mains sont froides ! Et tout mon corps est pareil...

Elle lui fit toucher ses mains qui étaient glacées, et il pensa qu'il était de son devoir de les réchauffer. Pour cela il l'attira près de lui dans le lit, et en un tournemain elle s'était défaite de sa robe, ce qui permit à Perceval de constater que contrairement à ce qu'elle affirmait son corps était très agréablement tiède. Quant à lui il fut envahi par une grande chaleur. Il eut envie de chatouiller, mais une autre envie lui vint, qui l'emporta. Et tout son besoin de dormir s'enfuit. La douillette Berthée était depuis longtemps privée de fête. Elle se cramponna au dos puissant du chevalier, et l'enveloppa de ses jambes, et gémit, et fondit, et cria. Perceval crut qu'il lui avait fait mal. Elle le rassura.

Le lendemain il pleuvait. Les chevaliers du Malcouvert ne se montrèrent pas. Il plut pendant trois jours, et quand le soleil brilla, le quatrième jour, Berthée pleura car elle savait qu'elle allait perdre celui qui la réchauffait si bien.

Les chevaliers de Géraud arrivèrent au nombre de cinquante-six. Perceval sur son cheval les attendit à l'entrée du pont et les jeta l'un après l'autre à la rivière dont l'eau trouble les avala. Quand il n'en resta plus que la moitié, il saisit son épée et se tailla un chemin vers le Malcouvert qui se tenait à l'abri derrière eux. Il lui fit sauter son heaume, lui tailla la barbe au ras du menton et l'envoya rendre hommage à dame Berthée et se déclarer son vassal.

Et, sans se retourner, il s'éloigna du château, souriant à la pensée de la rieuse Bénie. Il se sentait léger, fort, heureux. Il se promit de recommencer des exercices qui étaient si agréables. Quand il les raconterait à Bénie, ça la ferait bien rire. Il lui avait dit « Je ne t'oublierai jamais... » Il ne l'oubliait pas.

Après avoir chevauché jusqu'au soir en ligne droite, il se retrouva, à la nuit tombée, devant le petit pont qui précédait le château de dame Berthée !...

— Est-ce que je me trompe, demanda-t-il à son écuyer, ou sommes-nous revenus à notre point de départ ? Avons-nous tourné en rond ? J'ai pourtant suivi la course du soleil... Mais c'est bien là le château où nous avons dormi...

— Cet homme va pouvoir nous renseigner, dit l'écuyer.

Assis sur un tabouret, vers le milieu du pont, un homme pêchait à la ligne. Il était coiffé d'un grand chapeau de jonc tressé, comme pour se préserver d'un soleil d'été. Or on était en décembre, et il faisait déjà nuit.

— Beau pêcheur, s'enquit Perceval, pouvez-vous me dire ce que vous pêchez, dans cette obscurité ?

— Beau chevalier, je n'en sais rien, répondit l'homme. Mais peut-on savoir ce qu'on pêche, même en plein jour ?

— C'est juste, dit Perceval.

Et il regretta d'avoir posé une question de pure curiosité, alors que sa mère lui avait bien recommandé de n'en rien faire.

Et il se promit d'aller bientôt revoir sa mère, en même temps qu'il irait revoir Bénie.

— Beau pêcheur, demanda l'écuyer, est-ce bien là le château de dame Berthée, veuve de Sire Ombécourt, mort dans les grandes montagnes de glace ?

— Certainement pas, dit le pêcheur : c'est le château du roi Pellès le Riche Pêcheur.

— Enfin ! s'écria Perceval. Je le cherche depuis des années ! C'est bien ici que se garde le...

Mais il se rendit compte qu'il était encore en train de poser une question, et s'arrêta brusquement. Il reprit :

— Le roi Pellès est mon oncle ! Mon père était Gamuret son frère !...

— Alors vous allez être bien reçu, dit le pêcheur.

Et Perceval se trouva tout à coup assis à une table ronde, dans une pièce brillamment éclairée, bien qu'il n'y eût d'allumé qu'une seule chandelle posée au milieu de la table. Autour de cette table étaient assis sept chevaliers richement vêtus, et en face de lui un roi couronné en lequel il reconnut le pêcheur du petit pont, bien qu'il n'eût pas vu son visage dans la nuit.

— Oui, beau neveu, c'est bien moi qui pêchais sur le pont, dit le roi Pellès. Je vous y attendais depuis une semaine. Mais vous avez fait une étape qui vous a retardé plus que vous ne pensez...

A ce moment une porte s'ouvrit et un pigeon blanc entra, planant au-dessus de la table. Il tenait dans son bec une chaînette d'argent à laquelle était suspendue une cassolette d'où se répandait un parfum qui gonflait le cœur et le soulageait de ses peines.

Le pigeon sortit, et entrèrent alors six jeunes filles vêtues de blanc jouant du luth, de la harpe et de la flûte, et derrière elles une septième qui était plus belle à elle seule que les six autres réunies. Elle portait à deux mains un vase de forme ronde recouvert d'un très fin linge blanc. Et Perceval pensa que ce devait être là le fameux Graal, et qu'il allait enfin savoir ce qu'il y avait dedans... Et comme il allait le demander, il se souvint des recommandations de sa mère, et se tut.

Le cortège des jeunes filles fit le tour de la table, et ressortit, et Perceval s'aperçut alors que devant les chevaliers étaient apparues des nourritures délectables et qui sentaient merveilleusement bon. Mais devant lui il n'y avait rien.

— Beau neveu, dit le roi Pellès, vous avez eu tort de ne pas poser de question. Votre mère vous avait bien conseillé, mais pour chacun de nous vient un moment où il ne doit plus se conduire en enfant. Vous n'auriez pas connu toute la réponse, à cause de l'étape où vous vous êtes attardé, mais vous auriez reçu le commencement du savoir... Il fallait demander ! Il fallait demander !...

Et les chevaliers, la table et le roi disparurent, et le siège sur lequel était assis Perceval ne fut plus qu'une souche d'arbre dans une clairière au milieu de la forêt. Il faisait nuit et froid, il pleuvait, une chouette ululait dans un chêne creux, et Perceval recevait la pluie froide dans le cou. Il pensa à Berthée qui devait avoir de nouveau froid, puis à Bénie qui riait, et il se mit à rire. Mais il n'était pas vraiment gai.

Merlin avait fait venir à travers les airs un oliphant d'Asie et l'avait offert à Viviane. Assis tous les deux dans une sorte de corbeille carrée sur le dos de la grosse bête, ils se promenaient lentement sur la route qui traversait tout le Pays du Lac, et où trottinaient les ânes tirant les petites voitures paysannes chargées de légumes, de fruits et de fleurs. Les ânes saluaient leur nouveau cousin d'un grand coup de trompette, et l'oliphant répondait en agitant ses oreilles qui étaient grandes comme des couettes. Les deux longues cornes blanches qui lui sortaient de la bouche étaient ornées de bracelets d'or et d'argent et il était vêtu d'une robe vermeille toute brodée et riche comme celle d'un cheval de tournoi. Il balançait la queue qui lui pendait par-devant et qui était creuse, et s'en servait pour cueillir dans une charrette un melon ou un chou qu'il enfournait aussitôt dans sa bouche.

Les paysans ne se fâchaient pas. Ils riaient de ses manières. Ils étaient heureux de vivre dans ce pays où l'on voyait des merveilles qui n'existaient pas au-dessus de l'eau.

Lancelot ne s'était pas dérangé pour voir l'oliphant. Il était en train de se battre furieusement à l'épée contre son maître d'armes, à pied et à cheval, de la main droite, de la main gauche et des deux mains. Le maître d'armes, qui était le meilleur du royaume, arrivait au bout de ses forces, mais l'enfant aux yeux clairs ne lui laissait aucun répit, et il se rendait compte qu'il n'avait plus rien à lui apprendre.

Il croisa les bras en signe de trêve, et s'en fut donner quelques conseils à Lionel et Bohor qui, à proximité, s'affrontaient à lances non ferrées.

L'arrivée des deux garçons avait réjoui Lancelot. Ils s'entendaient parfaitement, ils avaient grandi ensemble, franchi ensemble la frontière imprécise de l'adolescence, apprenant ensemble les connaissances que leur proposaient leurs maîtres. Mais Lancelot comprenait plus vite, retenait davantage, et à chaque leçon posait des questions nouvelles qui en élargissaient les horizons. Ses maîtres, sans perdre leur autorité, le traitaient avec respect, et un peu d'admiration étonnée. Lionel et Bohor, bien que se sachant fils de rois et ignorant ce qu'il était, le considéraient tout naturellement comme étant au-dessus d'eux.

Lancelot vit l'oliphant et courut vers lui en riant. Une bande de dauphins joueurs se joignit à sa course. Il sauta sur l'un d'eux qui fila à toute allure et vint le déposer sur le dos de la bête à deux queues.

Il s'assit aux pieds de Viviane, et avant de dire mot, posa la tête sur ses genoux, les yeux clos, en geste d'amour et de vénération. Elle caressa ses cheveux couleur de soie avec tendresse et mélancolie, car chaque jour rapprochait le moment où elle savait qu'elle devrait se séparer de lui.

Puis il se redressa avec vivacité et posa cent questions à Merlin sur l'oliphant et le pays d'où il venait. Merlin répondait en souriant, heureux de la curiosité intelligente du garçon.

— Ah! s'exclama Lancelot, je voudrais être comme vous : tout savoir, tout voir, pouvoir voyager en un clin d'œil jusqu'à l'endroit où le monde finit!...

— Beau fils, dit Merlin, nul ne sait tout sauf Dieu, si loin qu'on voyage il y a toujours plus loin encore, et le monde ne finit nulle part... Sois heureux d'être tel que tu es. Et quand tu commenceras les aventures, fais-le joyeusement avec tes forces d'homme, et l'aide de Dieu.

— Beau-trouvé, dit Viviane, vais-je donc te perdre?

— Ah! Mère! s'écria Lancelot, je vous aime tant que je voudrais n'être jamais loin de vous! Mais un homme ne doit-il pas un jour essayer de savoir ce qu'il vaut, et pour cela s'en aller devant lui, pour se battre s'il le faut, et gagner s'il le peut?

— Oui, dit Viviane, tu le dois...

Elle avait les yeux pleins de larmes, mais Lancelot ne les vit pas.

— Beau fils, dit Merlin, le roi Arthur est revenu de guerre. Nul mieux que lui ne peut faire de toi un chevalier.

Une baleine balourde descendit du haut du lac pour venir renifler l'oliphant qui semblait être son cousin. Il lui caressa le flanc avec sa queue-de-par-devant, ce qui la fit sourire de toutes ses dents, elle en avait mille vingt-six.

Et Viviane, le cœur fendu, se mit dès le lendemain à préparer le départ de Lancelot.

Un certain nombre de dames laissées si longtemps seules, pendant que leurs maris s'en allaient jusqu'à Rome, s'étaient consolées avec les hommes demeurés au royaume, qui, s'ils n'étaient pas des héros, avaient l'avantage d'être présents. Mais la plupart étaient restées fidèles. Elles ne furent pas toutes récompensées de leur vertu, car elles avaient changé pendant l'absence des guerriers, et pas pour le mieux. Il arrive qu'une femme reste la même pendant dix ans et plus et que sa beauté semble incorruptible, et puis tout à coup le temps la rattrape, et en un an ou deux elle vieillit de vingt. C'était très sensible au bout de la longue absence. Le héros avait quitté une encore jeune épousée, il retrouvait une vieille épouse.

Lui-même rapportait des rides, une peau dure, des blessures, des infirmités, des douleurs osseuses, de la fatigue qui se manifestait aux moments où elle n'était pas souhaitée.

Il fallut bien s'accommoder les uns des autres et la vie reprit, mais les hommes pensaient parfois à un nouveau départ, et les femmes se souvenaient en soupirant des avantages de l'absence.

Jour après jour, Guenièvre avait idéalisé Arthur. Elle avait effacé peu à peu tout ce qu'elle avait trouvé à lui reprocher — sans jamais lui faire aucun reproche — depuis leur mariage, et l'avait orné de toutes les qualités dont elle aurait voulu le voir doté. C'était un grand roi et un bon mari, mais...

Plus il s'éloignait d'elle, plus il se rapprochait de l'image qu'elle s'était faite de lui pendant leurs fiançailles, et à la veille de son retour il était devenu l'homme totalement idéal.

Hélas, sa barbe avait grisé et son nez grossi. Sa main droite, à force de manier l'épée, était devenue dure comme la pierre, et quand elle se posa sur Guenièvre la nuit des retrouvailles, la reine eut un frisson et toute sa douce chair se contracta.

Elle, pendant ce temps, plongée dans son amour lointain, avait continué de s'épanouir et d'embellir. Il n'y avait pas, dans tous les royaumes, une femme aussi belle, et même ceux qui ne l'avaient jamais vue connaissaient sa beauté car tout le monde en parlait, même les femmes.

Dans les derniers jours de l'attente, l'espoir qu'elle mettait dans les retrouvailles l'illuminait de tant de bonheur qu'elle devint plus belle encore. Et lorsque Arthur la revit il fut frappé au cœur d'un amour plus vif que celui de sa jeunesse. Quand vint la nuit il se montra, comme toujours, plein de solidité et de vigueur. C'était un grand chevalier, qui allait droit au but. Guenièvre fut à deux doigts d'obtenir ce qu'elle espérait mais cela, une fois de plus, se déroba. Elle crispa un peu sa main sur le bras musclé d'Arthur, fut sur le point de lui dire quelque chose et ne trouva pas les mots, elle ne sut pas exactement ce qu'elle voulait dire... Elle soupira, et décida de se consacrer toute entière à la gloire du roi...

Un matin, elle lui suggéra de faire ériger, pour célébrer ses victoires, un monument digne de lui et de son aventure, et qui en perpétuerait le souvenir jusqu'au jugement dernier. Arthur, qui avait une haute idée de sa fonction et de ses devoirs, mais une grande humilité pour lui-même, repoussa cette idée, mais Guenièvre insista. Il devait le faire, dit-elle, pour la gloire du royaume, des chevaliers et du peuple de Logres.

Et tandis qu'ils mangeaient leur déjeuner, elle lui soumit l'idée qui lui en était venue :

— Il faudrait qu'il ait la forme d'une couronne, qui rappellerait la vôtre et celles de tous les rois que vous avez soumis.

Arthur hésitait. De toute façon cela ne pressait pas. Il déciderait après avoir pris l'avis de Merlin.

A peine avait-il pensé le nom de l'Enchanteur que celui-ci fut près de lui, vêtu comme un paysan irlandais, coiffé d'un gros bonnet de laine multicolore trempé de pluie, son visage ébouriffé d'une barbe rousse dans laquelle éclatait la blancheur de son rire.

Arthur fut si heureux de revoir son ami dont il avait été longtemps privé, qu'il renversa les tables en se dressant pour l'embrasser, répandant au sol les fruits, les pâtés, les miels et les confitures, le cidre et le lait. Merlin remit tout en place d'un geste.

— La reine a raison, dit-il à Arthur. Tu dois ériger ce monument. Sa place l'attend, au milieu de la plaine de Salisbury, et ne peut pas l'attendre plus longtemps, sous peine de malheurs.

« En ce lieu précis devront être dressées douze pierres levées, si lourdes et si hautes que les hommes

215

ne pourront jamais les ôter d'où elles auront été mises. Elles seront disposées en cercle, et unies deux par deux par six autres pierres, plates, posées sur leurs sommets. A l'intérieur et à l'extérieur du cercle des grandes pierres levées seront disposés deux autres cercles, de pierres plus petites, des pierres bleues qu'on trouve en Irlande. Enfin un cercle plus grand enfermera les trois autres. Il sera fait de trente hautes pierres levées toutes réunies entre elles par trente pierres plates posées sur leurs sommets. Les trente pierres levées représenteront les trente rois que tu as vaincus, et les trente pierres couchées indiqueront qu'ils sont devenus tes vassaux. Les pierres bleues sont tes chevaliers. Quant aux douze grandes pierres levées du centre, leur signification ne peut pas encore être révélée. L'ensemble des quatre cercles composera ta quadruple couronne : des Bretagnes, des Pays Francs, de Romanie et d'Alémanie. Le monument sera si haut et si large qu'on le verra de tous les horizons. Et il demeurera jusqu'au Jugement Dernier.

— Tu m'as habitué à l'impossible, dit Arthur, mais comment trouver, tailler, transporter et dresser des pierres qui doivent être si grandes et si lourdes que les hommes ne pourront pas les bouger ?

— Je me charge de leur transport et de leur mise en place, dit Merlin souriant. Et tu n'auras pas besoin de les faire tailler, car le monument, tel que la reine l'a vu dans sa pensée et que je l'ai décrit, existe déjà...

Arthur regarda avec étonnement Merlin qui continua :

— Il avait été dressé dans la plaine de la Bretagne d'Irlande par le peuple de géants qui y vivait il y a deux mille ans, les Thuata Dé Danann. Les trente

216

pierres levées représentaient les trente îles lointaines où les géants vivaient avant de vivre en Bretagne. Et les trente pierres couchées représentaient les trente grands vaisseaux qui les ont transportés quand ils quittèrent les îles pour trouver des terres plus larges. Quant aux hautes pierres de l'intérieur, le moment n'est pas encore venu d'en dire la signification.

« Le monument était placé en un des lieux principaux d'où sortent les forces profondes de la terre, et il les recueillait et les donnait aux Thuata Dé Danann quand ils venaient les lui demander, ce qui les rendait invincibles. Mais ces Portes des forces changent parfois de place. Cela arriva au pays des Thuata, et c'est alors que les Bretons surgirent et les battirent. Les Thuata se retirèrent sous la terre où ils vivent toujours, les Bretons vivant au-dessus. Leur monument s'est enfoncé avec eux. La reine actuelle des Thuata, qu'on nomme la Belle Géante, te le donnera volontiers si tu vas le lui demander, car il n'est plus utile à son peuple. La porte est maintenant dans la plaine de Salisbury et personne ne recueille les forces, qui se répandent et se gaspillent et peuvent devenir malfaisantes... La Belle Géante, en échange de ce qu'elle te donnera, exigera de toi un service que tu seras heureux de lui rendre. Elle est mon amie. Je t'accompagnerai près d'elle.

— Sire, vous allez encore partir ? demanda Guenièvre, en s'efforçant de ne pas montrer sa contrariété et sa peine.

— La Bretagne d'Irlande n'est pas loin, dit Merlin. Et le navire qui nous emmènera est plus rapide qu'un oiseau...

Arthur n'avait pas voulu remarquer le ton attristé de la question de Guenièvre. Il était tout à fait normal

217

que le roi se déplaçât, et il se déplacerait d'autant plus
que son royaume était plus grand et ses obligations
plus nombreuses. Et il était tout à fait normal que la
reine, immobilisée par ses propres devoirs, l'attendît.
Il ne pouvait tout de même pas l'emmener à la guerre ?

— Ami, dit-il à Merlin, sais-tu où se trouve Gauvain ? Je n'ai pas eu de ses nouvelles à mon retour, et je
m'inquiète... Il est mon chevalier le plus loyal, et je
l'aime comme un de mes yeux...

— Il va revenir bientôt, dit Merlin. Il est allé plus
loin que je ne le croyais capable d'aller...

Gauvain disposait au milieu du jour de trois fois la force d'un homme fort. Sa force excessive diminuait à partir de midi, et redevenait normale au coucher du soleil. Mais pendant les trois jours de la pleine lune, au lever de celle-ci commençait à pousser en lui une force nocturne qui augmentait jusqu'à minuit et décroissait ensuite pour disparaître à l'aube. C'était la force qui lance les hommes vers les femmes et fait bramer les cerfs dans les forêts. Il fallait à Gauvain un énorme courage moral pour ne pas se précipiter alors sur n'importe quelle femme proche de lui, fût-elle jeune ou vieille, belle ou avenante comme une corbeille d'orties. Cette force était moins puissante lorsque des nuages voilaient le ciel et, par bonheur pour le fils du roi Lot, les nuits claires ne sont pas tellement nombreuses dans les trois Bretagnes.

Malgré cela, il ne se passait guère de lunaison sans que Gauvain partageât la couche d'une femme toujours consentante, car son éducation de chevalier avait été si puissante qu'il aurait préféré s'ôter la vie plutôt que de prendre une femme sans son consentement.

Comme tous les chevaliers de la Quête, il se déplaçait sans cesse, si bien que ses femmes de la pleine lune n'étaient jamais les mêmes, et ses exploits amoureux firent bientôt autant de bruit que ses prouesses guerrières. Et quand sa présence était signalée quelque part toutes les femmes de l'endroit tremblaient d'émoi. Mais non de peur... Et il n'en manquait pas pour se mettre en travers de sa route, et le provoquer si bien que le nombre de ses exploits redoublait.

Les trois nuits redoutables passées, à la lune descendante Gauvain retrouvait la maîtrise de son corps. Et le remords et la honte emplissaient son cœur. Son premier soin était de trouver un ermite, un moine, ou tout autre prêtre, pour se confesser et faire pénitence. Il jurait alors, sincèrement, qu'il ne recommencerait jamais, mais la force de la pleine lune balayait les serments, et il ne lui restait plus qu'à chercher un nouveau confesseur.

Il se mit, par crainte de lui-même, à éviter les lieux habités, s'enfonçant dans des contrées sauvages où il ne trouvait à se battre que contre des sangliers et des loups.

Un jour, alors que la lune allait vers sa grossesse, il se trouva au cœur d'une forêt inconnue, dans laquelle il avait pénétré depuis plus d'une semaine. Elle était si épaisse que son écuyer avait peine à lui frayer un passage.

Dans toutes ces aventures, il est peu parlé des écuyers. Ils sont pourtant toujours présents, ou presque. Mais ils sont, justement, si proches des chevaliers, si constamment à leurs côtés ou derrière eux, si ajustés à leur action, qu'ils en semblent aussi naturellement inséparables que leurs ombres. C'est pourquoi il

est rarement parlé d'eux, bien qu'ils soient là. On décrit le
comportement d'un héros pas celui de son ombre.

Gauvain, donc, suivi de son écuyer ou précédé par lui, déboucha tout à coup dans une immense clairière au milieu de laquelle se dressait, sur une butte qui paraissait artificielle, un beau petit château ne ressemblant à aucun qu'il eût déjà vu. Trois tours rondes délimitaient sa muraille en triangle et un donjon rond se dressait en son centre. Les tours et le donjon étaient coiffés de toits dorés en forme de coupoles, chacun surmonté d'un mât également doré au sommet duquel flottait ce qui ressemblait à une grande queue de cheval brune. (Ou à la queue d'un grand cheval brun...) Fatigué par la traversée de la forêt, et fatigué surtout de la solitude, Gauvain décida d'y demander asile. Peut-être, allait-il, en plus, trouver quelqu'un à combattre ? Il en avait assez des confrontations avec des quadrupèdes... Les arbres, et le ciel couvert depuis des jours, l'avaient empêché de se rendre compte de l'évolution de la lune vers sa période critique. Il n'y pensait même pas.

La route qui conduisait au château en faisait trois fois le tour, s'enroulant en spirale jusqu'à la porte qui en perçait la muraille.

Impatient, Gauvain coupa court à travers haies et buissons, droit vers la porte.

Elle était ouverte. Une dame en occupait le passage, assise sur une haute chaise de bois peinte en rouge, entourée d'une petite foule de demoiselles vêtues de voiles légers, chacune dans une couleur différente, et qui changeaient de place et remuaient sans cesse, ce qui produisait l'effet que les couleurs vivaient par elles-mêmes et qu'un grand émoi les agitait.

La dame était brune et jeune et d'un visage rieur, vêtue d'une robe couleur de violette, toute piquetée d'or comme une belle nuit étoilée.

— Ah! Messire Gauvain, lui dit-elle, vous semblez pressé d'arriver, mais moins que je ne l'étais de vous voir venir...

— Dame, répondit Gauvain, comment savez-vous qui je suis, et que j'étais en train d'approcher?

— Votre renommée vous précède, beau sire Gauvain! C'est ce soir la pleine lune, et toutes les plantes de la forêt soupirent votre nom!...

Tandis que deux demoiselles, une verte et une jaune, aidaient Gauvain à mettre pied à terre, la dame violette descendit les cinq marches de sa chaise, que quatre demoiselles — bleue, rouge, chamois, fraise — emportèrent, et vint prendre le bras du chevalier pour le conduire à l'intérieur du château.

La nuit n'était pas encore là et il aurait pu s'en retourner, mais il aurait dû pour cela se montrer discourtois et bousculer quelque peu la dame aux si aimables manières, ce qu'il ne pouvait faire.

Le temps du bain et du repas, la nuit fut présente, et il ne songea plus à résister.

Vint le moment où il fut conduit à sa chambre par trois demoiselles, prune, rose, pervenche, qui après l'avoir déshabillé et couché, et admiré ce que la pleine lune faisait de lui, l'embrassèrent légèrement sur les lèvres et s'en furent en gloussant de petits rires et en mélangeant leurs couleurs.

Et la dame vint, vêtue d'une robe de voile lilas, si légère qu'elle s'envolait à chaque pas, et ne cachait aucun détail de sa beauté. En arrivant au lit elle la laissa tomber comme une brume autour de ses petits pieds roses et s'allongea sans perdre un instant auprès de Gauvain qu'elle se mit à serrer contre elle en remerciant d'une voix haletante Jupiter, Baal, Wotan et Manitou de lui avoir envoyé le plus bel homme de toutes les Bretagnes.

Elle lui tenait une oreille dans chaque main et entre deux noms de divinités lui baisait goulûment la bouche.

Gauvain s'arracha à sa prise et fit un bond en arrière sur le vaste lit. Il s'écria :

— Quoi ! Quels noms prononcez-vous là ? N'êtes-vous donc pas chrétienne ? Ignorez-vous le vrai Dieu ?

— Tous les dieux sont vrais ! dit-elle. Ne restez pas au bout du lit !...

— Il n'y a qu'un seul Dieu en trois personnes, le Père, le Fils et l'Esprit-Saint !

— Les autres sont aussi le même ! C'est tout la même chose ! Venez ! Venez ! Ne me faites plus attendre ! Ne voyez-vous pas que je meurs !...

La force terrible de la nuit poussait Gauvain par les reins vers la tentation dont la lumière dorée des lampes à huile parfumée faisait palpiter tous les savoureux contours. Mais la peur affreuse de perdre son âme le retenait par les hanches. Il s'écria :

— Non ! Non ! C'est le Maudit qui m'a conduit à votre couche !

Et il se signa sur la tête et sur le corps de haut en bas, certain de voir s'évanouir et la Dame et son château dans un tourbillon de fumée nauséabonde.

Mais son hôtesse ne disparut pas. Elle devint seulement furieuse :

— Ah! c'est une chrétienne qu'il vous faut? Eh bien, vous allez l'avoir!

Elle bondit hors du lit, courut vers un coffre sur lequel étaient disposés des ustensiles de toilette, s'empara d'un hanap plein d'eau, fit sur lui le signe de la croix, dit « Moi, Fleurie, je me baptise au nom du Père, du Fils et de l'Esprit-Saint », et se renversa l'eau du hanap sur la tête. L'eau lui coula le long du corps en brillantes gouttes et en ruisselets, et fit une mare à ses pieds.

— Es-tu content? Suis-je maintenant à ton goût?

Gauvain étouffait de rire. Il courut la prendre dans ses bras, passa un peu de temps à la sécher avec les serviettes de lin, la robe de voile et les fourrures du lit, et beaucoup de temps à lui prouver qu'il n'avait plus peur pour son âme.

Au matin, elle lui promit qu'elle allait faire baptiser toutes les filles de l'arc-en-ciel et tous les paysans de ses terres. Gauvain resta trois jours auprès d'elle, et pendant ces trois jours ne pensa pas une fois à lui demander si elle avait un mari et, si oui, où il se trouvait, ni à s'étonner de n'avoir vu aucun homme pendant son séjour au château. C'est pourquoi nous n'en savons rien non plus.

Le grand souci de Gauvain, lorsqu'il se fut remis en chemin, fut de trouver un prêtre pour se confesser. Un vieux bûcheron qu'il lui sembla reconnaître — mais où aurait-il pu l'avoir déjà vu? — lui indiqua qu'il trouverait un ermitage en continuant de chevaucher tout droit.

Il arriva bientôt, en effet, devant une petite chapelle bâtie en troncs de chênes, basse et trapue, surmontée d'une haute croix. Il y trouva un ermite couché sur une couche d'herbe sèche, si affaibli par le jeûne et les pénitences qu'il semblait aux portes de la mort. Mais ses yeux brillaient d'intelligence et de santé.

Quand Gauvain lui eut confessé ses nouveaux péchés, l'ermite lui donna le pardon de Jésus et lui dit :

— Dieu ne t'en veut pas, car la force qui te pousse est la force irrésistible de la vie, qu'il a rendue trois fois plus forte pour te mettre à l'épreuve. Il te semble impossible de lui résister. Un jour viendra pourtant, peut-être, où tu y réussiras. Alors tu commenceras à être un homme nouveau... J'irai baptiser convenablement cette Dame Fleurie et tout son entourage. Continue ton chemin. Tu n'es qu'au début du voyage...

Après avoir continué tout droit jusqu'au soir, en tournant le dos au château aux quatre tours, Gauvain se retrouva, au moment où la nuit tombait, juste devant ledit château, au commencement des trois boucles de la route en spirale. Les rayons du soleil couchant resplendissaient sur l'or des toits...

— Avons-nous tourné en rond dans la forêt ou fait le tour du monde rond pour aboutir à notre point de départ ? demanda Gauvain à son écuyer.

— Cet homme va pouvoir vous renseigner, dit celui-ci.

Il désignait un homme assis sur un petit banc, au bord de la route, qui pêchait dans une petite mare. Il était coiffé d'un chapeau de joncs tressés, que la lumière du couchant teintait de rose.

— Beau pêcheur, lui dit Gauvain, y a-t-il autre chose à pêcher dans cette mare que des grenouilles ?

— Peu importe ce qu'on pêche, dit le pêcheur, l'important est d'essayer d'attraper quelque chose...

— Et si l'on n'attrape rien ?

— Ce n'est pas *attraper* qui compte, dit le pêcheur, c'est *essayer*...

— Alors, pourquoi ne pas essayer de pêcher dans un broc ? dit Gauvain en riant.

— Pourquoi pas ? répondit le pêcheur dont le sourire était rose comme son chapeau. C'est peut-être la meilleure pêche...

— Beau pêcheur, reprit Gauvain, je suis Gauvain, chevalier de la Table Ronde. J'ai quitté ce matin un château tout pareil à celui qui se dresse ici devant moi. Si pareil en tout que je serais amené à penser que c'est le même si je n'avais chevauché le jour durant en lui tournant le dos. Peux-tu me dire si c'est là le château de Dame Fleurie ?

— La meilleure façon de le savoir est d'y entrer, dit le pêcheur.

Et Gauvain se trouva tout à coup assis à une table ronde avec sept chevaliers et un roi couronné en qui il reconnut le pêcheur qu'il venait d'interroger. Et celui-ci lui dit :

— Gauvain, je suis le roi Pellès le Riche Pêcheur. Tu as été admis à entrer dans le Château Aventureux à cause de ta grande droiture, mais le courage et l'honnêteté ne suffisent pas pour obtenir la clé des mystères...

Avant que Gauvain ait eu le temps d'exprimer son étonnement, la porte de la salle s'ouvrit, et quatre valets entrèrent, portant une litière sur laquelle était couché un vieillard, d'une maigreur de squelette, et dont la cuisse droite était percée d'une plaie saignante qui répandait une odeur de mort. Le vieillard, à côté de qui était posée une couronne d'or, gémissait d'une

226

façon déchirante. Il regarda Gauvain avec anxiété et espoir, et lui demanda :

— Est-ce toi, chevalier, est-ce toi qui vas me guérir ?

— Je voudrais bien ! dit Gauvain bouleversé. Que dois-je faire ?

Mais le blessé avait fermé les yeux et les quatre valets l'emportèrent sans peine hors de la salle. Il ne pesait pas plus qu'un oiseau mort.

— C'est le roi mehaigné, dit Pellès le Riche Pêcheur. Cela fait la moitié de mille ans qu'il souffre, ne pouvant ni guérir ni mourir. Et ce n'est pas toi, Gauvain, qui peux mettre fin à son supplice, tu le sais bien et tu sais bien pourquoi...

Un pigeon blanc venait d'entrer dans la salle, tenant dans son bec une chaînette d'où pendait une cassolette qui répandait un parfum suave. Le pigeon voleta tout autour de la salle, et le parfum effaça l'odeur horrible de la blessure du mehaigné. Derrière lui étaient entrés sept cierges de cire d'abeilles, dont les flammes brûlaient et que personne ne portait. Ils avancèrent dans l'air et firent le tour de la pièce et derrière eux avançait dans l'air un vase en forme de coupe que personne ne portait. Un linge blanc le recouvrait, d'une blancheur si blanche qu'il semblait tissé de lumière.

Saisi d'une grande émotion, Gauvain se leva en regardant le vase que nul ne portait et demanda :

— Sire Pellès, est-ce là le...

Mais une voix terrible l'interrompit, venant de la voûte, des murs et du sol dont elle fit gronder toutes les pierres :

— Ne prononce pas ce nom, Gauvain ! Toi, le chevalier plus couvert de péchés qu'un pestiféré de

227

pustules! Tu t'es assis à une table où chacun reçoit la nourriture qu'il mérite : mange ce que tu as gagné!...

Et Gauvain, horrifié, vit qu'était posé devant lui sur la table un crapaud pourri.

Il se recula avec un hoquet de dégoût, et la table disparut, la pièce, les chevaliers et le roi Pellès disparurent, le château disparut, la forêt et la nuit disparurent, et Gauvain se retrouva en train de traverser sur le dos d'une mule galeuse un village de masures à demi écroulées dont les habitants haillonneux l'insultaient en le bombardant de trognons de choux, de carottes pourries, de pattes de lapins, d'écorces de potiron et de poignées de cendres mouillées.

Fuyant sous les ordures, il se trouva tout à coup, debout, nettoyé, à pied, à côté de ses armes bien fourbies posées sur l'herbe, et de son cheval bouchonné et harnaché. Adossé à un arbre, son écuyer dormait.

Gauvain le réveilla et lui raconta son aventure. Son écuyer lui dit qu'il avait dû rêver. Ils ne s'étaient pas retrouvés la veille au soir devant le château des filles arc-en-ciel, mais au bord de la rivière sur laquelle flottait une nef. Gauvain avait décidé de dormir et de laisser passer la nuit avant de mieux examiner la nef et de savoir s'il devait y monter. D'ailleurs la nef était toujours là...

Et Gauvain la vit. Mais il ne se souvint pas de l'avoir vue la veille, et il savait bien qu'il n'avait pas rêvé. Mais la douleur d'avoir été rejeté par le Graal était si déchirante qu'il préféra l'oublier en tentant une nouvelle aventure. Il s'approcha du rivage et regarda la nef. Elle avait la forme d'un grand berceau, et était peinte d'une teinte blanche comme la blancheur des lys. Une tente carrée de toile blanche était dressée sur le pont. Tout semblait désert.

Gauvain appela :

— Qui est là ? Qui est sur la nef ?

Une voix de femme, très assurée, lui répondit :

— Viens le voir toi-même, Gauvain, si tu ne crains rien !

Et une légère passerelle blanche vint toucher la rive.

Gauvain n'avait peur de rien. Il prit son épée, s'engagea sur la passerelle, en deux pas fut à bord de la nef et entra dans le pavillon carré.

Il n'y avait personne, mais seulement un grand lit sur lequel était couchée une épée superbe, la plus belle que Gauvain eût jamais vue. Sa poignée ornée d'or, de perles et de pierres fines, jetait mille feux, et sa lame semblait assez tranchante pour couper un duvet dans son vol. Mais elle était brisée en deux. Et sur le drap de fines dentelles qui couvrait le lit étaient tracées des lettres rouges qui disaient :

JE SUIS L'ÉPÉE QUI A BLESSÉ LE ROI MEHAIGNÉ. CELUI QUI RÉTABLIRA L'UNITÉ DE MA LAME EN RÉUNISSANT SES DEUX MOITIÉS, EN MÊME TEMPS GUÉRIRA LE ROI.

Gauvain savait lire les lettres. Celles-ci palpitaient comme les flammes d'un feu. La pitié qu'il éprouvait pour le roi blessé lui ôta toute hésitation. Il saisit les deux fragments de l'épée et les rapprocha l'un de l'autre, mais en vain ! Ils refusèrent de se réunir et même de se toucher. Chaque moitié de la lame semblait repousser l'autre moitié. Gauvain les reposa sur leur couche mais en y laissant des traces de sang :

le fil de l'épée était si aigu qu'elle avait pénétré dans ses mains.

— Gauvain, chevalier sans peur, dit tristement la voix de femme, ce n'est pas toi qui guériras l'épée et le roi !... Et le poids de tes péchés est tel qu'il est en train de faire sombrer le vaisseau... Hâte-toi de le quitter avant que l'eau ne l'engloutisse !...

Gauvain sauta à terre, et la nef s'enfonça dans la rivière et disparut entièrement.

Alors le fils du roi d'Orcanie décida qu'il devait rentrer au royaume de Logres pour raconter au roi Arthur, à la reine Guenièvre et aux chevaliers ce qui lui était arrivé et, s'il pouvait rencontrer Merlin, lui demander son aide pour lutter contre la force de la pleine lune qui était plus forte que lui.

A longues ou courtes journées, Perceval chevauchait vers Camaalot en riant et chantant de bonheur sous le soleil et sous la pluie. Il ne trouvait plus beaucoup d'occasions de combattre, car sa réputation faisait le vide devant lui.

Il n'éprouvait aucune tristesse de son échec au Château Aventureux. Il pensait : « J'y retournerai, et cette fois je poserai des questions, et on me répondra. » Auparavant il irait voir sa mère, pour lui dire qu'il lui avait toujours bien obéi, mais que maintenant il devait se conduire plus hardiment. Et il irait voir Bénie... Et son cœur se gonflait de joie.

Il n'avait pas éprouvé le besoin de se confesser après la nuit passée avec Berthée parce qu'il n'avait pas du tout l'impression d'avoir fait le mal. Au contraire. Ce qui était si agréable ne pouvait être que le bien. Il avait glorifié Dieu dans la joie donnée et reçue, et il l'en remerciait tous les matins à son réveil, en même temps qu'il le remerciait du retour du soleil et de la douceur de l'herbe sur laquelle il avait dormi, ou de la tiédeur du corps féminin en compagnie duquel il n'avait pas dormi. Car il avait profité de toutes les occasions de renouveler ces exercices si agréables et, chaque fois, il pensait avec ravissement à tout ce qu'il allait avoir à raconter à Bénie pour la faire rire.

Un soir, alors qu'on approchait de Pâques, il décida de coucher sous un hêtre isolé dans la plaine, dont les menues feuilles commençaient à peine à se risquer hors des bourgeons. Allongé près de son cheval, il put apercevoir, à travers les branches, le ciel étincelant d'étoiles, et il remercia Dieu pour la beauté des nuits et la beauté des jours. Plein d'une immense gratitude, il s'endormit dès qu'il ferma les yeux.

Il les rouvrit au jour levé, et vit le ciel gris d'où tombait une neige tranquille. Debout, il admira la plaine toute blanche, estompée par la chute innombrable des flocons lents. Dans le grand silence ils faisaient un bruit de soie, et étouffaient l'odeur du hêtre. Le sol était d'un blanc mousseux, vierge de toute trace. Mais en baissant son regard, Perceval aperçut, juste devant lui, trois taches de sang vif sur la neige. Elles semblaient avoir jailli à l'instant d'une blessure, et les flocons qui tombaient sur elles ne parvenaient pas à les recouvrir. Perceval hurla :

— Bénie !...

Il avait su tout de suite : c'était Bénie qui saignait, qui l'appelait au secours, Bénie qui était en danger, Bénie qui avait besoin, besoin, besoin de lui !...

D'un bond il fut sur son cheval qu'il éperonna comme pour un combat à mort. Direction de l'Océan où le soleil se couche. C'était là-bas qu'elle était, de là-bas qu'elle l'appelait...

Son écuyer essaya en vain de le suivre. En quelques minutes il fut distancé et le perdit de vue. Il suivit ses traces dans la neige, mais les traces elles-mêmes disparurent sous la neige nouvelle.

Perceval galopait, bouche ouverte dans le vent, la neige lui entrait dans la gorge, se plaquait sur ses joues, lui collait les cils. Il ne voyait rien, son regard cherchant l'horizon impossible à voir, l'horizon, l'Océan, Bénie...

Il enrageait de ne pouvoir aller plus vite, il demandait à son cheval plus qu'il ne pouvait faire, le cheval fit de son mieux, dépassa la limite de ses forces, continua au-delà aussi longtemps qu'il put, puis tomba et mourut.

Perceval se mit à courir, ignorant la fatigue, criant dans la neige le nom de Bénie pour qu'elle sache qu'il était là, qu'il venait, qu'il allait arriver, et qu'il avait pensé à elle toujours.

Vers le milieu de l'après-midi, il vit venir de loin, dans le brouillard de la neige, trois chevaliers et leur suite. Il courut encore plus vite, et dès qu'ils furent à portée de voix cria pour leur demander un cheval. Les trois chevaliers étaient Gauvain, Sagremor et Yvain le Grand, qui s'en retournaient, après aventures, à Camaalot. Il leur dit son nom et ils reconnurent le Gallois qui avait tué l'Orgueilleux. Il leur dit l'apparition des trois taches de sang sur la neige, et leur signification. Yvain n'y crut pas, Gauvain n'y crut guère, Sagremor y crut.

— Si vous ne voulez pas me donner un cheval, je le prendrai ! cria Perceval, furieux de les voir discuter.

Il tira son épée, et s'apprêta à combattre.

— Bel ami, dit Gauvain, ne t'irrite pas. Prends mon cheval. N'y aurait-il qu'une chance sur mille pour que tu penses vrai, et que celle que tu nommes Bénie ait besoin de ton aide, il ne sera pas dit que je t'aurai empêché d'arriver à temps !...

— Ami Gauvain, dit Perceval, je me souviendrai de toi...

Dès qu'il fut en selle, la neige cessa de tomber. Ce fut un soleil se couchant dans un ciel embrasé qui le reçut quand il arriva au bord du grand Océan.

Dans la maison de pierres, Bénie était étendue sur sa couche de paille recouverte d'un drap blanc, ses cheveux dorés répandus autour de son visage livide et maigre. Ses yeux étaient clos, et la première chose que vit Perceval en entrant fut une goutte de sang caillée au coin de ses lèvres. Un petit cierge brûlait à côté de la couche.

Perceval tomba à genoux et se mit à sangloter. La vieille Bénigne, assise près du feu, toute ratatinée et desséchée, lui dit :

— C'est bien temps ! C'est bien temps de pleurer ! C'est bien temps d'arriver !...

Sa voix ressemblait au bruit d'une vieille branche qui craque.

— Elle t'a attendu, attendu !... Et tu venais jamais !... Elle volait en haut pour te guetter... De plus en plus haut pour te voir arriver de plus loin... Et tu arrivais jamais !... Elle redescendait toute glacée, elle disait qu'il fait froid en haut, et plus on monte plus c'est froid... Et elle s'est mise à tousser... Et voilà !...

Perceval se redressa, furieux :

— Pourquoi est-ce elle qui est morte ? Elle toute jeune ?... Et pas vous qui êtes si vieille ?...

— Moi, à mon âge, dit Bénigne, on n'attend plus personne... Je me suis tenue près du feu...

— Ayant trouvé Bénie morte à l'attendre, dit Gauvain, il est sorti de la maison de pierre en criant le nom de sa mère, comme un petit enfant, et il est reparti au galop pour aller dire sa peine à celle qui toujours console. Mais en arrivant dans la Vallée de la Forêt Gastée il a appris que sa mère était morte, au moment même de son départ, et à cause de celui-ci. Alors il est devenu fou. Il ne reconnaît plus personne, il attaque tous ceux qu'il rencontre, armés ou non armés, et il tue. Il injurie le nom de Dieu et clame qu'il veut détruire toute chevalerie.

« Nous avons appris cela, Sire, par son écuyer qui avait réussi à le joindre et a failli tomber sous ses coups. Il n'a dû son salut qu'à sa fuite. Après nous avoir dit les malheurs de son maître, il est reparti à sa recherche, pour veiller sur lui de loin et l'aider si possible. Mais que peut-il faire pour ou contre un fou furieux si habile aux armes ?

« Quand je lui ai donné mon cheval, Perceval m'a dit qu'il se souviendrait de moi. Peut-être ai-je une chance de me faire reconnaître et de lui rendre la raison... Sire, me permettez-vous d'abandonner la Quête jusqu'à ce que je l'aie retrouvé et ramené dans le monde normal? Le poids de mes péchés m'a fait repousser par le Graal. Peut-être ai-je là l'occasion de me racheter en partie?

— Va, Gauvain au cœur d'or, Gauvain mon fidèle... Personne mieux que toi n'a de chances de sauver ce malheureux. Et qu'Yvain et Sagremor t'accompagnent. Je vais bientôt partir pour la Bretagne d'Irlande. Quand je reviendrai, j'espère que vous aurez ramené Perceval du pays du désespoir...

Depuis des mois, Viviane préparait l'inévitable. Lancelot allait avoir seize ans. Elle ne pouvait plus différer son départ. Elle pourrait garder encore quelque temps auprès d'elle Lionel et Bohor, qui avaient besoin d'apprendre encore, mais Lancelot devait s'en aller. L'empêcher d'aller recevoir la chevalerie aurait été aussi grave que de lui refuser le baptême. L'éducation exceptionnelle qu'il avait reçue d'elle et des maîtres qu'elle et Merlin lui avaient choisis l'avait d'ailleurs façonné en vue de ce destin, comme on taille une flèche pour le moment où l'arc la projettera sur sa trajectoire, vers son but.

Viviane lui fit préparer ses armes. D'abord l'épée, qui est le prolongement du chevalier, son bras sacré au service de la justice et du bien. Peut-être le roi lui en donnerait-il une mais Viviane voulait qu'il fût fier de celle qu'elle allait lui offrir, et qu'elle pût le servir mieux qu'aucune autre.

Le meilleur artiste des Bretagnes en confectionna la poignée, très simple et bien en main, taillée dans une dent d'oliphant, imperceptiblement gravée de nuages et de lunes et incrustée de perles et de croix d'argent. Un diamant taillé en terminait chaque branche.

Le meilleur forgeur en forgea la lame, impossible à rompre ou à entamer, à la fois lourde et légère, épaisse en son milieu et si aiguë sur les taillants qu'un cheveu s'y posant s'y fût coupé en deux.

Quand elle fut terminée elle ressemblait à Lancelot : claire, forte, fine et lumineuse.

Après l'épée, le haubert. Viviane lui fit mailler un haubert blanc d'acier et d'argent si solide qu'aucune lance ne pourrait le traverser, et pourtant si léger qu'il pesait moins qu'une robe de fourrure.

Puis le heaume et l'écu, tous les deux blancs. Sur l'écu étaient peintes la lune qui commence et la lune qui finit, dans la couleur gris pâle des yeux de Lancelot.

Il choisit lui-même ses trois lances, deux courtes et roides, et une longue et flexible, difficile à rompre, toutes trois bien équilibrées. Viviane les fit peindre en blanc. Et tout fut prêt. Et vint le jour où Lancelot dut se mettre en route s'il voulait être à Camaalot pour la cour que le roi Arthur y tiendrait le jour de Pâques. Sa peine était grande, et son impatience aussi. Il voulait partir et il ne voulait pas quitter Viviane. Ce fut elle qui fixa le moment du départ. Malgré tout l'amour qu'elle lui portait, et son déchirement, elle n'éprouvait aucune crainte : elle savait que lorsqu'il aurait quitté le lac il n'y aurait nulle part, sur la surface des Bretagnes et des royaumes lointains, un chevalier capable de le surpasser en vaillance et en adresse, ni un sortilège qui puisse résister à la clarté de son regard et de son cœur.

Sans l'avoir voulu, Dyonis assista au départ de Lancelot.

Le père de Viviane avait vieilli raisonnablement. Il

238

était devenu un homme âgé, mais non un vieillard. Il portait barbe et cheveux blancs, qui l'éclairaient plutôt d'un air de jeunesse. Sa fille lui avait offert de lui rendre son bel âge et de repousser très loin le terme de sa vie. Il refusa.

— Le temps nous est mesuré, lui dit-il, mais il est encore trop long pour que nous parvenions à l'emplir sans faillir dans la sottise ou la vilenie.

Il se tut un instant, puis ajouta avec un sourire :

— Le mieux à faire est de faire de son mieux... Quand viendra le moment de ne plus rien faire je serai heureux d'être arrivé au bout de ma tâche...

Son cheval du royaume de Perche vivait toujours, mais il était devenu une ruine. Cagneux, tordu, baveux, rhumatisant, aveugle, il ne pouvait plus porter son maître, mais celui-ci, pour lui garder sa fierté, lui donnait tous les matins la joie de le monter. Puis il descendait aussitôt, le prenait par la bride et allait le promener par les mêmes chemins qu'ils avaient suivis l'un sur l'autre si longtemps, dans la compréhension et l'amitié. Le vieux cheval connaissait chaque pierre de chaque itinéraire. Il n'avait pas besoin de les voir. Dyonis lâchait la bride et son compagnon le suivait, bronchant parfois et reniflant, essayant de hennir quand il sentait le soleil sur ses oreilles, et cela donnait le bruit d'une vieille poulie rouillée.

C'est ainsi que Dyonis se trouva un matin au bord du lac et qu'il vit sa surface frémir comme s'il s'apprêtait à bouillir. Et au-dessus de l'eau, dans des volutes et des dentelles de vapeurs et de lumière surgit tout un cortège au milieu duquel il reconnut Viviane et Lancelot, côte à côte sur des chevaux blancs drapés jusqu'aux sabots de jupes blanches brodées de lys et de lunes. Lancelot portait une robe d'hermine et Viviane une robe de soie et d'argent. Tous deux étaient couronnés de roses blanches, et derrière eux, deux demoiselles montées sur des haquenées blanches tenaient contre leurs seins des bouquets de lys. Quatre écuyers portaient les armes de Lancelot, et des valets guidaient des mules chargées de coffres. Deux lévriers blancs marchaient et gambadaient auprès de Viviane. Tous les chevaux et mulets étaient blancs, et blancs également les coffres que ceux-ci portaient, et blancs les vêtements de chacun. Autour de Lancelot et de Viviane volaient les oiseaux familiers de celle-ci, rouges, bleus, jaunes, dorés, verts, légères étincelles de couleur sur ce grand feu de blancheur.

Viviane semblait avoir le même âge que Lancelot. Ils étaient frère et sœur jumeaux, rayonnants de jeunesse. Lorsqu'ils apparurent au-dessus du lac, ce fut comme si le matin se levait une deuxième fois.

Le cortège prit pied sur la rive sans y laisser une goutte d'eau, et se dirigea vers la forêt, face au soleil levant. Dyonis le vit s'arrêter à la lisière des arbres. C'était le moment de la séparation. Dyonis n'entendit rien des paroles qu'échangèrent Viviane et Lancelot, mais les vit s'embrasser longuement. Puis la forêt s'ouvrit en un large chemin dans lequel s'engagèrent Lancelot, ses écuyers et ses valets. Et la forêt se referma derrière eux.

Viviane restait immobile, le regard fixé sur les arbres qui lui épargnaient de voir s'éloigner celui qu'elle aimait tant. Les demoiselles, à quelques pas, la regardaient sans rien dire, devinant et partageant sa peine, car il n'en était pas une qui ne fût amoureuse de lui. Les deux lévriers s'étaient couchés en rond dans l'herbe. Les oiseaux vinrent se poser sur Viviane et sur son cheval. Les yeux de Viviane étaient pleins de larmes. Très doucement, elle parla à Lancelot à travers la forêt :

— Beau fils de roi, dit-elle, si clair, si fier, tant aimé, beau trouvé, je te perds... Que Dieu te garde !...

La veille de Pâques, le roi Arthur tint son audience couronnée pour entendre ses sujets et ses vassaux lui dire ce qu'ils voulaient. Et quand c'était nécessaire, il rétablissait la justice, selon son cœur et son esprit qui étaient droits. La reine, assise à son côté, dans un grand siège doré pareil au sien, écoutait avec attention et lui donnait son avis dont il tenait grand compte. Et ceux qui s'approchaient, même s'ils étaient irrités, éprouvaient le besoin de baisser la voix tant ils étaient frappés par la profondeur du regard que la reine posait sur eux.

Ses yeux semblaient occuper tout son visage. Leur bleu avait la mélancolie d'un ciel du soir dont la lumière est si proche de la nuit. Ses joues étaient pâles, et sa bouche semblait une blessure dans la chair d'une rose. Il y avait quelque chose de terrible dans ce visage, dans tant de douceur recouvrant une tristesse toujours présente, sans frontières, sans remous, sans tempêtes, sans commencement ni fin. La peine de son corps et de son cœur, sa solitude, son attente sans objet et sans espoir posaient à travers son regard, sur chacun et sur chaque chose, une interrogation profonde et inquiète, qui n'appelait pas de réponse, car elle ne savait pas ce qu'elle demandait.

Chaque homme qui l'approchait, quels que fussent son âge et sa condition, éprouvait le besoin soudain de la prendre dans ses bras pour la protéger et la consoler, sans savoir de quoi...

Cela amusait le roi et en même temps le flattait. Il savait que Guenièvre était la femme la plus belle du royaume. Et qu'elle était inaccessible, puisque l'épouse du roi. Ce qui lui ôtait tout motif de jalousie. Les autres hommes n'existaient pas en tant qu'hommes pour la reine : ils étaient seulement ses sujets.

Arthur ne se trompait pas. Bien qu'entourée des hommes les plus vaillants, les plus virils de toutes les Bretagnes, beaux ou laids mais jamais banals, elle n'en avait distingué aucun et n'en éprouvait pas le besoin. C'était Arthur qu'elle avait aimé et épousé, c'était lui qu'elle aimait encore, mais il était absent toujours, même lorsqu'il était là. Même la nuit...

Et elle vit Lancelot.

Il se tenait debout devant elle, immobile, pétrifié, blanc comme le jour, couronné de roses, le visage encadré par des cheveux de lumière, et la regardant avec des yeux immenses qui avaient la couleur de la mer sous la lune. Il ne disait mot, il ne pouvait plus bouger, il la regardait...

— Beau valet, lui demanda le roi amusé, que veux-tu ?

— Sire, répondit Lancelot sortant de sa stupeur, je suis venu pour que vous me fassiez chevalier.

— Qui es-tu ?

— Je ne sais...

— Quel est ton nom ?

243

— On me nomme Lancelot, mais ce n'est pas mon nom.

— Qui est ton père ?

— Je ne le connais pas...

— Qui t'a armé et qui t'envoie ?

— La Dame du Lac...

— Où est son fief ?

— Dans l'autre pays...

Le visage d'Arthur devint grave.

— Crois-tu que je puisse armer chevalier un inconnu qui ne se connaît pas lui-même ?

— Oui tu le peux ! Il est mon ami ! dit une voix croassante.

Et un corbeau blanc vint se poser sur l'épaule de Lancelot.

— Merlin ! dit Arthur ravi.

— Croâ ! dit le corbeau.

Tournant sa tête, il lissa de son long bec les plumes de son dos, tandis que la voix de Merlin se faisait entendre directement dans la tête du roi :

— Fais-le chevalier dès demain... Il est le plus fort, le plus adroit, et le plus pur... Il sera peut-être celui que nous attendons...

Mais dans la tête du corbeau résonnait la voix grinçante du père noir de l'Enchanteur :

— Tu as perdu Arthur pour le Graal, tu as perdu Gauvain, tu as perdu Perceval ! Crois-tu que tu vas garder celui-là ?... Regarde la reine...

Guenièvre, se rendant compte qu'elle ne pouvait détacher son regard du garçon blanc couronné de roses, se leva, dit au roi qu'elle était lasse, et se retira, après avoir posé sur son siège doré sa couronne pour attester sa présence.

244

— Qu'est-ce que tu en dis ? ricana le Diable.

Et sa voix était comme le bruit d'une scie sur un clou.

— Croâ ! dit le corbeau.

Lancelot sortit du palais du roi dans l'état d'un homme qui vient de fixer le soleil. Ses yeux éblouis ne voyaient plus rien, une seule image emplissait sa tête : la reine. Il avait cru jusque-là que la Dame du Lac, sa sœur, sa mère, son amie bien aimée, était ce qu'il y avait de plus beau au monde, mais la reine éclipsait cette beauté comme la lumière du jour efface celle de mille torches. S'éloigner d'elle était se replonger dans la nuit.

Arthur avait demandé à Alain le Gros de donner l'hospitalité à Lancelot. En chevauchant à côté de lui pour le conduire à son domicile, Alain se rendit compte que le garçon n'était pas dans un état normal et se dit que le roi allait, le lendemain, donner la colée à un esprit dérangé. Mais ce n'était pas grave : au premier adversaire rencontré, il retrouverait son penser droit ou perdrait toute pensée pour toujours...

Au cours de sa nuit de veille dans la chapelle de la cité basse, Lancelot, grâce à la prière, retrouva l'équilibre de ses sentiments, car toutes les beautés sont l'œuvre de Dieu et les parures de sa création. Il était plein de ferveur quand il traversa la ville sur son cheval blanc, pour aller à la chapelle du bas à celle du château où devait avoir lieu la cérémonie de chevalerie.

Le bruit s'était répandu qu'un jouvenceau extraordinaire était arrivé la veille dans la cité et allait la traverser au matin pour aller se faire armer chevalier. Et tandis que sonnaient à la volée les cloches de la Résurrection, toute la population s'était mise aux fenêtres ou était descendue dans la rue pour le voir passer, dans sa robe d'hermine, couronné des roses du Lac qui ne fanent jamais, suivi de ses quatre écuyers portant ses armes. Et sur son passage les yeux des femmes s'emplissaient de larmes de joie et de regret. Joie de le découvrir, unique, incomparable, si jeune, si clair, si beau, regret de le voir déjà s'éloigner... Et le silence fermait les bouches, laissant tout l'espace au bruit des fers des cinq chevaux blancs crépitant sur les pavés, et à la voix des cloches qui célébraient le retour de la vie.

Le roi lui ceignit son épée blanche et lui mit son éperon droit. La reine lui mit son éperon gauche. Ses éperons étaient d'argent. La reine lui ôta sa couronne de roses et le roi lui mit son haubert et son heaume.

Il était de nouveau dans un rêve. Dès qu'il avait revu la reine il s'était trouvé transporté dans un monde où il n'y avait qu'elle, avec lui qui la contemplait, et tout le reste avait disparu.

Le rude choc de la colée sur sa nuque lui rendit conscience. Mais au lieu de bondir hors de la chapelle il regarda longuement la reine puis le roi, l'archevêque et Jésus sur sa croix, se signa, se détourna, sortit lentement, monta sur son cheval que lui présentait son écuyer d'épée, et au lieu de se diriger vers la lice des joutes, sortit de la ville au pas de son cheval qu'il ne dirigeait pas, dans le silence et l'étonnement de la foule qui l'avait vu arriver couronné de fleurs et de fierté et le voyait repartir armé et perdu. Une à une les cloches se turent. C'était la fin du matin de Pâques.

La reine rentra dans ses chambres à grand-peine, prête à chaque pas à s'évanouir. Elle renvoya ses dames et s'allongea sur son lit, son cœur frappant l'intérieur de sa poitrine comme un lion d'outre-océan enfermé dans une cage. Dieu ! Dieu ! Pourquoi m'avez-vous envoyé celui-là ? Que me veut-il ? Qui est-il ? Que me voulez-vous ? Est-ce un des anges dont est peuplé votre Paradis ? La couleur de ses yeux, est-ce celle de Votre Ciel ? Ses cheveux sont de soie, ses joues sont d'aurore, ses lèvres sont celles d'un enfant... Je ne connais même pas son nom...

Un parfum de printemps frais et tiède montait à ses narines.

Elle s'aperçut qu'elle tenait toujours la couronne de roses. Elle la souleva au-dessus de son visage, et la porta à ses lèvres.

Mais au moment où elle allait baiser la plus belle rose, celle-ci disparut avec toutes les autres, et la reine regarda ses mains vides qui tremblaient.

Lancelot chevaucha tout le reste du jour sans savoir où il allait ni voir le pays qu'il traversait. Ses écuyers le suivaient à distance, inquiets mais ne voulant pas le troubler. Au soleil couchant, son cheval s'arrêta pour boire à une rivière. L'écuyer d'épée en profita pour s'approcher et lui parler.

— Sire, lui dit-il, vous avez quitté Camaalot sans prendre congé du roi ni de la reine, vous n'avez pas participé aux joutes et vous n'avez pas partagé le dîner offert par le roi aux nouveaux chevaliers. Ne craignez-vous pas que le roi et la reine s'en trouvent offensés ?

Lancelot ne comprit pas ce que son écuyer lui disait, et celui-ci dut lui répéter ses paroles qui entrèrent enfin dans sa tête et l'emplirent de stupeur, de confusion et de honte. Comment avait-il pu se conduire de la sorte ? Etait-il devenu fou ? Il devait aller se présenter au roi et lui demander son pardon. Mais la reine ? La reine lui pardonnerait-elle jamais ?

Il fit pivoter son cheval et repartit au galop sur le chemin qu'il venait de parcourir au pas. Mais la nuit tombait, et il dut ralentir pour ménager son cheval qui risquait de se blesser dans l'obscurité. Et la fatigue le prit tout à coup. Il avait passé la nuit précédente debout en prière, il n'avait pas mangé depuis la veille, son corps, sa jeunesse, réclamaient l'équilibre du repos. Il mit pied à terre, s'allongea sur l'herbe nouvelle, et s'endormit comme un enfant.

En arrivant le lendemain à Camaalot il apprit que le roi était parti, avec une faible escorte, pour une destination qu'il n'avait pas fait connaître.

Alors Lancelot demanda à être reçu par la reine.

Elle ordonna qu'on le lui amenât, et le reçut entourée de ses dames. Il s'agenouilla devant elle, et lui demanda pardon pour avoir quitté le château et la ville sans avoir pris son congé.

— Un mal m'avait pris dont je ne puis rien dire, et qui m'ôtait toute connaissance de ce que je faisais et de ce qui était autour de moi. Dame, pardonnez-moi ou ordonnez ma punition, je l'accepte et l'appelle.

Et la reine entendait à peine ce qu'il était en train de dire, si heureuse de le voir revenu, et de pouvoir le regarder, et elle lui aurait pardonné mille méfaits bien plus graves.

Elle lui tendit la main :

— Beau doux sire, lui dit-elle, relevez-vous. Ce n'est pas si grave...

Et elle ajouta après un court silence, dans une sorte d'étonnement émerveillé :

— Vous êtes si jeune...

Les dames de la reine auraient bien remarqué son trouble si elles n'avaient été elles-mêmes si occupées à le regarder lui.

— Il me reste à obtenir le pardon du roi, dit Lancelot, mais je ne sais où le trouver.

— Si vous allez très vite en direction de la mer de l'Irlande peut-être aurez-vous une chance de le rattraper. Mais j'en doute, car Merlin est avec lui...

— Dame, me permettez-vous de me tenir pour votre chevalier ?

— Je le veux bien, dit la reine.

Elle lui donna une écharpe de soie jaune tissée d'or, brodée en rouge vif de la grande lettre de son nom, couronnée d'or. Afin qu'il pût porter ses couleurs. Et elle lui demanda :

— Le mal dont vous avez souffert vous a-t-il maintenant quitté ?

— Dame, je ne crois pas, dit-il.

Elle en eut le cœur chauffé, car elle avait bien deviné de quel mal il s'agissait.

— Que Dieu vous garde de tout mal qui pourrait vous être néfaste, dit-elle. Adieu, beau doux ami...

Et elle lui tendit de nouveau sa main qu'il prit dans la sienne en mettant un genou en terre. Elle aurait voulu qu'il ne la lui rendît jamais, elle aurait voulu qu'il prît l'autre, elle aurait voulu...

Elle se rendit compte avec épouvante de la violence de ce qu'elle éprouvait, dégagea sa main en s'efforçant de sourire et fit un geste qui indiquait à Lancelot de sortir.

Retirée chez elle elle pria longuement, persuadée que le Diable était en train de l'assaillir. Mais elle perdait les mots de la prière et à la place de l'image de Jésus elle voyait le chevalier blanc agenouillé, levant vers elle ses grands yeux adorants.

Le Diable se réjouissait, mais il n'avait pas besoin de s'en mêler. Ce qui arrivait à Guenièvre et à l'adolescent était dans la nature du monde.

Pour être plus rapide, Lancelot renvoya ses écuyers, chargés de messages d'amour et de respect pour la Dame du Lac, et, armé de sa seule épée, s'élança au grand galop sur la trace du roi.

Il avait peu de chance de le rattraper car, sans avoir l'impression de forcer l'allure, Arthur avait mis moins de deux heures pour arriver en vue de la mer, ce qui demandait normalement deux jours aux meilleurs chevaux. Merlin chevauchait à son côté, sous son apparence irlandaise, barbe rousse et bonnet de laine, sa harpe d'argent pendant à sa selle.

Un vent vif soufflait venant du nord. Il soulevait de hautes vagues que fouettaient des rafales de pluie. La nef blanche à l'épée brisée attendait à quelque distance du rivage, montant et descendant au gré des lames mais sans bouger de place. Elle avait grandi pour pouvoir accueillir toute l'escorte du roi avec ses chevaux, et le pavillon carré qui en couvrait tout le pont quand Gauvain était monté à son bord n'en occupait plus qu'une partie.

— Est-ce ce vaisseau qui doit nous transporter ? demanda Arthur.

— Oui, dit Merlin.

Le sénéchal Kou, qui n'était guère homme de mer, devenait vert en regardant le creux des vagues.

— Nous ne pouvons pas embarquer par ce temps ! dit-il.

Les autres compagnons du roi ne faisaient pas meilleure figure.

— Nous devons attendre que le vent tombe, dit Arthur. En pareil temps, aucun vaisseau ne peut s'approcher de la terre.

Merlin se mit à rire, essuya d'un revers de bras sa barbe ruisselante, fit un geste vers sa harpe qui vint se blottir dans ses bras et joua trois notes qui se mêlèrent en une grande paix, descendirent vers la mer et la rendirent calme et lisse jusqu'à la nef. Celle-ci vint alors jusqu'au rivage et accosta devant le groupe de cavaliers. Son flanc s'ouvrit, une large passerelle en descendit.

— Allons-y ! dit Merlin.

Il s'engagea le premier, sans descendre de son cheval. Arthur le suivit. Les autres hésitaient : un enchanteur peut tout se permettre, et le roi se le doit, mais de simples chevaliers...

— Allons ! dit Kou, sommes-nous des poules plumées ?

Il éperonna son cheval, une grande carcasse jaunasse et rustique pleine d'ardeur, qui en deux bonds entra dans le vaisseau. A grand fracas de planches, les autres cavaliers l'imitèrent. Au moment où la passerelle commençait à se retirer, un tourbillon blanc jaillit du fond de la campagne et bondit dans la nef : c'était Lancelot, pour qui la distance s'était également comprimée et qu'un élan qu'il ne comprenait pas avait lancé à l'intérieur du vaisseau.

Et la nef sans voiles, sans rameurs et sans équipage, s'élança dans la tempête.

L'intérieur du vaisseau était calme comme s'il eût vogué sur de l'huile. Il paraissait plus grand que l'extérieur. C'était une grande salle carrée, peinte en blanc, au sol couvert de paille fraîche. Sans fenêtres ni chandelles, elle était cependant lumineuse comme si elle eût été éclairée par un ciel d'été. Ne ressentant aucun mouvement du vaisseau, les cavaliers pensèrent que celui-ci attendait une amélioration du temps pour quitter le rivage.

Dès qu'il reconnut le roi, Lancelot se jeta à bas de son cheval et s'agenouilla pour demander son pardon. Le roi ne fit pas plus de difficulté que la reine pour le lui accorder. Sa pensée était occupée par autre chose : il voulait savoir ce qu'abritait le pavillon carré qu'il avait aperçu sur le pont. Il demanda à Merlin s'il le savait.

— Ce que je sais n'est pas forcément ce que tu pourrais découvrir, dit Merlin. Le mieux est d'y aller voir.

Ils montèrent sur le pont. La nef était en pleine mer. La tempête avait redoublé de fureur, mais ni le vent ni la pluie n'atteignaient le vaisseau. Il s'enfonçait à une vitesse prodigieuse entre les vagues, qui s'écartaient devant lui.

Arthur fit deux fois le tour du pavillon sans trouver comment y entrer. A la troisième fois une porte se souleva. Il hésita une seconde, puis entra, suivi de Merlin.

La presque totalité de la surface couverte par la tente carrée était occupée par un grand lit sur lequel dormait une fille que le roi, étonné, reconnut :

— Celle-qui-jamais-ne-mentit ! murmura-t-il.

En travers de la poitrine de la jeune fille était posée la moitié d'une épée, comprenant la poignée et la partie supérieure de la lame brisée. Arthur allongea le bras pour la saisir, mais une voix de femme, impérieuse, arrêta son geste :

— Arthur, ne touche pas à cette épée ! Ce mystère ne te concerne pas... Fais venir le chevalier blanc...

— Lancelot, viens ! dit doucement Merlin.

Et Lancelot fut sous le pavillon.

Il ne vit ni le roi ni l'Enchanteur. Ses regards étaient fixés sur le lit où venaient d'apparaître, autour de la jeune fille endormie, des lettres rouges qui palpitaient :

JE SUIS L'ÉPÉE QUI A BLESSÉ LE ROI MEHAIGNÉ. QUI RÉTABLIRA L'UNITÉ DE MA LAME EN RÉUNISSANT SES DEUX MOITIÉS, EN MÊME TEMPS GUÉRIRA LE ROI.

— Qui est ce roi ? demanda Lancelot.

A sa voix, Celle-qui-jamais-ne-mentit s'éveilla et ouvrit les yeux. Elle le regarda et répondit à sa question :

— Tu le connaîtras, après avoir appris qui tu es. Prends l'épée !...

Lancelot empoigna la poignée et leva l'épée fragmentée.

— Où est l'autre moitié ? demanda-t-il...

— Les deux moitiés seront de nouveau ensemble quand il le faudra, dit la jeune fille. Le moment n'est pas venu...

— Ami Merlin, tout ceci est-il encore de tes sortilèges ? demanda Arthur.

Mais Merlin n'était plus près de lui. Il attendait, debout sur le pont d'une nef noire accostée au rivage d'Irlande où déjà la nef blanche abordait. Les deux vaisseaux étaient exactement pareils, et lorsqu'ils furent côte à côte l'un semblait l'ombre de l'autre.

Lancelot, Arthur, et son escorte, s'embarquèrent à bord de la nef noire qui, aussitôt, se dirigea vers le fond de la baie dominée par une montagne presque verticale, elle-même surmontée d'un énorme cairn de pierre en forme de flèche pointée vers la mer.

Le vaisseau s'arrêta à quelques brasses du rivage.

— Ouvre la montagne ! dit Merlin à Lancelot.

Lancelot leva devant lui l'épée brisée et, d'un geste violent, trancha l'air de haut en bas. Dans un craquement terrible, la montagne s'ouvrit, de bas en haut.

La mer bouillonnante et rugissante s'engouffra dans l'ouverture, emportant la nef noire et ses occupants.

Viviane, vêtue d'une robe légère qui prenait la couleur du temps, ses longs cheveux blonds répandus sur ses épaules, monta sur la terrasse aux cerisiers toujours fleuris, s'approcha de la fontaine et se regarda dans le miroir de l'eau. Le jet d'eau s'arrêta pour ne pas troubler son image et Viviane vit une adolescente qui la regardait, aussi neuve que les fleurs des cerisiers ouvertes du matin.

Elle soupira et s'assit sur le bord de pierre de la fontaine, et la pierre se fit douce pour la recevoir. Le jet d'eau recommença à murmurer, la robe de Viviane devint de la couleur du ciel et des fleurs.

— Merlin, où es-tu encore ? Que fais-tu ? demanda Viviane à voix basse. Où est Lancelot ? qu'as-tu fait de lui ? Il a quitté Camaalot comme un fou et depuis qu'il est arrivé au bord de la mer je ne le vois plus !... Est-ce toi qui le caches ? qu'as-tu encore inventé ?

— Ne t'inquiète pas... ! dit la voix de Merlin dans le chant de la fontaine. Il est avec moi... Il va commencer sa première aventure, et je serai près de lui... Nous sommes en Bretagne d'Irlande. Nous allons voir la reine des Thuana Dé Danann...

— Encore une reine? Une ne suffit pas? Sais-tu qu'il est amoureux de Guenièvre?

— Je sais, dit la voix de Merlin. C'est très bien ainsi... Il aime au plus haut... Cet amour l'empêchera de se perdre dans les bras d'une autre, car aucune femme mortelle ne peut être comparée à Guenièvre. Et sa loyauté de chevalier envers le roi lui interdira de vouloir réaliser sa passion. Ainsi pourrons-nous le garder pur jusqu'au Graal...

— Comme tu as si bien gardé ce pauvre Perceval?

— Je me suis trompé, j'en conviens... Pour la haute aventure il faut avoir le cœur très simple mais pas trop l'esprit... Nous ne courons pas ce risque avec Lance-lot : son intelligence et son savoir sont aussi grands que sa vaillance...

— ... et que sa beauté..., dit Viviane avec mélancolie. Je l'ai tant aimé en le nourrissant de ma chair, en nourrissant chacun de ses jours de connaissances et de fierté !...

« Et quand il est devenu le plus beau, le mieux enseigné, le plus valeureux, tu me l'enlèves pour le faire dévorer par une autre femme !...

— Elle ne le mangera pas... Elle est la reine !...

— Elle a grand-faim, Merlin, elle a tellement faim, depuis si longtemps !... Et crois-tu que moi je sois en paix ? Merlin, Merlin, quand viendras-tu pour ne plus repartir et me donner ce que j'attends et prendre ce que je veux te donner ? Puis-je espérer que ce moment viendra, ou allons-nous rester séparés jusqu'à la fin du monde ?

— Celui qui vient de te quitter mettra fin à notre solitude en levant le voile du Graal. Viviane, mon aimée, ma désirée, mon printemps intouchable, tu sais bien que ma faim est aussi grande que la tienne...

— Toi qui joues comme tu veux avec le temps, ne peux-tu mettre fin plus vite à notre tourment?

— Il est des morceaux de temps sur lesquels je ne peux rien. Ni Dieu non plus. Il lui a fallu sept jours pour créer le monde...

La montagne se ferma derrière la nef, l'eau de la mer se dispersa, et le vaisseau s'immobilisa, droit sur sa quille, dans la lumière d'un soleil jaune qui semblait mou comme le jaune d'un œuf.

— Voici le pays inférieur de la terre d'Irlande, dit Merlin. C'est le pays des siècles passés. Les géants qui l'habitent n'ont plus de place sous la lumière terrestre. Ici, leur ciel est gris et leur soleil froid.

Au-devant de la nef se dressait un massif rocheux plus haut que les montagnes qu'Arthur avait franchies pour aller conquérir la Romanie. Un fleuve rouge coulait lentement à sa base. Les fumées qui s'en élevaient montraient que c'était un fleuve de feu, mais quand les cavaliers approchèrent de sa berge ils ne sentirent aucune chaleur. Ne pouvant le traverser, ils en suivirent le cours. Il s'enfonçait dans une plaine non cultivée, couverte d'une herbe sèche pareille à celle qui couvre à la fin de l'été les prairies depuis longtemps laissées en jachère. Quelques collines basses, allongées, coupaient la monotonie de la plaine sur laquelle, dans quelque direction qu'on regardât, on n'apercevait aucun arbre, aucun animal, aucun être humain, géant ou non. L'air, froid et sec, sentait la poussière.

Les pas des chevaux dans l'herbe froissaient le silence, épais comme celui qui règne dans une pièce vide, close de toutes parts.

Les chevaliers n'osaient parler. Ils respiraient mal. Malgré l'illusion du soleil jaune et du ciel pâle, ils sentaient la présence de toute la terre d'Irlande fermée au-dessus d'eux. Ils avaient la sensation étouffante de se déplacer sous un couvercle.

Merlin lui-même était mal à l'aise, se trouvant trop près du royaume de son père. Il lui aurait suffi de descendre un étage de plus... Il craignait de voir, ici, ses pouvoirs réduits ou inefficaces. C'était pourquoi il avait fait venir Lancelot, dont la fraîcheur et la pureté ne subiraient pas les influences noires.

Alors que la petite troupe était en train de franchir une colline, le sol se mit tout à coup à bouger, et la colline bascula, envoyant à terre chevaux et cavaliers.

Tous se relevèrent sans dommage et virent, stupéfaits, la cause de leur chute : la colline était un géant endormi qui s'était retourné, dérangé dans son sommeil par le piétinement de ces minuscules chevaux qui lui marchaient sur le ventre.

— C'est un Thuana, dit Merlin. Il dort depuis si longtemps que l'herbe a poussé dessus...

Le géant dormait maintenant sur le côté. Il était nu. Ses fesses énormes cachaient une partie du ciel, son dos et ses cuisses s'allongeaient interminablement. Sa chair était blanche comme celle d'une plante qui a poussé dans une cave.

Merlin fit un geste montrant une direction sur sa droite, et les cavaliers se remirent en route, évitant avec soin les autres collines. Ils virent bientôt se profiler à l'horizon ce qui semblait être une courte grille dressée sur le sol. A mesure qu'ils s'en approchaient elle prenait des dimensions considérables, et ils purent bientôt se rendre compte qu'il s'agissait d'un cercle de pierres levées, réunies à leurs sommets par des pierres horizontales.

— Sire, voici votre couronne, dit Merlin.

Arthur accéléra l'allure de son cheval et s'arrêta près d'une grande pierre. En se mettant debout sur sa selle et en levant le bras, il n'arrivait pas à la moitié de sa hauteur.

Il y avait bien là quatre cercles concentriques, comme les avait décrits Merlin. Les pierres du cercle intérieur étaient les plus hautes.

— Je ne sais pas où se tient la reine des Thuana, dit Merlin. Il va falloir la faire venir. Lancelot, sonne !...

Lancelot sut ce qu'il devait faire. Il tira son épée blanche, la prit dans sa main gauche et en frappa la lame avec celle de l'épée brisée. Ce fut comme si un marteau de mille livres avait frappé une immense cloche d'argent. Un son énorme et exquis roula sur la plaine, se répercuta jusqu'au soleil mou, fit trembler les rochers glacés et les pierres levées. Toutes les collines se retournèrent, découvrant des Thuana endormis qui restèrent cependant plongés dans le sommeil. Les chevaux affolés ruaient et dansaient. Les diamants de l'épée blanche lançaient des éclairs.

Le son s'éteignit, le silence épais se rétablit. Merlin, soucieux, regardait dans toutes les directions. La reine des Thuana Dé Danann ne se manifestait nulle part.

— Sonne encore !

Le second coup de cloche souleva la poussière de toute la plaine. Des avalanches de neige et de glace roulèrent des flancs du massif rocheux jusque dans la lave du fleuve, d'où s'élevèrent des geysers de flammes et de vapeur.

Les Thuana s'éveillèrent.

Les cavaliers les virent quand la poussière retomba. Ils s'étaient assis et ne bougeaient plus, leurs visages tournés vers les cercles de pierre. Leur immobilité et leur chair blanche leur donnaient l'apparence de statues de marbre. De longs cheveux incolores, embroussaillés, mêlés d'herbe, leur tombaient sur les épaules. Toutes les poitrines étaient plates. Apparemment, il n'y avait là que des hommes. L'un d'eux bâilla. Un à un, lentement, ils se recouchèrent et se rendormirent.

La Belle Géante ne s'était pas montrée.

— Laisse ton cheval, dit Merlin à Lancelot, va te placer seul au milieu du cercle central, et sonne encore !...

Le troisième coup de cloche ne fut plus d'argent, mais de bronze. Il ébranla la terre, monta vers le ciel pâle, qui le renvoya au centre des cercles de pierre d'où il rejaillit amplifié vers le ciel. Les os des chevaliers vibraient dans leur chair et leurs dents claquaient. Ils avaient mis pied à terre et pesaient de tout leur poids sur les brides pour maintenir leurs chevaux fous. Celui de Lancelot ne bougeait pas.

Au quatrième retour du son, le massif rocheux éclata.

Et les Thuana se levèrent.

A la place des rochers, comme une amande débarrassée de sa coquille, se dressait un palais de pierre bleue, aussi haut qu'une montagne et plus vaste qu'une ville. Une partie de la façade s'effondra, poussée de l'intérieur, et la reine des Thuana en sortit.

Elle était nue et tenait un enfant nu dans ses bras.

Elle enjamba le fleuve de lave, et cria :

— Qui a réveillé mon peuple ?

Sa voix fit presque autant de bruit que le bronze.

Les Thuana debout, immenses, s'étaient mis en mouvement vers les cercles de pierre, à grands pas lents qui soulevaient des nuages de poussière. En entendant la voix de leur reine ils s'arrêtèrent et la regardèrent. Elle approchait, rapide. Sa chair n'était pas blême comme celle des hommes, mais avait la couleur rose de la vie et de la santé. Ses seins étaient ronds, presque sphériques. Chacun d'eux eût pu contenir de quoi abreuver une armée. Sa tête était ronde, surmontée de cheveux pâles, presque blancs, coiffés en rond. La tête de l'enfant était ronde, ses fesses rondes. Les hanches rondes ondulaient à chaque pas, et toutes les autres rondeurs bougeaient, comme mises en mouvement les unes par les autres, et Merlin, qui connaissait la forme des sphères célestes, vit dans la Reine des Thuana l'image de la mère des mondes.

— Je comprends pourquoi on la nomme la Belle Géante ! dit Arthur. Mais si elle nous met le pied dessus, elle nous aplatira sans même nous avoir vus !...

Il cria :

— A l'abri ! Entre les pierres !...

— Est-ce toi, Merlin, qui as sonné ? demanda la géante.

— Ouiiiii !... hurla Merlin.

La Reine s'était arrêtée au ras des cercles de pierres, dont les plus hautes lui arrivaient aux chevilles. Elle se tourna vers les Thuana immobiles qui la regardaient et dit tendrement :

— Ce n'est rien, mes enfants... Allez dormir...

Ils se remirent à bouger. Très peu. Un, tout proche, se grattait le dos d'un long bras retourné, avec un bruit de cuir.

D'autres s'étiraient, leurs articulations craquaient. Ils s'agenouillaient sur place, s'asseyaient, s'allongeaient, s'endormaient. Une légère couche de vapeur transparente vibrait sur la plaine, avec une odeur de sueur.

— Où es-tu ? demanda la reine.

— Couche-toi ! Que je puisse te parler...

La géante se coucha, la tête près des pierres. Elle avait posé près d'elle son bébé, qui suçait son pouce, gros comme un tronc d'arbre. C'était un garçon...

Merlin, à cheval, s'approcha de l'oreille de la reine.

— Je suis venu avec le roi Arthur, dit-il dans le trou de l'oreille. Il a quelque chose à te demander.

— Où es-tu ? dit la Belle Géante.

Elle tourna la tête et le découvrit. Elle s'étonna :

— Comme tu es devenu petit !... Tout devient petit... Tu as remarqué ? Notre temple rond est devenu comme un jouet... Pour sortir de chez moi j'ai dû éventrer la façade, la porte était devenue toute petite...

— Non, dit Merlin, c'est toi qui as grandi ! Toi et ton peuple... Vous étiez grands, vous êtes devenus trop grands, impossibles ! Si vous continuez, un jour vous crèverez le plafond.

— Mon peuple aura disparu avant : je ne mets plus au monde que des mâles. Il n'y a plus de femmes sur notre sol... Je suis la dernière... Tu as vu mes fils comme ils sont beaux ?... Mais ils ne savent que dormir... Quelque chose s'est déréglé dans le monde et dans mon ventre depuis que nos dieux nous ont quittés. Nous ne les intéressions plus parce qu'ils aiment le sang versé, et ici nous n'avions personne à qui faire la guerre. Ils sont retournés sur la terre, celle d'en haut. Là-haut, ils ont de quoi se satisfaire... J'ai demandé à ton père de monter nous aider, mais nous ne l'intéressons pas non plus : il dit que nous n'avons pas d'âme...

— Mon père ment toujours, tu le sais bien...

— Ça n'a plus d'importance... Personne ne peut plus nous sauver... Pas même le Diable... Que désire le roi Arthur ? Comment quelqu'un peut-il avoir encore quelque chose à me demander ?

Arthur s'approcha, la salua et lui exposa sa requête.

— Ce machin ? Je te le donne bien volontiers. Il ne nous sert plus à rien. Prends-le et emporte-le...

— Nous ne pouvons pas l'emporter maintenant, dit Merlin. Ce n'est pas le jour qui convient. Je m'en occuperai plus tard... Ce qu'il nous fallait c'était ton accord...

— Je vous le donne... Attends ! Attends !...

Une idée venait tout à coup de la saisir, qui semblait la réjouir.

— Roi Arthur, je te donne ce que tu me demandes... En échange, m'accorderas-tu un service ?

— Tout ce que tu voudras, Belle Reine, si c'est dans la limite de mes forces et de mes pouvoirs, et ne viole pas les commandements de Dieu.

— Oh ! c'est très simple : emmène mon fils, mon dernier né, mon bébé !... Emmène-le sous ton soleil !...

Elle le prit dans l'herbe où il s'était endormi, le souleva au-dessus d'elle, l'embrassa, le cajola, le coucha entre ses seins.

— Au soleil d'en haut, il retrouvera toutes les qualités qui nous ont quittés, et quand il aura fait la preuve qu'il est capable d'engendrer des filles, tu me le renverras, et mon peuple sera sauvé !...

— Mais..., dit Arthur, volontiers, mais... Comment pourrait-il... Il est tellement... Il est gros !... Et comment l'emporter ?...

— Ne vous inquiétez pas, Sire, lui dit Merlin.

Puis, à la Reine :

— Quel âge a-t-il ?

— A peu près vingt années de votre soleil...

— Tout ira bien... Tout va s'arranger !... Il nous faudrait seulement un peu d'eau... De l'eau pure...

— Il y en a ici, dit la géante.

Elle étendit un bras et souleva une des pierres du cercle intérieur, celle qui pesait environ quarante mille livres, et dans le trou laissé par le pied de la pierre, l'eau claire d'une source monta.

— Parfait ! dit Merlin.

Il jubilait, il se frottait les mains, sa barbe rousse se hérissait de plaisir. Il dit à la géante :

— Pose ton bébé près de toi... Allonge-le... Sire, donnez-moi votre heaume...

Il descendit de cheval, alla remplir d'eau le heaume d'Arthur et le lui tendit.

— Baptisez l'enfant, dit-il, et donnez-lui un nom...

— Il s'appelle..., dit sa mère...

— Non ! cria Merlin. Ne nous dis pas son nom ! Le nom attache et fixe ! Il empêcherait ce qui va se produire... Il lui faut un nom d'en haut !... A vous, Sire !...

Arthur réfléchit quelques secondes puis dit d'une voix grave :

— Au nom de Dieu l'unique, de son fils Jésus qui

267

est Lui-même, et de l'Esprit-Saint, je te baptise Galehaut !

Et, soulevant son heaume à deux mains, il en projeta le contenu en direction du front du bébé gigantesque, qui le dominait. Cela ne fit guère pour l'enfant qu'une goutte, qui lui arriva en partie dans l'œil. Il se mit à hurler, mais se tut brusquement. Il se transformait, il rapetissait à toute vitesse, et en même temps il prenait les formes d'un adulte. En quelques secondes il fut réduit aux proportions normales d'un chrétien...

— Où est-il ? Qu'est-il devenu ? criait sa mère affolée.

A quatre pattes, elle le cherchait dans l'herbe.

— Ne bouge pas !... Tu vas l'écraser ! cria Merlin. Là !... Il est là... Devant toi !... Tu le vois ?

Elle s'extasia :

— Qu'il est beau !... C'est le plus beau de tous mes fils...

Elle le prit délicatement et le posa debout dans le creux de sa main. Il était en effet très beau, jeune et superbe athlète en pleine forme. Il regardait avec effarement cet énorme visage dressé devant lui, le visage de sa mère qu'il ne pouvait pas reconnaître à cause des proportions différentes qu'il avait prises, et il se mit à pleurer comme un enfant qui a peur.

— Ne t'inquiète pas, dit vivement Merlin à la géante... Il a gardé son esprit de bébé dans son corps d'adulte. Il ne reconnaît rien, tout a changé autour de lui, tout est nouveau, inconnu, effrayant... J'arrangerai cela quand nous serons là-haut. Ici je ne peux pas...

— Mais, mais..., dit la géante effarée, quand il reviendra, comment veux-tu qu'il puisse me faire un enfant ?

Merlin se mit à rire.

— Quand il reviendra, lave-le dans la source dont l'eau a servi à le baptiser, et il sera de nouveau un Thuana, avec la taille d'un Thuana...

La petite troupe se remit en route vers la nef noire. Lancelot avait pris devant lui, sur son cheval, l'enfant adulte qui continua de pleurer un peu, puis renifla et s'endormit, blotti contre le haubert du chevalier blanc.

Un homme sauvage était couché dans un fourré. Il dormait comme dort une bête : d'un sommeil vif, qui lui laissait toute son attention. L'œil dormait, mais l'oreille écoutait, et aussi ce qui n'est ni œil ni oreille, et qui réveille brusquement quand s'approche un danger silencieux.

Il serrait dans sa main droite la poignée d'une épée, un haubert rouillé couvrait sa poitrine, un heaume cabossé était posé à côté de sa tête, autour de laquelle se confondaient barbe et cheveux noirs emmêlés et salis.

C'était Perceval fou.

Après avoir semé la terreur autour de la Forêt Gastée, il avait perdu son cheval qui s'était cassé la jambe, et n'avait pas réussi à en conquérir un autre. Il était devenu une épave. Il n'y a rien de plus misérable qu'un chevalier sans cheval. Il est comme un homme ordinaire à qui on aurait tranché les jambes à hauteur du nombril. Il ne peut que se traîner, et il mourra rapidement si on ne vient à son secours.

Les paysans de ce coin de Bretagne éprouvaient pour lui une pitié mêlée de peur et lui apportaient des nourritures qu'ils laissaient à sa vue, sans s'approcher.

Il ne s'était jamais attaqué à eux. Il ne s'en était pris qu'à ses semblables, les hommes à quatre jambes de cheval, tuant tous ceux qu'il avait défiés. Mais dans sa déchéance il ne se séparait jamais de son épée, et parfois, en poussant des cris horribles, il pourfendait l'air autour de lui, combattant des meutes d'ennemis invisibles. Et les paysans préféraient se tenir hors de portée.

Ce fut l'un d'eux qui indiqua à Gauvain la retraite où Perceval aimait se réfugier pour la nuit, comme un sanglier solitaire. Au jour levant, Gauvain s'y rendit.

Perceval s'éveilla brusquement. Il avait entendu les pas du cheval, bien qu'il fût encore hors de vue. Il coiffa son heaume et, brandissant son épée, courut à l'assaut du cavalier qui arrivait. Il n'avait jamais employé la ruse, même lorsqu'il avait ses esprits. Il se lança à découvert en criant :

— Donne-moi ton cheval !... Donne-moi ton cheval !...

— Je t'en ai déjà donné un ! cria Gauvain. Perceval, ne me reconnais-tu pas ?

Mais Perceval, criant toujours la même phrase, courait vers lui, l'épée pointée, s'apprêtant, semblait-il, à éventrer ce cheval qu'il convoitait.

Gauvain, à qui le paysan avait conseillé de se méfier de la violence du fou, avait décroché sa lance, et il en frappa Perceval à la poitrine, pas assez fort pour lui faire mal, assez fort pour le renverser. Et, au moment où il se relevait, il le frappa du manche de la lance sur la tête. Perceval, assommé, perdit connaissance et s'écroula, sans lâcher son épée.

Gauvain, debout près de Perceval évanoui, le regar-

271

dait en se demandant ce qu'il allait bien pouvoir en faire. A son retour à la conscience il allait redevenir agressif...

« *Je ne peux pourtant pas le ramener fou à Camaalot... Et le ramener comment ? Enchaîné ? On n'enchaîne pas un chevalier. Il préfère qu'on le tue... Je ne peux pas tuer un chevalier de la Table Ronde !... Comment lui rendre sa raison ? Ah ! Merlin, j'aurais bien besoin de tes conseils !...* »

— Naturellement ! dit Merlin.

Gauvain releva la tête. Merlin était debout en face de lui, de l'autre côté de Perceval étendu dans l'herbe.

— Merlin ! Tu es vraiment le bienvenu !... Mais quelle drôle de barbe t'a poussé au menton !...

Merlin se mit à rire.

— C'est que je suis en Irlande : tu me vois irlandais !... Pour Perceval, attache-le assis contre cet arbre. Sans lui faire l'injure de lui ôter son épée. Mais attache-lui bien les bras, faute de quoi il te tuera avant d'avoir pris le temps de te reconnaître. Et assieds-toi devant lui, de façon qu'il puisse bien te voir, à sa hauteur, au moment où il rouvrira les yeux. Quand il t'aura vu ne lui *demande* pas s'il te reconnaît, *affirme*-lui : « Je suis Gauvain. *Tu me reconnais.* » Il te reconnaîtra et il sera guéri. Alors tu l'emmèneras sans tarder à l'endroit où j'ai besoin de toi, et de lui.

— Où ?

Mais Merlin était parti.

Tout se passa comme l'Enchanteur l'avait dit. La première chose dont s'aperçut Perceval quand il eut retrouvé raison, ce fut qu'il puait... Ils allèrent tous les deux se baigner et se laver à la rivière, se frotter, se gratter avec du sable et de l'herbe et se baigner et se frotter encore, et quand ils eurent la peau bien vive et fumante et qu'ils se furent rhabillés, la nef blanche était là, sur l'eau, les attendant. Gauvain fut heureux de la revoir. Ils y montèrent tous les deux. Il y avait à bord un cheval et un écu pour Perceval. Gauvain aurait bien voulu revoir l'épée brisée, mais ni lui ni Perceval ne purent trouver une porte pour entrer dans le pavillon. Quand ils en eurent fait trois fois le tour, la nef arrivait en Irlande, et s'arrêtait à quelques brasses du rivage, devant une montagne surmontée d'un cairn.

La montagne s'ouvrit en faisant craquer ses vieux os, la nef noire en sortit et vint se ranger près de la nef blanche. Le premier qui monta à bord de celle-ci fut, à la grande stupéfaction de Gauvain, un chevalier blanc qu'il ne connaissait pas, portant dans ses bras un homme nu, endormi, qui suçait son pouce.

Merlin laissa Lancelot, Perceval et Gauvain dans le château au bord de la rivière où il avait enseigné Perceval, avec mission d'entraîner Galehaut pour en faire un bon chevalier. Arthur leur donna rendez-vous à tous à Camaalot pour le tournoi de sa prochaine cour qu'il tiendrait le Jour de la Mère de Jésus. Galehaut pourrait y faire ses preuves.

L'Enchanteur, à la lumière du soleil du dessus, avait pu emplir le cerveau de Galehaut des connaissances ordinaires d'un adulte terrestre de vingt ans, ce qui n'était pas possible sous le soleil jaune du dessous. Il manquait au fils de la Belle Géante l'habitude des armes et du cheval, mais il eut comme professeurs les trois meilleurs chevaliers de Bretagne qui ne lui laissèrent aucun répit. Et comme il était neuf, et que tout se passait dans l'amitié et les rires, entre les chutes et les coups, il apprit vite et bien.

Perceval n'avait gardé aucune trace de sa plongée dans la folie, et la chaude camaraderie des autres chevaliers l'empêchait de se replonger dans le double chagrin et le double remords qui en avaient été les causes.

Lancelot, pendant toute cette aventure, n'avait pas cessé de penser à Guenièvre, mais son souvenir, s'il restait lumineux, s'estompait cependant peu à peu, et il souffrait de moins en moins de son éloignement. Et Viviane et le lac étaient au fond de sa mémoire comme un merveilleux paysage dont il trouvait normal d'être séparé. On ne peut pas rester éternellement au pays de l'enfance.

Quant à Galehaut, passé en même temps du pays du dessous au pays du dessus, et de l'âge de nourrisson à celui qui termine l'adolescence, il avait été d'abord effaré, décontenancé, émerveillé, effrayé, et puis avait trouvé, très vite, un équilibre joyeux.

Il était nettement plus grand que ses trois amis, et il avait gardé de sa race une force énorme, une peau rose craignant le soleil, des cheveux blonds presque blancs et des yeux bleus très clairs dans lesquels la pupille noire parfois, brusquement, devenait rouge.

Il avait gardé le souvenir d'un visage très rond et très doux, qui était celui de sa mère, et aussi l'image du sein dont il s'approchait, aussi rond et plus doux encore, et qui lui donnait nourriture, sécurité et bonheur. Les années d'enfance effacent habituellement ces souvenirs, mais il n'avait pas eu à les traverser. L'évocation de sa mère l'emplissait de nostalgie et d'amour, et faisait naître en lui la certitude qu'il avait une obligation envers elle, une mission à accomplir dont elle l'avait chargé. Mais son esprit ne parvenait pas à préciser en quoi consistait cette mission.

Bénigne au coin de son feu grossissait. Ses jambes et ses bras restaient presque maigres mais son ventre s'arrondissait vers le haut, vers le bas et les côtés, car depuis la mort de Bénie elle ne bougeait pratiquement plus. Elle n'avait plus à aller à la forêt pour chercher des fagots : il lui suffisait de tourner le robinet pour avoir du feu. Elle n'avait plus à piocher la terre de son jardin pour y semer poireaux et carottes : elle se nourrissait en tirant des boîtes de son placard inépuisable. Elle ouvrait une boîte, mangeait, s'asseyait, sommeillait, digérait, ouvrait une autre boîte et remangeait, sans se soucier de l'heure ni de sa faim. Manger et dormir étaient les seules occupations dont elle disposait pour meubler sa solitude.

Elle jetait les boîtes vides devant sa porte, d'abord loin, puis de moins en moins loin à mesure que ses forces déclinaient. Il y en eut à la fin un grand tas de chaque côté d'un étroit passage qu'elle avait préservé pour aller chercher de l'eau au puits ou faire dans le sable, derrière la dune, ses besoins naturels.

Les paysans furent d'abord effrayés par ces objets brillants et colorés extraordinaires. Les hommes passaient rapidement, sans chercher à savoir, mais chez

les femmes la curiosité devenait dévorante. Et tout le
monde sait que les femmes sont plus courageuses que
les hommes. Une vieille, toute desséchée, qui n'avait
plus grand-chose à craindre, ramassa une boîte vide de
cassoulet, la soupesa, la huma, regarda l'image qui lui
fit venir la salive à la bouche, et, hardiment, franchit le
passage emboîté et entra chez Bénigne. Elle voulait
savoir, dût-elle en périr.

— Quoi c'est-y Bénigne, ces saletés de saloperies
que tu jettes devant chez toi ? A quoi ça sert-y ? D'où
qu'c'est-y qu'tu les sors-t'y ?

— Ouf ! dit Bénigne, que je suis donc lasse ! Viens
donc voir...

Elle se leva à grand-peine de sa chaise de bois,
ouvrit son placard, y prit une boîte de pêches, ouvrit la
boîte, trempa deux doigts dans le sirop, les ressortit
gluants, pincés sur une moitié de fruit qu'elle tendit à
la vieille :

— Tiens, goûte donc ! N'aie donc pas peur, ça vient
pas du Diable, c'est de l'Enchanteur !...

La vieille goûta, trouva que c'était vraiment bon, en
redemanda, elles ouvrirent et mangèrent du ragoût de
mouton, de la crème au chocolat, de la choucroute, du
couscous, du lait condensé, des haricots verts, miam-
miam, jamais la vieille n'avait été à pareille fête, de
toute sa pauvre vie. Elle retourna au village aussi vite
qu'elle put, en tenant son estomac à deux mains. Elle
raconta ce qu'elle avait vu, ce qu'elle avait mangé, et
ce que la Bénigne lui avait raconté, et le soir, quand
tous les hommes furent revenus des champs ou de la
pêche, il y eut sur la place une réunion générale, à
laquelle participa le curé, un très très vieux curé qui
s'appelait Blaise. Ce fut lui qui appela Merlin.

Celui-ci arriva en son apparence de bûcheron, sur sa mule, avec son fagot.

— Merlin, dit le curé, je sais mieux que personne qui tu es : c'est moi qui ai confessé ta mère quand il lui est arrivé son grand événement. Sais-tu au moins où elle est, maintenant, ta pauvre mère ?

— Ma sainte mère est au Paradis, dit Merlin.

— Ah ! je n'en savais pas si long... Je la croyais encore au couvent... Et je craignais que tu l'aies oubliée...

— Je n'oublie rien ni personne, dit Merlin.

— C'est possible, c'est possible, mais ça ne t'empêche pas de faire des bêtises... Tu n'as pas voulu faire du mal à cette pauvre Bénie, ni à Bénigne, n'empêche qu'en voulant leur faire plaisir tu as causé leur malheur. Et maintenant c'est tous mes villageois qui sont malheureux... Ils sont si maigres ! Et ils pensent au ventre de Bénigne... Ils ont tant de peine à attraper un poisson ou une fève ! Et ils sont tous plongés maintenant dans le pire des péchés : l'envie ! C'est ta faute ! Tu réfléchis pas à ce que tu fais ! Faut réfléchir un peu ! Faut réfléchir avant de faire le bien ! Faut être sûr que c'est un bon bien ! Maintenant écoute : tu vas réparer. Tu vas fermer le placard de Bénigne ! Et mes villageois perdront l'envie, et Bénigne perdra son ventre parce qu'elle devra recommencer à piocher son jardin !

Sur la place s'éleva une tempête de protestations. Ce n'était pas cela qu'on voulait demander à l'Enchanteur ! Ce n'était pas pour ça qu'on l'avait fait venir ! Ce qu'on voulait, c'était des boîtes, comme la Bénigne, des belles jolies bonnes boîtes en couleurs, avec des bonnes choses dedans et du jus...

278

Merlin souriait.

— Curé Blaise, toi qui m'as baptisé, dit-il, tu dois savoir que le bien, le mal, c'est difficile... Le bien qu'on fait devient parfois du mal, mais le bien qu'on reçoit, sait-on l'empêcher de mal tourner ? Et tu dois savoir aussi que tes paroissiens, s'ils ont envie, c'est parce que d'abord ils ont faim... Alors je leur demande : « Qu'est-ce que vous voulez : que je ferme le placard, ou que je vous donne à manger ? »

Toutes les voix crièrent :

— Des boîtes ! Des boîtes !

— Voilà, c'est fait..., dit Merlin.

Une lumière nouvelle éclairait la place. Tout le monde se retourna pour voir d'où elle venait. C'était la vieille masure de Joël, à demi écroulée depuis qu'il était mort, qui se trouvait reconstruite et transformée. Son mur du devant était remplacé par une grande vitre toute transparente qui laissait voir à l'intérieur, contre les murs, des rangées de casiers pleins de boîtes, de boîtes, de boîtes... Et, près de la porte, une pile de paniers en fil de fer, pour se servir et emporter. Tout l'intérieur était éclairé par une grande lumière qui venait du plafond, et qui traversait la vitre et inondait la place.

Il n'y avait déjà plus personne près de Merlin et du curé Blaise. Les premiers arrivés « chez Joël » repartaient avec chacun deux paniers pleins. Et les suivants appelèrent leurs enfants à la rescousse pour pouvoir en emporter trois ou quatre.

— Seigneur ! dit le curé, ils vont tous se rendre malades !...

— Ils se calmeront, dit Merlin, quand ils verront que les casiers restent pleins et qu'ils ne risquent pas de manquer... En attendant, les voilà délivrés du péché d'envie, parce qu'ils sont délivrés de la faim.

Le curé l'interrompit :

— As-tu pensé à la boisson ? demanda-t-il. Quelques gorgées de cidre, ce n'est pas si mauvais... Est-ce que le cidre peut entrer dans une boîte ?

— C'est fait, dit Merlin.

— Je veux voir ça ! dit le curé.

Et il se dirigea vers la maison de Joël.

— Fais attention en l'ouvrant, cria Merlin, de ne pas te faire gicler la mousse dans les yeux !

— Le bien, le mal !... dit le curé en entrant dans la lumière.

Avant de repartir, l'Enchanteur alla saluer la Bénigne, et disposa d'un geste toutes les boîtes vides en guirlandes autour de sa maison et de son jardin, sur le bord de la fenêtre et du toit et autour de la porte, et fit pousser dans chacune une plante fleurie.

Le tournoi du Jour de la Mère de Jésus promettait .d'être un des plus brillants qu'ait connus Camaalot. De nombreux chevaliers de la Table Ronde étaient de retour de leur quête infructueuse. Ils avaient connu des aventures, mais pas l'Aventure. La veille du tournoi, au dernier service du souper, ils racontèrent leurs combats, qui avaient souvent été sanglants. Ceux qui n'étaient pas présents, on avait peu de chance de les revoir jamais.

Lancelot était assis aux tables basses. A son côté droit se trouvait Galehaut qui, même assis, dépassait tous les autres convives de la tête. Le fils de la Belle Géante mangeait avec un appétit superbe, parlait et riait, s'essuyait la bouche et les doigts avec la serviette de lin, et s'exclamait à l'arrivée des nouveaux desserts. Lancelot n'entendait pas un mot de ce qu'il disait, n'entendait rien, ne voyait rien que la reine, assise à la plus haute table avec le roi, et que le bonheur d'avoir revu Lancelot rendait plus rayonnante que jamais. Il ne la quittait pas du regard, elle le regardait furtivement, puis détournait aussitôt les yeux de crainte de montrer son émotion.

— Lancelot, mon ami, dit le roi, toi que j'aime déjà

comme un fils, tu n'es pas encore de la Table Ronde, peut-être en seras-tu demain, mais l'aventure que tu as vécue en Irlande avec nous est déjà très extraordinaire... Veux-tu nous la raconter?

Lancelot se leva. Il regarda le roi, mais en même temps il voyait la reine, et son image emplissait sa tête et il n'y restait plus rien qu'il pût raconter.

— Eh bien, dit le roi, est-ce si difficile?

— Sire, je ne puis, dit Lancelot.

La reine sentait tout le sang de son corps monter à ses joues. Elle prit quelques fleurs sur la table et s'en cacha le visage en feignant de les respirer. Entre les pétales elle regardait Lancelot debout dans sa robe d'hermine, ses cheveux de soie couvrant ses joues, ses grands yeux gris pâle essayant de la voir derrière le bouquet...

— Ce garçon, dit-elle en balbutiant à Arthur, ce garçon semble avoir perdu ses esprits!...

— Par bonheur pour lui, il a plus de courage dans l'aventure, dit Arthur. On verra demain au tournoi ce qu'il vaut vraiment.

Il ajouta à haute voix :

— Alors Kou, mon frère, toi, raconte...

Kou ne se fit pas prier. C'était un bon conteur. Tous l'écoutaient et le regardaient, sauf Lancelot qui continuait de ne regarder que la reine. Bien entendu, son comportement depuis le début du souper n'avait pas échappé à Galehaut, qui lui dit avec malice :

— La reine est très belle! Tu ne trouves pas?

— Oui! dit naïvement Lancelot.

— Elle est presque aussi belle que ma mère...

— Elle est bien plus belle! dit Lancelot.

— Non! c'est ma mère la plus belle!...

282

— Demain, au tournoi, je te montrerai que tu as menti !

— D'accord ! dit Galehaut, souriant.

Il était heureux de ce défi, qu'il avait provoqué. Il aimait beaucoup Lancelot, sans savoir pourquoi. Il ignorait que le chevalier blanc le tenait dans ses bras quand il était sorti dans le monde d'en haut et que cela avait créé entre eux presque des liens de père à fils, bien que Lancelot fût plus jeune que lui dans le temps du dessus. Demain, il y aurait une belle lutte...

Kou en était à l'arrivée de la Belle Géante, et, pour faire rire ses auditeurs, la décrivait avec des gestes, arrondissant ses bras devant sa poitrine pour simuler ses seins abondants.

Un rugissement éclata à côté de Lancelot. Galehaut s'était dressé. Il cria :

— Kou ! Chien sans honneur ! La femme dont tu es en train de parler est ma mère !

Il sauta par-dessus la table, courut vers le sénéchal, lui ferma ses grandes mains autour du cou et commença à l'étrangler en le tirant en l'air pour l'arracher à son siège.

Les chevaliers les plus proches se jetèrent sur lui mais eurent beaucoup de peine à délivrer Kou.

Maintenu par Gauvain, Sagremor, Yvain le Gros et Perceval, Galehaut haletait et tremblait comme une bête prise au filet.

— Galehaut, dit le roi, Kou te présentera ses excuses, je l'exige, mais il n'a pas voulu offenser ta mère ni ton peuple. Il a été emporté dans son propos par ce qu'il y avait de prodigieux pour des hommes comme nous à se trouver dans ton pays, parmi tes frères. Et si tu lui en veux toujours, tu pourras le lui montrer demain au tournoi...

Kou présenta ses excuses, sans hésiter. Il avait eu tort et il le savait.

— Mais je ne pourrai pas me battre contre toi, dit-il : tu n'es pas chevalier !

Alors la voix de Lancelot s'éleva :

— Il le sera demain, dit-il. C'est moi qui l'adouberai ! Si le roi le permet...

Il y eut une grande rumeur dans la salle. Il n'était pas d'usage qu'un simple chevalier fît un autre chevalier. C'était le roi, ou un seigneur, ou à la rigueur l'évêque, qui donnait la chevalerie. Parfois aussi un père, chevalier lui-même, la donnait à son fils. Mais dans des circonstances exceptionnelles, un simple chevalier pouvait faire l'office.

— Je permets ! dit le roi.

Il était ravi. Ces incidents avaient chauffé l'atmosphère. L'ardeur du tournoi en profiterait.

C'était le milieu du mois d'août. Il faisait très chaud. Les chevaux impatients, piaffants, transpiraient sous leurs robes de gala, et les cavaliers transpiraient sous les armes. Lancelot n'avait mis qu'une fine chemise de lin sous son haubert. Galehaut, pour protéger son visage du soleil, avait, sur les conseils de son écuyer, planté dans son heaume des rameaux de noyer, dont l'ombre est fraîche. Ses armes, de la couleur du soleil d'en bas, étaient celles avec lesquelles il s'était entraîné au château près de la rivière. L'Enchanteur lui avait, dès le début, procuré un haubert à sa taille et un cheval poivre et sel capable de galoper, avec lui sur le dos, sans se casser en deux.

Cinquante-deux chevaliers allaient participer au tournoi. Ils se divisèrent en deux camps, chacun choisissant le sien selon ses amitiés. Lancelot, Perceval et Gauvain se trouvaient ensemble, mais leur ami Galehaut avait dû choisir le camp adverse à cause de son défi à Lancelot. Et à cause de son défi à Galehaut, Kou se trouvait avec eux.

Les hommes et les chevaux des deux groupes, réunis aux deux extrémités de la lice, bougeaient sans cesse, exposant ou éclipsant les couleurs vives dont ils étaient vêtus, flamboyantes sous le soleil. La tribune du roi était encore vide. Lancelot put, sans être troublé par la présence de la reine, vérifier avec soin les fixations de son harnais et de ses armes et choisir ses lances. Pour commencer, il en prit une longue, ne sachant pas qui il allait affronter. Son cheval blanc portait la robe blanche avec laquelle il était arrivé la première fois à Camaalot.

Son écuyer fixa à son heaume l'écharpe de la reine. Chaque chevalier portait ainsi les couleurs d'une dame. Elles ajoutaient au flamboiement des deux camps. Le soleil était haut : il cuisait tout le monde, mais ne gênerait personne.

Arthur et Guenièvre arrivèrent et s'assirent dans leur loge. La loge des dames s'emplit. Et on vit tout à coup un grand chevalier jaune d'œuf emplumé de feuilles, monté sur un énorme cheval gris portant robe rayée de jaune et de rose, arriver au galop vers les loges et s'arrêter pile devant celle des dames.

— Dame, dit-il. s'adressant à une de celles qui étaient assises au premier rang, je suis Galehaut, fils de la reine des Iles lointaines, et chevalier depuis ce matin. Si vous n'avez pas de chevalier choisi, voulez-vous m'accorder d'être le vôtre ?

C'était la Dame de Malehaut, une des suivantes de la Reine. Son mari n'était pas revenu de la Quête. On ne savait s'il était mort ou vivant. Elle était grande, forte, rose et blonde. Galehaut avait vu de loin qu'elle lui ressemblait comme une cousine. Ils s'accordèrent au premier regard. Elle lui dit en souriant :

— Soyez mon chevalier !...

Et lui tendit son écharpe, qui était rose.

286

Il la porta à ses lèvres et s'en retourna à son camp au galop en la faisant flotter à bout de bras.

Les règles du tournoi étaient simples. Première règle : se battre avec honneur. Deuxième règle : défense aux chevaliers de la Table Ronde de s'entre-tuer.

Le roi fit sonner les trompes de guerre. Au premier son des trompes, tous les chevaliers montèrent en selle et mirent lance sur feutre. Au second son des trompes, les deux camps s'élancèrent l'un contre l'autre, lances basses et écus dressés, dans le fracas des sabots et l'explosion des couleurs.

Il y eut un choc crépitant fait de la rencontre des lances et des écus. Des fragments de lances volèrent au-dessus de la mêlée, d'où sortaient déjà les vain-queurs emportés par leur élan. Un certain nombre de chevaliers gisaient à terre, le dos dans l'herbe, mais presque tous remontèrent sur leurs chevaux. Un seul s'avoua vaincu : il avait une jambe brisée. Un autre était mort, une lance rompue lui ayant pénétré dans la bouche et ouvert le derrière de la tête.

Le signal du deuxième assaut fut également donné par les trompes de guerre puis la joute se poursuivit à la volonté des chevaliers. Le poids de Galehaut et de son cheval le rendaient impossible à jeter bas, du moins le croyait-il après avoir abattu Kou et d'autres adversaires. De son côté, Gauvain, qui disposait de ses trois forces du milieu du jour, renversait tous ceux qui osaient l'affronter. Mais ni l'un ni l'autre, ni Perceval, n'avait remporté autant de victoires que Lancelot. A cheval, au sol, à la lance, à l'épée, le chevalier blanc était partout et ne laissait derrière lui qu'hommes vaincus et désarmés. Il évitait Galehaut et Galehaut l'évitait. L'un et l'autre attendaient pour se rencontrer que le champ fût bien déblayé. Lancelot avait reçu plusieurs blessures et le sang coulait à travers les mailles blanches de son haubert. Mais son visage rayonnait. Toutes ces victoires, il les dédiait à la reine qu'il ne voulait pas regarder, de peur de rester figé au milieu de la lice. Le champ était d'herbe rase et épaisse, entretenue toute l'année par des jardiniers plus soigneux que des brodeuses. Sur ce fond vert, les couleurs des armes et des robes des chevaux s'affrontaient et tournoyaient aux feux du soleil en une fête éblouissante que Lancelot traversait comme un éclair blanc.

Guenièvre n'avait de regards que pour lui, et tremblait à voir son haubert saignant.

— Le chevalier blanc est blessé, dit-elle à Arthur. Il devrait s'arrêter !...

— La plupart sont blessés, dit le roi souriant. Mais sur lui cela se voit davantage... Ce n'est pas grave...

En face des tribunes, de l'autre côté de la lice, se pressait la foule des boutiquiers et artisans de la ville, et des paysans dont certains avaient fait avec leur famille deux ou trois jours de voyage en charrette pour venir voir le grand tournoi du roi et participer à la fête qui suivrait. Et Lancelot devint rapidement le favori de cette foule, qui admirait son adresse autant que sa force, et l'acclamait à chaque victoire.

Revenant une fois de plus victorieux d'un nouvel assaut, Lancelot vit Perceval faire signe à Galehaut qu'il voulait le prendre. Il lui cria :

— Laisse-le-moi ! Il est à moi !

Perceval s'écarta, mais Galehaut s'était déjà élancé. Il passa comme une trombe à côté du Gallois et percuta de flanc, par l'arrière, le cheval de Gauvain qui regagnait son camp. Gauvain, déséquilibré, fut jeté à terre. Il se releva furieux et sortit son épée, la brandissant vers Galehaut qui s'excusait.

Lancelot riait. Il cria :

— Laisse-le-moi ! Laisse-le-moi ! Il est à moi !...

— Tu le prendras s'il en reste ! cria Gauvain.

Il rengaina son épée, sauta sur son cheval, saisit la lance que lui tendait son écuyer, et fit face à Galehaut qui avait repris ses distances.

Gauvain était lourd et son cheval puissant, mais Galehaut et sa monture faisaient bien deux cents livres de plus.

Ils s'élancèrent et se rencontrèrent au milieu de la lice. Le choc fut terrible. Les deux hommes restèrent en selle sur leurs chevaux bloqués net, mais la lance de Gauvain s'était rompue et son écu fracassé laissa passer la lance de Galehaut dont les trois pointes émoussées percutèrent son haubert et brisèrent des os dans sa poitrine. Du sang lui emplit la bouche. Il le cracha en lançant des injures à Galehaut. Puis il lui sourit, reconnut sa défaite et sortit de la lice pour aller se faire soigner.

— A moi Galehaut ! cria Lancelot.

Le chevalier blanc était devenu le chevalier rouge. Il aurait dû s'habiller plus épais sous ses mailles, mais il avait compté ne pas prendre de coups. Et il n'en avait pas pris de vraiment sérieux.

Le silence se fit sur la lice. Les autres chevaliers interrompirent leurs joutes, pour voir la rencontre qui était sans doute celle des deux meilleurs. Le résultat ne faisait guère de doute : Lancelot était beaucoup plus léger que Gauvain, et Gauvain n'avait pas résisté au poids de Galehaut.

— Le chevalier blanc porte vos couleurs, dit Arthur à Guenièvre. Je fais des vœux pour lui, mais il a peu de chances...

Il ajouta après un court silence :

— Ils ne sont ni l'un ni l'autre de la Table Ronde : ils ont le droit de tuer...

Le cœur de Guenièvre s'arrêta de battre, puis repartit à une allure folle.

Ils s'élancèrent. Au milieu de sa course, Lancelot jeta sa lance et tira son épée.

— Ah ! dit Arthur, qui frappa des mains de plaisir.

C'était une belle audace. Mais dangereuse.

Les dames avaient poussé des cris d'effroi et le public une grande exclamation collective. Comment le chevalier blanc allait-il éviter d'être catapulté par la lance du géant ?

Presque au moment du choc, Lancelot se coucha brusquement sur son cheval et se couvrit de son écu, sur lequel la lance de Galehaut rebondit, et fut rejetée vers le haut. Lancelot s'était déjà redressé, et d'un coup d'épée fulgurant, tranchait la lance en deux et les rênes au ras du poignet gauche de Galehaut. Celui-ci jeta le tronçon de la lance et tira son épée. Mais sa connaissance des armes était trop courte. Lancelot parait tous ses coups et tous les siens portaient. Ils ne provoquaient aucune blessure : ils visaient les harnais, les courroies, les cordes, tranchant comme un rasoir tout ce qui maintenait la selle, et celle-ci, à un brusque et vain coup d'épée de Galehaut, suivit son élan et tourna brusquement. Galehaut se retrouva dans l'herbe, son épée à trois pas de lui, le pied de Lancelot sur la poitrine et la pointe de l'épée blanche lui piquant le cou.

— Maintenant, dit Lancelot, avoue que tu as menti, et que c'est la reine Guenièvre qui est la dame la plus belle !...

— Ami, dit Galehaut, coupe-moi la gorge si tu veux, mais je ne renierai pas ce que j'ai dit... La plus belle, c'est ma mère !...

— Eh bien, dit Lancelot, il va falloir que je te tue. Je le regrette...

— Ne soyez pas stupides ! dit la voix de Merlin dans la tête de l'un et de l'autre . Vous avez raison tous les deux. Vous pouvez admettre, sans nuire à votre amitié, que la reine Guenièvre est la dame la plus belle des royaumes du haut, et la mère de Galehaut la plus belle des royaumes du bas...

Ils éclatèrent de rire ensemble, Lancelot rengaina son épée, Galehaut se releva et ils s'étreignirent, aux acclamations de la foule, qui se désintéressa de la fin du tournoi et se dispersa dans le grand champ des fêtes pour se livrer aux jeux moins héroïques et aux danses qui avaient été prévus pour elle, et pour manger les crêpes, les saucisses, les jambons, les moutons rôtis, les tartines, les gratins, les œufs grillés, les fromages, les fruits frais et séchés, et les grandes soupes de fèves et de potiron, et bien d'autres nourritures que la reine avait fait préparer en abondance afin qu'il y en eût pour chacun, et qu'accompagnait pour chaque famille une bourse pleine, cadeau du roi.

Au château et dans d'autres domiciles, les dames et les demoiselles baignèrent les chevaliers fourbus et pansèrent leurs blessures, puis les vêtirent de robes somptueuses offertes par le roi.

Guenièvre vint elle-même toucher du bout des

doigts l'eau parfumée dans laquelle trempaient les plus valeureux, Perceval, Sagremor, Galehaut, et arriva au cuveau où baignait Lancelot. Il était de bois de châtaignier gravé d'animaux et de fleurs et garni de draps de soie blanche. L'eau parfumée au lys qui cicatrise et à la sauge qui guérit, en était rosie par le sang.

— Oh, doux ami, dit la reine, êtes-vous sérieusement blessé ?

Sa voix tremblait. Lancelot, ses grands yeux clairs fixés sur elle, était incapable de répondre. La dame de Malehaut, qui s'occupait de lui, répondit à sa place, en souriant :

— Il n'a rien de grave, au moins dans sa chair...

Et elle s'en fut s'occuper de Galehaut, qui trempait à quelques pas de là. La salle était pleine des vapeurs qui montaient des baquets et des chaudrons d'eau chaude qu'apportaient deux à deux les servantes pour réchauffer les bains. Aux parfums de ceux-ci s'ajoutaient ceux de l'herbe, de la menthe et de la marjolaine répandues sur le sol.

— Qu'a voulu dire Malehaut ? demanda la reine. Etes-vous blessé ailleurs que dans votre chair ?

— Dame, je le suis, répondit Lancelot à grand effort. Je le suis dans mon cœur...

Elle demanda encore, bien que connaissant la réponse :

— Doux ami, qui vous a blessé au cœur ?

— Dame, c'est vous, dit Lancelot.

Et ils ne purent plus rien dire. Ils se regardaient, les vapeurs parfumées tournaient lentement autour d'eux, les isolant du reste du monde. Guenièvre trempa deux doigts dans l'eau du bain et les posa sur l'épaule nue de Lancelot. Il sentit les doigts brûlants, elle sentit l'épaule chaude et ferme, ils furent l'un et l'autre transpercés jusqu'au fond de leur être.

Le moment était venu de tenir la Table Ronde. Gauvain put y assister, son torse puissant enveloppé, sous sa robe de soie écarlate, d'une large étoffe de lin bien serrée. Mais le barbier du roi, qui l'avait pansé, lui interdisait de parler. Ce fut Kou qui posa la question à propos de Galehaut : pouvait-on l'admettre à la Table Ronde ?

— Non, répondit le roi. Quelles que soient sa vaillance et ses qualités, Galehaut ne fait pas partie de notre monde. Il est chevalier de la terre d'en bas. Il ne serait pas naturel qu'il prît part à la Quête du Graal, qui concerne la terre d'en haut.

Puis, s'adressant à Lancelot :

— Toi, beau jouteur, tu dois t'asseoir aujourd'hui à la Table. Ton nom n'est apparu sur aucun des sièges vacants, mais cela est dû sans doute au fait que nous ne connaissons pas ton nom baptisé, et que tu l'ignores toi-même...

— A moins, dit Sagremor, que sa place soit au Siège Périlleux. Il a bien montré aujourd'hui qu'il était le meilleur de nous tous !...

— Oui, dit le roi, et peut-être est-il celui que nous

attendons pour que la Quête prenne enfin son grand élan...

Puis à Lancelot :

— Beau chevalier, veux-tu essayer le péril du Siège ? Si c'est toi qu'il attend, tout va enfin commencer. Si ce n'est toi, tu seras englouti dans les profondeurs de la terre...

Lancelot, sans répondre, se dirigea lentement vers le siège taillé dans un bois inconnu. Son regard était perdu et sa pensée à demi absente. Il sentait encore, sur son épaule gauche, la brûlure des doigts de la reine, qui le transperçaient jusque dans la chair et le sang de sa poitrine. Etre englouti par les profondeurs de la terre, n'était-ce pas la bonne façon de mettre fin à un amour impossible ?

Il s'arrêta au ras du siège jaune et le regarda. Le roi et les chevaliers se taisaient et se retenaient de respirer. Qu'allait-il faire ? Allait-il s'asseoir ?

Brusquement, il y eut un bruit comme un coup de tonnerre, et le Siège Périlleux devint aussi brillant que le soleil. Il reprit lentement son apparence habituelle et quand les yeux purent de nouveau le regarder, chacun vit que les lettres qui étaient inscrites sur son dossier avaient disparu et que d'autres les remplaçaient, brillantes et palpitantes à la façon de l'or fondu. Elles formaient un nom :

GALAAD

Le roi lut le nom pour ceux qui ne savaient pas les lettres.

— Galaad !... Est-ce ton vrai nom, Lancelot ? Se rappelle-t-il à ta mémoire ?

— Sire, je ne sais, dit Lancelot.

Il semblait avoir retrouvé ses esprits. Et, sans hésiter, il s'assit à côté du Siège Périlleux, sur un siège vacant qui ne portait aucun nom.

L'émotion était vive parmi les chevaliers, qui s'exclamaient sur ce qu'ils venaient de voir, les uns assis, les autres debout. Gauvain, calé dans son siège, n'osait dire mot. Il était violet et sa respiration sifflait.

Le roi se fit entendre et chacun se tut.

— Galaad : je ne connais personne qui porte ce nom, dit Arthur. Mais son apparition sur le Siège Périlleux nous dit peut-être que les temps sont proches où les mystères seront enfin levés. Il est devenu de tradition que chaque réunion de la Table Ronde soit précédée d'une aventure. Le nom de Galaad est l'aventure d'aujourd'hui. Chacun peut maintenant s'asseoir en son siège, et les portes seront fermées.

Mais l'aventure n'était pas terminée. Du dehors arrivait le bruit des sabots ferrés de chevaux au pas, accompagnés de cris d'admiration et de joie de la foule. Et à travers les trois portes ouvertes Arthur vit arriver deux jouvenceaux superbement vêtus montés sur des chevaux en robes de gloire, suivis d'une dame éblouissante de jeunesse et de beauté, toute vêtue de blanc comme la jument qu'elle montait, et que suivaient dans l'air des oiseaux volant et chantant, et à terre deux lévriers blancs. Derrière chevauchait toute une escorte, qui s'arrêta à la deuxième porte.

Les deux garçons franchirent la troisième porte, au seuil de laquelle la dame s'arrêta. Elle s'adressa au roi.

— Roi Arthur, dit-elle, ces deux-là ont le droit d'entrer ici à cheval car ils sont fils de roi, d'un roi que tu aimas entre tous : Bohor de Gannes, ton compagnon. Je les ai sauvés des mains du roi noir, je les ai fait éduquer par les meilleurs maîtres, et je te les amène pour que tu leur rendes leur royaume.

Arthur, bouleversé, s'était dressé et venait vers les garçons et celle qui les accompagnait. Tous les trois avaient mis pied à terre et les écuyers vinrent chercher les chevaux. Les autres chevaliers entouraient le groupe, pleins de curiosité et d'émotion. Gauvain, qui avait tant aimé Bohor, voulut se lever de son siège et se pâma. Lancelot restait assis, partagé entre l'envie folle d'aller se jeter dans les bras de Viviane et la crainte de trahir les secrets qu'elle lui avait demandé de ne pas dévoiler.

Ce fut elle qui vint vers lui, écartant doucement tout le monde tandis que le roi embrassait et interrogeait les deux garçons. Elle s'arrêta à quelques pas de lui, qui la regardait sans bouger, comme pétrifié. D'une voix très douce, un peu moqueuse d'elle-même, et qui portait une mélancolie infinie, elle lui dit :

— Beau Perdu, Tant Aimé, t'ai-je perdu une deuxième fois ?

Lancelot jaillit de son siège, se jeta aux pieds de Viviane, lui prit les mains et y enfouit son visage d'où les larmes ruisselaient. Il suffoquait de bonheur et de détresse. Pourquoi n'était-il plus un enfant ? Pourquoi ne pouvait-il pas se blottir contre elle et se laisser emporter et regagner avec elle le paradis du Lac, loin des amours impossibles et des exploits inutiles ? Il balbutia, à voix basse, pour que personne qu'elle n'entendît :

— Mère ! Mère ! Reprenez-moi ! Emmenez-moi !...

Elle lui caressa tendrement les cheveux.

— Nul ne peut retourner au pays laissé..., dit-elle. Tu dois aller en avant... Tu le voulais et tu avais

raison... Console-toi, rien n'est perdu, rien n'est fini...
Tu connaîtras bientôt ta mère, la vraie. Tu ne la
garderas pas longtemps. Aime-la vite et fort...

Elle le releva et baisa ses joues mouillées de larmes
puis se détourna pour aller parler au roi et lui dire
qu'elle ne pouvait rien lui dire, et lui faire promettre de
ne pas poser de questions aux trois garçons, qui
n'avaient pas le droit de lui répondre. Arthur promit.
Alors elle remonta à cheval et s'en alla sans retourner
la tête, suivie de ses chiens et de ses oiseaux.

Elle avait, avant de quitter la salle, regardé le Siège
Périlleux, et avait vu le nom de Galaad. Elle savait que
c'était le vrai nom de Lancelot. Allait-il enfin mettre
fin à l'insupportable attente ?

— Ô Merlin, mon aimé, dit-elle en chevauchant,
crois-tu que la fin de nos tourments approche ?

— Je le crois, dit la voix de Merlin.

Un enchanteur peut se tromper.

Heureux de retrouver Lionel et Bohor, Lancelot passa un long moment avec eux, recouvrant en leur compagnie quelque gaieté. Les autres chevaliers, bien qu'emplis d'étonnement et de curiosité, imitèrent le roi, qui respecta l'intimité des trois garçons et ne posa aucune question.

Aussitôt après avoir participé à la Table Ronde, et partagé l'ineffable amitié qui baignait ses Chevaliers, Lancelot prit congé du roi en lui annonçant qu'il allait dès le lendemain quitter Camaalot pour se mettre en Quête. Arthur le serra dans ses bras et le confia à la bienveillance de Dieu.

Lancelot se retira chez Alain le Gros qui continuait de lui donner l'hospitalité.

A l'aube, son écuyer vint l'aider à se mettre sous les armes et lui présenta son cheval dévêtu de ses habits de fête. Le soleil n'était pas encore levé lorsqu'il franchit la porte de la ville. Il partait sans avoir revu la reine, il partait pour s'éloigner d'elle, pour l'oublier si c'était possible, et, sinon, pour mourir. La recherche du Graal lui apporterait, espérait-il, l'une ou l'autre solution.

Au Gué des Fontaines, il trouva son chemin interdit par une escorte immobile qui protégeait une cavalière en robe noire et blanche montée sur une jument pie. Elle l'interpella :

— Beau chevalier, dit-elle, veux-tu me venir en aide, ou as-tu le cœur trop occupé pour t'intéresser à une dame autre que celle à qui tu penses ?

— Mon cœur est occupé mais mes bras sont libres, répondit Lancelot. Pour l'amour de celle à qui je pense je vous donnerai toute l'aide dont je suis capable.

— C'est bien parlé, beau Lancelot. Ne me reconnais-tu pas ?

Elle s'était approchée de lui, et les premiers rayons du soleil éclairaient son visage au teint mat, faisaient briller ses grands yeux noirs. Lancelot l'avait vue au tournoi et à la cour et il la reconnut. C'était Morgane, la sœur du roi.

— Oui, dame, je vous reconnais, dit-il. Quelle aide puis-je vous apporter mieux que ne saurait le faire le roi votre frère ?

— Il m'avait promis qu'il ne laisserait pas s'achever l'août sans donner l'assaut à la Douloureuse Garde. Mais le voilà maintenant tout occupé par les fils revenus du roi Bohor, qu'il veut sans perdre de temps aller installer en leur royaume. A son retour il trouvera quelque autre tâche urgente. La reine lui rappelle sans cesse que le roi se doit d'abord à son peuple et n'a pas le droit de risquer sa vie dans une aventure particulière. Tous les chevaliers qui l'ont fait à sa place sont morts ou prisonniers de l'horrible château. Parmi ces derniers, subissant les tortures et l'horreur, se trouve Guyomarc'h, qui m'est cher. C'est pour sa délivrance que je vous demande votre aide. Me l'accorderez-vous, ou craignez-vous que l'aventure soit au-dessus de vos forces ?

— Dame, dit Lancelot, il se peut que l'aventure soit au-dessus de mes forces. Mais je n'ai pas de crainte.

Voilà longtemps que nous n'avions parlé de Morgane. C'est qu'il est peu agréable, pour un conteur, de fréquenter les personnages déplaisants. Dames, chevaliers, rois et reines, petites gens, grosses et petites bêtes, tous les êtres qui vivent dans son histoire sont présents en son esprit comme fleurs en un jardin. Il est bien normal qu'il préfère s'attarder dans la compagnie des lilas et des roses plutôt qu'auprès des chardons, même si les plantes épineuses sont de l'espèce ornementale. Morgane est très belle, mais d'une beauté satanique, comme un lys noir ou de l'herbe rouge. Satanique est bien le mot, puisqu'elle a fini par faire alliance avec le Diable.

Elle est non seulement belle mais séduisante, et intelligente. Et on ne saurait lui reprocher d'être gourmande des hommes, ce qui est un penchant de la Nature. C'est son égoïsme démesuré qui rend ses qualités négatives. Tout ce qui ne se rapporte pas à elle lui est insupportable. Elle n'aime les hommes que pour le plaisir qu'elle leur prend, sa beauté est l'appât de son piège et sa séduction la pente qui y conduit. Chaque femme lui est une rivale, elle déteste même les laides, et les ressources de son intelligence lui servent à nuire à tout ce qui appartient au genre féminin, ou aux hommes qui s'occupent d'autres femmes qu'elle. Elle est le contraire de l'amour : l'amour est don, elle ne sait que prendre.

302

Guenièvre est pour elle trois fois détestable : parce qu'elle est la reine, parce qu'elle est la femme de son frère, et parce qu'elle est belle. Et comme sa beauté grandit avec le temps, la triple jalousie de Morgane et sa haine s'accroissent de même.

Elle a essayé de lui nuire dans l'esprit d'Arthur. Sans succès, ce qui a augmenté sa rage. Le roi, pour se débarrasser de sa sœur, qu'il aime bien, mais dont les intrigues l'excèdent, lui a fait don, le plus loin possible de Camaalot, en Petite Bretagne, d'un château avec ses terres, une vaste seigneurie proche de la forêt de Brocéliande. Le château, une rude place forte construite pour résister aux assauts des Saines, n'a pas plu à Morgane. Elle a décidé de s'en faire construire un autre, plus confortable et plus à son goût, en un lieu qu'elle a aimé dès qu'elle l'a vu. C'est là qu'elle a rencontré le Diable.

Les Bretons nommaient cet endroit le Val sans Retour. Ils ne s'en approchaient guère, étant persuadés qu'en cet emplacement s'ouvrait une des portes de l'enfer. C'était une longue vallée abrupte, dominée de toutes parts par des rochers presque à pic, et tapissée d'une forêt sauvage dont aucun arbre n'avait jamais été abattu de mains d'homme. La foudre y allumait parfois des incendies énormes qui brûlaient pendant des semaines, même sous des déluges de pluie, ce qui démontrait bien que, par quelque trou maudit, surgissaient là les flammes de l'enfer.

On ne pouvait accéder à la vallée que par ses deux extrémités. Personne ne l'avait jamais traversée de bout en bout. Celui qui pénétrait trop avant dans la forêt, à la recherche de champignons ou à la poursuite d'un lapin, n'en revenait pas. Les chiens eux-mêmes y disparaissaient. On les entendait aboyer derrière un gibier, puis tout à coup gémir, puis plus rien...

Morgane trouva ce lieu excitant et tout à fait convenable. Une fois la forêt tondue, les flancs de la vallée aménagés, ce serait un cadre idéal pour une demeure peu commune. Mais quand elle voulut recruter de la main-d'œuvre pour faire commencer les travaux, elle ne trouva ni un bûcheron ni un maçon, alors qu'il lui en aurait fallu une foule. Elle en fit amener depuis les royaumes voisins et même de la Grande Bretagne. Mais arrivés le soir ils repartaient le matin et les travaux ne commençaient pas.

Un jour, furieuse, elle s'enfonça avec sa jument pie dans un des rares layons de l'extrémité nord de la forêt et, à son étonnement, s'aperçut que le layon, au lieu de se terminer en impasse broussailleuse, semblait se transformer devant elle, s'élargir pour lui faire place, devenir peu à peu un chemin si spacieux qu'elle put prendre le galop. De chaque côté défilaient les troncs gigantesques d'arbres millénaires entre lesquels s'enchevêtraient des ronces aux tiges aussi grosses que des cuisses, bardées d'épines aiguës comme des dagues.

Tout à coup la jument freina des quatre sabots, hennit de frayeur et se cabra. Morgane resta en selle et calma sa monture. Mais elle était elle-même impressionnée. Le chemin venait de déboucher dans une large clairière entourée uniquement d'arbres morts, noirs, sans une feuille. Très grands, ils dressaient vers le ciel leurs branches sombres, comme des bras tendus et des mains aux doigts écartés, multitude d'appels figés, pétrifiés dans le désespoir. Sous les sabots de la jument énervée, le sol avait la résonance du fer.

Morgane regarda autour d'elle, écouta. Le silence était total, pareil à celui qu'on peut imaginer à l'inté- d'une pierre. Elle respira profondément, et cria :

— Diable, es-tu là ?

— Bien sûr !..., répondit tranquillement le Diable.

— Alors, montre-toi ! Depuis le temps que j'entends parler de toi, j'aimerais bien te voir !...

— Moi aussi! dit le Diable. Je ne me suis jamais vu!... L'eau devient boue quand je m'y regarde, et les miroirs fondent...

— Montre-toi... Moi je te verrai!...

— Tu ne verras de moi que l'idée que tu t'en fais...

— Cela m'est égal... Viens!...

— Soit!...

Du milieu de la clairière, sur un cheval rouge, arriva un cavalier nu. Sa peau, ses yeux et ses cheveux en boucles courtes avaient la couleur du cuivre. Son sexe faisait trois fois le tour du cou de son cheval avant de dresser entre ses deux oreilles son extrémité ardente qui se mit à frétiller quand le Diable s'approcha de Morgane.

— Pas mal, dit le cavalier en riant, mais ne compte pas sur moi pour ce genre d'exercice, je n'y trouve aucun plaisir...

Son sexe se réduisit à une virgule enfantine.

— C'est encore trop! dit le cavalier.

La virgule disparut.

Le visage de l'être était beau, ses traits réguliers, sans barbe ni moustache. Quand il riait, ses dents très blanches devenaient par éclairs noires ou rouges. Il regardait Morgane en se moquant d'elle visiblement.

— C'est donc vrai, dit Morgane, que s'ouvre ici une des portes de ton enfer?

— Ridicule!... La porte de l'enfer est partout...

— Alors pourquoi es-tu ici?

— La porte est partout, et je suis toujours devant ma porte... Qui veut me parler m'entend...

— Eh bien j'ai à te parler! J'aime cette vallée. Elle me plaît! Elle me ressemble!... Je veux y faire

306

construire mon château, mais je ne trouve personne
pour y travailler. A tort ou à raison, les gens du pays
croient que tu fréquentes ce lieu plus que tout autre, et
ils le fuient. Je *veux* ce château. Il faut que tu m'aides !
Sinon...

— Sinon ?

— Je reviens avec un bataillon de moines, ils
arroseront la vallée d'eau bénite et y construiront une
abbaye, dont les cloches sonneront nuit et jour !

L'être rouge devint vert, fit une horrible grimace et
se boucha les oreilles des deux mains.

— Je t'aiderai !... Je t'aiderai pour cela, mais à une
condition...

— Tu veux mon âme ?...

— Bouf... Elle ne m'intéresse guère, c'est du plomb
véreux. J'aime les âmes en or : celle de Lancelot, par
exemple, ou de Guenièvre...

Morgane poussa un cri de rage. Même le Diable lui
préférait la reine !

— Mais je prendrai la tienne aussi, si tu m'aides à
attraper les deux autres !... Je n'attrape plus rien ! Je
suis vide, vide, vide ! J'AI FAIM !...

Il hurla et se mit à manger son cheval.

— Es-tu vraiment le Diable ou rien qu'un misérable
petit démon ? fit Morgane avec mépris.

L'être devint minuscule, juché sur un lapin chauve.
Il éclata de rire et devint plus haut qu'un arbre.

— Petit, grand, qu'est-ce que ça veut dire ? C'est la
même chose... Ecoute, je t'aiderai, je construirai ton
château, mais à la condition que tu m'aides à détruire
Lancelot et Guenièvre. Je te donnerai des idées... Je te
donnerai aussi des pouvoirs quand ce sera nécessaire,
dont tu ne pourras te servir que pour me servir...

— Pour *nous* servir !

— C'est pareil !... J'ai faim ! J'AI FAIM !

Il se mit à broyer entre ses dents les arbres morts, les arbres noirs. Des flammes jaillissaient de sa bouche.

La forêt brûlait. Une armée de démons l'attaquait au lance-flammes. Les cendres rouges volaient jusqu'aux nuages. Derrière les lance-flammes arrivèrent les missiles qui pulvérisèrent les rochers. Derrière les missiles vinrent les bulldozers, les arracheurs, les excavateurs, les compresseurs, les aplanisseurs, les vibreurs, les bétonneurs, les fondeurs, les pileurs, les cracheurs de moellons et de poutres d'acier. Le ciel était noir de fumées, gris de poussières, rouge de flammes.

Le vacarme infernal avait chassé toutes les bêtes du voisinage. Les hommes ne peuvent pas fuir, ils sont enracinés au sol plus que les plantes, par leur travail, par la famille, par les habitudes. Ils subirent le bruit et les puanteurs, mais beaucoup moururent de stress ou d'infarctus. Sous le choc des outils diaboliques le sol tremblait jusqu'au grand océan, dont les vagues s'enfuyaient.

En une semaine, la vallée fut aménagée et le château construit. Il avait la forme d'une boîte carrée, à peine plus large et plus haute que la maison d'un paysan. Ses murs étaient de pierre noire et de verre obscur. Il n'avait pas de porte.

Morgane se mit à rire de plaisir quand elle le vit. Elle n'avait pas eu besoin d'expliquer au Diable ce qu'elle désirait. Il le savait, et il l'avait fait.

Elle mit pied à terre et s'approcha de son château.

Dans le mur de la façade, à hauteur du visage, était disposée une sorte de petite grille surmontée d'une protubérance ronde qui ressemblait à un bouton de marguerite. Morgane appuya sur le bouton. La voix du Diable sortit de la grille.

— Qui m'appelle?

— Tu le sais bien! dit Morgane.

— Entre!...

Une partie du mur de verre glissa, dégageant une ouverture.

— Je n'entrerai que quand tu seras parti, dit Morgane. Cette demeure est la mienne. L'as-tu faite pour moi, oui ou non?

— Pour toi bien sûr! dit le Diable. Entre chez toi! Je m'en vais... Mais n'oublie pas que malgré tout je reste...

Il y eut un bruit sec, pareil à celui d'une grosse étincelle, et le château, soulagé d'un grand poids, poussa à dix toises de plus au-dessus du sol. La porte ouverte était restée au même niveau. Morgane entra et trouva ce qu'elle attendait : une pièce aux murs de glaces, ornée de plantes vertes dans des pots. La pièce occupait toute la largeur de l'édifice. Mais quand Morgane ouvrit la porte située en face de l'entrée, elle découvrit une autre pièce aussi vaste, puis une autre, une autre encore, une autre, une autre... Elle savait qu'il y en avait ainsi autant qu'elle en voudrait, et qu'il lui suffisait d'entrer dans la petite pièce disposée entre les plantes vertes et d'appuyer sur des boutons pour monter ou descendre dans le château et trouver encore d'autres pièces en haut et en bas, toutes carrées, toutes pareilles, désertes, aux murs de glaces reflétant les plantes vertes.

— Avant de m'en aller vraiment, dit le Diable, je tiens à te préciser que tu peux transformer tout cela à ta fantaisie, élargir ou rapetisser les pièces ou l'édifice lui-même, et donner au tout et aux détails l'apparence que tu voudras. Il te suffit de le souhaiter. C'est le premier pouvoir que je t'offre.

— C'est exactement ce que je désirais, dit Morgane.

Merlin sur son pommier avait assisté à tout ce remue-ménage, et ne s'en inquiétait guère. Le Diable fait toujours beaucoup de fracas pour pas grand-chose. Il est comme un marteau-pilon de mille tonnes qui s'abat sur une noix. A cette époque il n'y avait pas de vrais marteaux-pilons sur la terre. Ils étaient encore tous en enfer.

Chevauchant à côté d'elle ou assis près d'elle dans la nef noire et blanche pour traverser le Canal, Lancelot n'accordait à Morgane que des coups d'œil distraits, ne lui parlait que si elle lui adressait la parole. Il ne pensait qu'à la reine. S'il regardait le ciel il y voyait son visage, s'il regardait la mer elle était là encore, bercée par la houle, le bleu de ses yeux brillant des reflets du soleil. Il continuait de sentir sur son épaule la caresse de ses doigts et parfois il posait sa main en creux à l'endroit où elle l'avait touché, doucement, avec précaution, comme pour capturer un oiseau sans l'effrayer.

Morgane savait bien ce qui lui occupait l'esprit. Tout le monde, même le roi, avait pu s'apercevoir du trouble dans lequel la présence de la reine jetait Lancelot. On ne s'en était pas étonné. La beauté de Guenièvre ne laissait indifférent aucun homme, et certains avaient fait pour elle des folies. Un poète lui avait chanté son amour en six mille vers, un chevalier était parti pour se battre en son honneur avec l'empereur de Chine, un autre, après l'avoir vue une seule fois, avait renoncé aux armes, s'était fait ermite et priait pour elle jour et nuit.

Mais Morgane, se trouvant seule femme avec Lancelot pendant le voyage qui les emmenait en Petite Bretagne, avait espéré le distraire de sa passion et attirer vers elle ses regards et ses élans adolescents. Elle n'y avait pas réussi et elle en était d'autant plus blessée qu'elle trouvait le chevalier blanc très désirable dans la pureté et la splendeur de sa jeunesse. Il était juste comme un fruit arrivant à maturité, intact, impeccable dans sa peau intouchée gardienne d'une chair tendre et ferme gorgée de sucs. Ah! y mettre la dent...

Ses mains, malgré elle, parfois, se tendaient vers lui. Mais il ne les voyait pas, ne la voyait pas, ne lui prêtait aucune attention.

Elle décida de frapper un grand coup pour briser cette forteresse d'amour dans laquelle il s'était enfermé. Alors qu'ils arrivaient en vue du rivage de Petite Bretagne, elle dit en sa tête au Diable :

— Aide-moi!... Fais-nous une belle tempête!...

Un vent furieux se leva d'un seul coup, creusa la mer devant la nef qui tomba dans un gouffre d'où elle fut rejetée par une montagne d'eau écumante qui franchit avec elle la côte et la précipita dans une forêt à l'intérieur des terres.

La mer se retira, la violence de la tempête s'accrut. La nef, coincée entre les arbres, semblait être l'objet particulier de la violence des éléments. La pluie, furieuse comme l'eau d'un torrent, poussée par un vent d'ouragan, arrachait des branches qui balayaient le pont de la nef, arrivait en bélier sur le pavillon protégeant les voyageurs, le secouait, le tordait, en faisait craquer les montants, se détournait juste au moment où tout allait être emporté. Venus du fond noir du ciel, des éclairs se succédaient sans arrêt, frappant la forêt tout autour du vaisseau, se rapprochant de lui en un tourbillon de feu accompagné d'un bruit monstrueux.

Aussitôt la nef immobilisée, Morgane s'était jetée dans les bras de Lancelot, faisant semblant d'être épouvantée et l'étant d'ailleurs plus qu'à moitié, incertaine de ne pas devenir victime de ce qu'elle avait déchaîné. Elle se serrait contre le jeune chevalier, sanglotait et gémissait et l'adjurait de la protéger. Il ne pouvait rien faire de moins que de refermer ses bras autour d'elle en guise d'abri, ce dont elle éprouvait un chaud plaisir, bien que la poitrine contre laquelle elle se blottissait fût de mailles d'acier...

Lancelot, dans l'abri printanier du lac où il avait grandi, n'avait jamais subi ni même vu d'orage. Il ne comprenait rien aux forces qui se déchaînaient autour de lui, sauf qu'elles étaient ennemies. Par-dessus la tête de Morgane il regardait la lueur des éclairs transpercer les parois du pavillon et y dessiner des ombres fantastiques aussitôt évanouies. L'odeur métallique de la foudre, le fracas des tonnerres, semblaient provenir d'un combat gigantesque, et dans les veines de Lancelot grandissait une fureur semblable à celle qui secouait la forêt.

Quatre éclairs presque simultanés frappèrent l'avant de la nef dans un bruit formidable. Une odeur de soufre envahit le pavillon. Morgane poussa un cri et gémit une fois de plus : « Protège-moi ! » en se serrant plus fort contre Lancelot.

— Dame, j'y vais ! dit celui-ci.

Il écarta Morgane avec quelque rudesse, tira son épée blanche, jaillit hors de la tente, et frappa l'éclair qui tombait à cet instant. L'épée étincela, frappa encore et encore, la forêt hurla et fuma, la nef craquait de toutes parts.

Morgane, blottie à terre au milieu du pavillon, se bouchait les deux oreilles, fermait les yeux, répétant « Il est fou ! Il est fou ! » et demandant au Diable de mettre fin à tout cela.

Mais le Vieux Noir s'amusait bien trop. Il ne parvenait pas à détruire l'épée blanche, à cause de sa poignée en forme de croix, qui protégeait également celui qui l'étreignait. Mais s'il réussissait à la lui arracher, il pourrait alors le frapper et peut-être emporter son âme, tachée par le péché d'amour...

C'était un bel adversaire. Il fracassait ses éclairs, en faisait voler les fragments dans tous les sens autour de lui, en rugissant de colère presque aussi fort que ses tonnerres.

Le Diable saisit un morceau d'éclair brisé, et le renvoya vers l'épée blanche. La flamme frappa l'épée de côté, l'arracha à la main de Lancelot, et la planta dans le pont de la nef.

Le rire du Diable se confondit avec celui de l'orage.

— L'autre épée ! cria la voix de Viviane dans la tête de Lancelot.

Le Diable lui enfonça sa foudre dans le dos. Mais il avait eu le temps de saisir et brandir l'Epée Brisée. La tempête s'arrêta d'un seul coup. Lancelot s'écroula.

En déshabillant Lancelot, Morgane murmurait des mots de gratitude à l'adresse du Diable. Maintenant, le beau chevalier était à sa merci. D'abord elle l'avait cru mort, mais une saine respiration soulevait sous le haubert sa poitrine inconsciente. Elle l'avait traîné dans le pavillon, étendu sur les fourrures et commencé non sans peine à le dévêtir.

La main droite de Lancelot était encore serrée autour de la poignée de l'Epée Brisée. Morgane ouvrit un à un les doigts crispés, saisit l'Epée et poussa un cri : l'Epée la brûlait. Elle la lâcha vivement, en agitant sa main. Avant d'atteindre le sol, l'Epée Brisée disparut.

Morgane haussa les épaules et continua sa tâche. Le haubert ôté, le reste fut facile. Et elle eut Lancelot nu et sans défense sous les yeux et sous la main. Elle se déshabilla en un clin d'œil, se coucha contre lui et commença à l'embrasser et le caresser en lui murmurant de tendres mots d'une voix brûlante. Déjà il soupirait, donnait des signes d'émoi, il allait se réveiller... Et à ce moment-là il serait trop tard pour penser à la reine...

Mais tout à coup, sur la douce chair de l'adolescent elle vit sa main se dessécher, se flétrir, se ratatiner. Et tout son corps, en un instant, devint tel qu'il avait été à Camaalot sous le sortilège de Merlin. Mais cette fois-ci aucun vêtement n'en dissimulait l'affreuse décrépitude. Et les paupières de Lancelot frémissaient, il allait ouvrir les yeux !

Ne voulant pas qu'il la vît ainsi, elle s'enfuit en boitant hors du pavillon, ramassa des branches brisées et se couvrit de feuillages. Elle sanglotait de rage et de honte.

— Ignoble Merlin, c'est encore toi ? interrogea-t-elle.

— Non, lui répondit une calme voix féminine. Mais c'est un tour qu'il m'a appris...

— Qui es-tu ?

— Peu importe... Sache seulement que Lancelot m'est cher comme un fils et comme un époux que je ne puis avoir. Si tu cherches encore à lui faire du mal, prends garde à toi, la prochaine fois il ne te restera plus que les os !...

— Je ne lui voulais que du bien ! ricana Morgane.

— C'est un bien qui ne me plaît pas !... Ta beauté t'est revenue, tu peux t'en aller... Ta jument t'attend à la lisière de la forêt. Retourne en ton château du Diable !

Un coup de fouet claqua, les feuillages qui couvraient Morgane s'envolèrent et elle se retrouva pimpante et vêtue de neuf sur le dos de sa jument pie.

— Qui est cette créature ? grommelait-elle en s'éloignant de la forêt dévastée.

— Je la connais bien, dit le Diable. Nous la retrouverons...

Lancelot, encore à demi inconscient, sortait du pavillon sans se rendre compte qu'il était nu. Et son bonheur fut grand de découvrir devant lui Viviane toute baignée du soleil revenu.

Il tendit les bras vers elle et allait s'élancer quand elle lui dit en souriant :

— Eh bien, chevalier ! Crois-tu que ce soit une tenue pour se présenter à sa mère ?

Alors il se vit, devint rouge des oreilles aux chevilles, et s'enfuit sous le pavillon, d'où il ressortit dans une robe hâtivement passée.

Viviane le prit dans ses bras et lui baisa partout le visage comme elle faisait quand il était bébé. Et il riait, fondant de bonheur.

— Beau fils, dit-elle, tu t'es bien battu. Mais ce n'est rien à côté de ce qui t'attend demain. Je suis venue te dire que demain tu sauras qui tu es. Tu connaîtras le nom de ton père et le tien. Mais je te demande de ne faire connaître ton vrai nom à personne avant de t'être rendu illustre par tes exploits.

— Mère je vous obéirai, dit-il. Mais...

Il hésitait, tournait la tête à droite et à gauche, cherchant du regard autour de lui...

— ... j'accompagnais la sœur du roi. Je ne la vois nulle part.

— Ne te soucie pas. Elle n'a plus besoin de toi...

— Et j'ai perdu l'Epée Brisée !

— Elle n'est jamais perdue, dit Viviane.

Elle l'accompagna dans la tente et fit tomber sur lui un doux sommeil, car il allait avoir besoin de toutes ses forces.

Il lui sembla être tiré de son sommeil par des gémissements et des cris de douleur. Mais quand il ouvrit les yeux, bien éveillé, il n'entendit que le chant des oiseaux. Il était couché au bord d'un étang fleuri de nénuphars. Sur la plus proche feuille ronde, une minuscule grenouille dorée le regardait. Il lui sourit et lui dit :

— Bonjour grenouille!...

Elle lui répondit « Coâ! » d'une voix énorme. Il se dressa en riant et s'étira, faisant craquer ses jointures et gémir les mailles de son haubert. Il sentait dans chacun de ses muscles ses forces enroulées comme chat dormant, et prêtes à jaillir et à se déchaîner. Le ciel était bleu, il aimait la plus belle des femmes, vive la vie!...

Devant lui, sur une colline, se dressait un château construit autour d'un haut donjon carré. Un coup de vent en apporta un concert de lamentations, de sanglots et de cris de douleur. Il sut alors qu'il se trouvait devant la Douloureuse Garde.

Il devint grave et monta sur le cheval blanc qui l'attendait, près d'une lance fichée en terre. Avant de prendre celle-ci il tira son épée, en baisa la lame, rengaina, se signa et dit à voix haute :

318

— Aujourd'hui verra qui je suis et ce que je vaux !...

Puis il empoigna la lance, la plus longue et la plus aiguë qu'il eût jamais vue, et d'un claquement de langue fit s'élancer son cheval.

En quelques minutes de galop il fut à proximité de la porte fermée du château, gardée par deux guerriers vêtus et armés de rouge. Malgré la montée, son cheval, excité de la voix et des pieds, accéléra encore son allure. Lancelot brandit sa lance au-dessus de son épaule et la lança comme un javelot. Elle traversa la poitrine du premier cavalier, que sa monture affolée emporta dans la campagne. Déjà Lancelot était arrivé sur le second et lui avait planté son épée dans la gorge.

La porte du château s'ouvrit et quatre cavaliers rouges en sortirent. Lancelot fendit la poitrine du premier et la tête du second et trancha le bras droit du troisième. Le quatrième s'enfuit.

Lancelot entra au galop dans le château. Dix cavaliers rouges l'attendaient devant la porte de la deuxième enceinte. Les gémissements et les cris avaient cessé. Il y eut un moment d'immobilité et de silence absolu. Et Lancelot comprit que Viviane était proche en voyant le merlet perché sur une marguerite qui avait poussé entre deux pavés. L'oiselet s'envola, vint se poser sur son épaule, et lui dit avec la voix de Viviane :

— Je ne t'ai pas aidé, je ne dois pas le faire. Mais celui qui est au-dessus de la porte de la deuxième enceinte t'aidera, si tu es bien celui qu'il attend.

Lancelot regarda au-dessus de la porte et y vit une grande statue de cuivre représentant un chevalier qui brandissait une hache de combat.

— Tit ! Tit ! dit le merlet.

Et le chevalier de cuivre tomba, écrasant sous lui un des guerriers rouges. Lancelot fonça sur les autres et en abattit deux, mais son cheval blessé d'un coup de lance se cabra et bascula, le jetant à terre. Un cavalier se pencha pour le frapper. Il le perça de bas en haut et le poussa à bas de son cheval sur lequel il sauta, prenant sa place et frappant de l'épée à droite et à gauche, et chacun de ses coups ouvrait une chair.

Il restait trois cavaliers rouges indemnes. Ils mirent pied à terre et se rendirent. La porte s'ouvrit et Lancelot la franchit, accueilli par une interminable clameur de joie. Des hommes et des femmes de tous âges venaient à sa rencontre et lui criaient leur gratitude. Ils étaient tous maigres, leur teint était gris, leurs vêtements usés et déchirés. C'était le peuple ordinaire d'une place forte, réduit à une singulière misère. Lancelot ne vit aucun des chevaliers qui avaient été faits prisonniers en essayant de rompre la Douloureuse Garde.

Le merlet fut de nouveau sur son épaule et la voix de Viviane lui dit :

— Tu les trouveras près de la chapelle. Et, au milieu d'eux, tu apprendras si c'est toi qui dois mettre fin à cette aventure...

Lancelot chercha des yeux la chapelle, en vit la silhouette trapue et, près d'elle, un cimetière clos de murs.

Il descendit de cheval, entra dans la chapelle. Il y régnait une odeur de moisi et de poussière. Son autel, fait d'une lourde pierre, était renversé.

Lancelot s'agenouilla près de lui et pria. Puis, avec un infini respect, s'arc-boutant de toutes ses forces, il le redressa. L'odeur d'abandon disparut, et une odeur de prés printaniers emplit la chapelle. Un cierge abandonné se mit à brûler.

Il sortit par la porte qui s'ouvrait sur le cimetière. Des tombes étaient alignées perpendiculairement aux quatre murs, chacune surmontée d'un heaume rouillé accroché à la muraille, contenant des os et des cheveux épars. Et, au-dessus du heaume, une inscription précisait le nom du mort :

CI-GIT
UN TEL
ET CECI EST SA TÊTE

Voilà donc où se trouvaient les chevaliers courageux dont on n'avait plus de nouvelles... Lancelot reconnut quelques noms, dont celui de Guyomarc'h, l'ami de Morgane. Il eut pour tous une pensée amicale, sans tristesse. Leur combat était terminé, et ils avaient dû recevoir en un Autre Lieu leur récompense.

En se dirigeant, pour sortir, vers le portail de fer tordu et à demi arraché de ses gonds, il découvrit la plus grande tombe, située au milieu du champ de repos, à égale distance des quatre murs. Contrairement à tout ce qui l'entourait, elle donnait une impression de fraîcheur et de beauté. Une dalle de marbre blanc la recouvrait, polie comme de la fine porcelaine. Elle semblait avoir été déposée là le jour même, ou la veille. Son épaisseur était d'au moins un pied et sa largeur et sa longueur à l'avenant. Lancelot jugea qu'elle devait peser plusieurs dizaines de quintaux. Sur sa surface doucement brillante, des arabesques d'or, ornées de pierres fines et de perles d'orient,

encadraient une inscription : SEUL POURRA ME SOU-
LEVER CELUI PAR QUI SERA MIS FIN A LA DOULOU-
REUSE GARDE. TOUS CEUX QUI SONT EN CE LIEU
ONT ESSAYÉ.

Après l'avoir lue, Lancelot regarda les heaumes
accrochés aux murs, pensa à la reine, en se disant que
ce serait peut-être pour la dernière fois, se baissa,
crispa ses deux mains sur un coin de la dalle, et tira...

Elle bascula sans résistance sur son autre extrémité,
découvrant une seconde dalle, de marbre noir, sur
laquelle était gravé en lettres rouges :

CI-REPOSERA

GALAAD

DIT LANCELOT DU LAC

FILS DU ROI BAN DE BENOÏC

A peine Lancelot avait-il lu ces mots que la dalle
blanche reprit sa place.

Galaad ! Tel était son nom !... Celui qui était inscrit
sur le Siège Périlleux de la Table Ronde !... Celui du
chevalier qui serait le meilleur du monde et découvri-
rait le Graal !...

Une profonde exaltation gonfla la poitrine de Lancelot. Mais peut-être un autre chevalier portait-il le
même nom ?... Il interrogea Viviane :

— Mère, est-ce moi ? est-ce bien moi qui prendrai
place au Siège Périlleux ?

Le merlet n'était plus là. Ce fut une voix d'homme
qui répondit, une voix grave, profonde, qui sortait de
la dalle de marbre. Elle dit :

— Chacun doit mériter le nom qui lui a été donné...

Lancelot resta un moment immobile, regardant la

tombe qui l'attendait, au centre de l'assemblée des héros morts, qui étaient allés jusqu'au bout de leur mérite. Il tira son épée et les salua, rengaina et sortit du cimetière.

La foule avait recommencé à gémir et à pousser des cris de douleur. Des femmes s'arrachaient les cheveux, des hommes se frappaient la tête contre les murs, tous le suppliaient de les délivrer et de mettre fin à leurs souffrances. Mais il se sentait lui-même tout à coup écrasé par une horrible tristesse. Le malheur du monde entier tournait dans sa tête, et il en arrivait sans cesse de nouvelles vagues sous lesquelles il ployait. Il avait envie de s'écrouler à terre, de se cacher la tête dans les bras et de se mettre à hurler. Il ne pouvait plus supporter cela, c'était trop atroce, il n'y avait qu'une solution pour ne plus subir cette abomination : mourir, mourir, mourir...

Il tira son épée pour se la plonger dans le cœur. Mais dès que sa main se fut fermée autour de la poignée, l'épouvante disparut et il retrouva son sang-froid, et en même temps que lui une joie à la mesure de l'horreur à laquelle il venait de s'arracher.

Il savait maintenant ce que subissaient les malheureux qui le suppliaient. Il mettrait fin à leur supplice, même si cela devait le conduire à cette tombe qui portait son nom, à quelques pas...

Il cria :

— Que dois-je faire?

Une vieille femme à demi écroulée, hoquetante, sanglotante, ruisselante de larmes, le prit par la main et l'entraîna en chancelant.

— Va chercher les clés!...

— Quelles clés?

— Les clés des sortilèges !...

Au bas de la face nord du donjon une porte s'ouvrait sur les ténèbres. La femme lui dit :

— Là-bas !... là-bas !... au bout...

Et elle lui montra la porte de la nuit.

— Merlin, amour de moi, dit Viviane, puis-je accompagner mon beau doux fils, pour l'aider?...

Merlin fut quelques instants avant de répondre. On eût dit que sa voix avait bondi jusqu'au ciel pour traverser le Canal, avant de redescendre vers le sommet du donjon carré où se tenait Viviane.

— Tu sais bien que tu ne dois pas...

— Mais il va être en grand danger! Ce qui l'attend dans ce donjon est monstrueux!

— C'est lui qui doit affronter le danger et non toi... C'est lui qui doit grandir et devenir meilleur, et non toi... Avec les pouvoirs dont tu disposes, tu n'aurais d'ailleurs aucun mérite à vaincre... Lui en aura...

— Mais il risque de périr! dit Viviane affolée. Tu ne sais pas ce que renferme ce donjon!

— Je le sais, dit Merlin. Rien qui soit au-dessus de l'extrême limite de ses forces et de son intelligence. S'il périt c'est qu'il n'aura pas su utiliser toutes les ressources que Dieu a mises en lui et que l'éducation que tu lui as donnée a tendues comme cordes d'arcs. S'il sort vainqueur, il ira jusqu'au Graal...

— Je ne veux pas qu'il meure! JE NE VEUX PAS! cria Viviane. Il n'est rien pour toi! Tu t'en moques!

Mais il est mon fils, IL EST MON PETIT ! Tant pis pour le Graal ! Je vais l'aider !...

— Non, dit tendrement Merlin. Non, mon amour, tu ne pourras pas... Pardonne-moi : je t'en empêche...

Viviane, légère comme l'air qui la portait, s'était assise au plus haut du donjon, dans un créneau, se penchant dans le vide pour regarder vers le bas de la tour. Elle sentit tout à coup, brutalement, son poids humain lui revenir, et ses pouvoirs s'arracher d'elle comme plantes vives que le jardinier arrache au terreau, le laissant bouleversé.

Elle suffoqua, le vertige la prit, elle rampa à reculons pour s'arracher à la peur du vide. Elle avait perdu toutes connaissances, elle était redevenue pareille à la fillette sauvageonne, intelligente et ignorante, qu'elle était avant sa rencontre avec l'Enchanteur.

Elle mesura en un instant quel prodigieux chemin elle avait parcouru depuis, grâce à son amour, grâce à leur amour, avec son aide, en sa compagnie, même lointaine...

Mais Lancelot ! Elle l'aimait aussi ! Et maintenant elle ne pouvait absolument plus rien pour lui. Comme tant de femmes dont l'époux ou le fils part pour la guerre, elle ne pouvait qu'espérer et souffrir.

Ses oiseaux familiers ne la voyaient plus. Ils tournèrent un peu autour du donjon, désorientés, puis disparurent. Le merlet restait. Il la cherchait partout, sautillait, voletait, pépiait. Tit... tit... Il n'y comprenait rien.

Son épée dans la main droite, sa main gauche serrant contre lui son écu qui le protégeait des cuisses au visage, Lancelot entra dans les ténèbres. La lame polie, pointée, le précédait d'une faible flèche de lumière. Il ne voyait qu'elle, il n'apercevait ni murs ni plafond mais il sentait leur présence proche, sauf en avant. Il étendit sa main gauche et, à bout de bras, toucha un mur râpeux. Même chose à main droite. Il atteignit le plafond avec la pointe de son épée. Devant c'était le vide. Il se trouvait dans un couloir de pierre, qui s'enfonçait dans le noir.

Il avança, sans crainte mais avec précaution. Faute de voir, il écoutait comme un limier, il sentait l'espace avec tous les coins nus de sa peau.

Il sentit qu'il s'approchait d'un obstacle. Il s'arrêta et il écouta. Il entendit l'obstacle vivre. Ce n'était pas une respiration mais quelque chose de plus confus et trouble, à peine perceptible, presque à l'intérieur du silence.

Il se fendit brusquement, à fond, tout le poids de son corps poussant son épée. Il y eut un grand hoquet puant. L'épée pénétrait dans du mou et du dur, il y avait des obstacles puis plus rien et de nouveau ça

327

craquait. L'arme fut violemment secouée et presque arrachée. Lancelot jeta son écu derrière lui, saisit l'épée à deux mains, la leva et frappa de taille, de la gauche, de la droite. Et elle tailla... Quelque chose de violent s'abattit sur la poitrine de Lancelot, peut-être une patte gigantesque avec des griffes. Elle déchira son haubert de mailles comme si c'eût été une étoffe légère, et laboura la chair de sa poitrine.

Il sauta en arrière et frappa de biais, à deux mains, tranchant ce qui l'avait blessé. Il s'accroupit pour ramasser son écu, se releva, se couvrit, et attendit, écoutant.

Il y avait le bruit de quelque chose qui coulait, des gargouillements de bulles, et des grognements de plus en plus faibles. Cela était en train de mourir, et sentait la pourriture. La chute fut lourde et molle. Une lumière passait maintenant au ras du plafond voûté et gagnait vers le sol à mesure que s'affaissait ce que Lancelot avait détruit. C'était un être cul-de-jatte énorme, gonflé de liquides, qui avait épousé la forme du couloir auquel il servait de bouchon. Un de ses bras, gros comme un tronc de bouleau, se terminait par une main en forme de pince, capable de broyer une tête. L'autre main, armée de griffes d'un pouce de long, gisait à terre, tranchée par l'épée. La tête n'était presque que dents aiguës de loup géant. Elle oscillait devant le corps blanchâtre. Un spasme de la mâchoire coupa la langue qui pendait entre les crocs. Elle tomba dans le liquide gluant que le monstre perdait par toutes ses blessures et qui devait être son sang.

Lancelot, par-dessus la masse qui s'aplatissait, regardait vers le fond du passage, d'où provenait la lumière. La distance paraissait considérable mais il voyait, comme s'il en eût été à un pas, une demoiselle de cuivre brillant qui lui faisait face et le regardait avec des yeux d'agate. Deux grands cierges l'éclairaient. Elle tenait devant elle un plateau de bois noir sculpté, sur lequel étaient posées deux clefs, une grande et une petite. Et sur sa poitrine était tracée en lettres minuscules une inscription que Lancelot put lire malgré la distance : « La grande clef me déferme, la petite déferme le coffre abominable. »

Entre le cul-de-jatte et la demoiselle, le passage était libre.

Pour avancer, Lancelot dut se hisser sur le cadavre visqueux dont le sang brûla les blessures de sa poitrine. Au moment où ses pieds atteignirent de nouveau le sol, un guerrier de fer géant surgit du mur à sa droite et le frappa de son épée. Lancelot tomba, à demi assommé, son heaume décerclé. Un second guerrier de fer surgit à gauche, un troisième à droite, un quatrième à gauche... Il y en eut ainsi dix qui frappaient le vide devant eux avec leurs épées. Leurs têtes étaient de simples sphères métalliques lisses, sans visage. Ils frappaient sans arrêt devant eux de leurs longues épées tenues dans leurs deux mains de fer. Quand cinq épées se levaient, cinq autres s'abaissaient violemment.

Lancelot, immobile, se rendit compte que tout franchissement était impossible. La meilleure épée du monde n'aurait pu entamer, blesser ou tuer ces corps de métal lisse. Comment passer ? L'intérieur de sa tête, douloureuse, grondait. Du sang coulait dans sa bouche, sa poitrine l'élançait et le brûlait. Il entendit du bruit derrière lui et se retourna...

Le monstre revivait. Il s'était retourné et lui faisait

face. Il avait repris presque tout son volume. Dans sa pince, il tenait sa main coupée pressée contre l'extrémité de son bras mutilé. Quand il la lâcha elle resta en place et ses griffes s'ouvrirent, son bras se leva, les deux mains monstrueuses se levèrent vers le cou de Lancelot.

Il frappa, et frappa et frappa encore, coupant les deux bras et fendant la tête. L'être, en râlant, écarta ses moignons et poussa les deux murs. Le sol trembla, les murs s'écartèrent, le plafond s'écroula au-dessus de lui, écrasant ses restes immondes. Lancelot reçut un bloc de pierre sur son épaule gauche et fut de nouveau jeté à terre. Haletant, il se releva, rengaina son épée, passa à son cou la courroie de son écu, choisit du regard le bloc de pierre le plus lourd, l'empoigna et tenta de le soulever.

Son épaule sembla s'arracher à son corps. La pierre ne bougea pas. Il ne pouvait pas renoncer. Il recommença et parvint à soulever le bloc jusqu'à ses genoux. Il le posa sur eux, changea sa prise, s'accroupit, leva le bloc au-dessus de sa tête, se redressa en faisant craquer les os de son dos et, basculant en avant, projeta la lourde pierre sur le premier homme de fer. Sa douleur fut telle qu'il lui sembla que la moitié de son corps partait avec.

Le guerrier de métal s'abattit dans un grand fracas, son épée brisée. Lancelot se baissa, lui saisit les cuisses sous son bras droit, les serra contre lui, se releva en gémissant sous l'effort et, tenant le guerrier horizontal à la façon d'un bélier, fonça au milieu des épées. Dans des grincements et des chocs et un tumulte de ferraille elles volèrent en morceaux ou s'arrachèrent. Lancelot se laissa tomber sur le sol : il était passé ! Il avait reçu de nouvelles blessures, à la hanche droite et aux cuisses. Il sentait son sang chaud couler sur sa peau. Près de lui gisait le Premier Guerrier, percé de cent trous.

Vers la demoiselle, la voie était libre, mais elle était loin, si loin... Pourrait-il parvenir jusqu'à elle? Il avait trop mal pour se reposer. Il risquait de perdre conscience. Et ses forces s'écoulaient avec son sang.

Il se leva, fit trois pas en chancelant puis s'arrêta, revint en arrière, arracha la lourde tête du guerrier déjà démantibulée, et la lança devant lui, aussi loin qu'il put.

Quand elle toucha le sol, celui-ci explosa en une furieuse gerbe de flammes, envoyant des débris dans toutes les directions. Un fragment tourbillonnant de métal, grand comme le fer d'une hache, frappa l'écu de Lancelot pendu devant lui, le fendit, le traversa et pénétra avec les mailles du haubert dans la chair et l'os du milieu de la poitrine. Projeté en arrière, Lancelot tomba pour la quatrième fois.

Il se releva...

Il saisit à deux mains l'éclat brûlant planté dans son corps et l'arracha. Puis il tira son épée et se remit en marche.

Alors il vit que la demoiselle s'était mise à marcher elle aussi et venait à sa rencontre. Et quand il faisait un pas elle semblait en avoir fait dix. Et elle fut là, devant lui. Son visage de cuivre poli lui souriait d'un sourire immobile, ses yeux de pierre blonde regardaient très loin au-delà de lui, à travers sa tête. Elle souleva le plateau de bois, lui offrant les clefs. Il les saisit. La plus grande avait la forme d'un trèfle au bout d'une mince tige. Le vêtement de cuivre de la demoiselle s'écarta en deux parties, découvrant des seins de marbre rose. Entre les deux seins s'offrait une ouverture en forme de trèfle. Lancelot y enfonça la grande clef.

Tout le devant de marbre pivota. A l'intérieur de la poitrine ouverte, sur une tablette de bois noir, était posé un coffret de cuivre ciselé, de la dimension de ceux qu'emportent les dames quand elles voyagent, pour y enfermer leurs artifices de beauté. Sa face avant était percée d'un trou de serrure ayant le dessin d'un minuscule serpent. C'était la forme de la clé petite. Lancelot l'y enfonça.

Le couvercle et tous les côtés du coffre s'arrachèrent à la fois, dans un horrible hurlement fait de mille hurlements. C'était la clameur d'agonie de milliers de femmes torturées, d'hommes écartelés, d'enfants violés, de foules écrasées, d'océans ravagés jusqu'au fond de leurs abîmes. C'était les voix d'un peuple de démons emprisonnés par un sortilège de Brandus le Noir, le maître du château et qui à travers les murailles, faisaient peser sur les habitants de la Douloureuse Garde une angoisse pire que la mort. Ils sortaient par nuées du coffre disloqué, flammes noires, ailes sans corps, ombres déchirées, se heurtaient aux murs et les traversaient en piaillant.

La grande porte du donjon s'ouvrit brusquement, et Brandus le Noir en sortit au galop, suivi de ses cavaliers rouges, morts et vivants. Ils s'enfuirent tout droit dans la campagne, poursuivis par la horde volante des démons qui les rattrapa, les enveloppa d'un nuage noir, tourbillonna, et disparut avec eux.

Le donjon s'évanouit en fumée. A sa place s'éleva le jet babillant et perlant d'une fontaine ensoleillée. Lancelot, sans connaissances, couvert de sang, était étendu dans le cimetière, sur un lit d'herbe douce, à l'emplacement de sa tombe qui n'existait plus. Les autres tombes étaient fleuries de roses et les heaumes vides des chevaliers morts brillaient comme neufs. Autour de la chapelle tournaient les oiseaux de Viviane. Celle-ci, ses pouvoirs revenus, se penchait sur Lancelot.

— Beau fils de roi, lui dit-elle avec tendresse, cœur sans peur, tant aimé, aujourd'hui tu as mérité ton nom... Ne le démérite jamais... Je te laisse tes blessures pour que tu te souviennes... Elles guériront vite... Quand tu pourras chevaucher tu devras aller voir ta mère. Elle ne pourra plus t'attendre bien longtemps...

Lancelot inconscient l'entendait et souriait. Son sang coulait sur l'herbe verte. Près de son visage se dressait une poupée de cuivre, une demoiselle au corsage ouvert sur des seins roses, pas plus grande que le merlet. Viviane lui fit une grimace, et elle se fondit en cendres, avec un cri de souris.

Bouleversés de bonheur, les habitants délivrés de la Douloureuse Garde soignèrent Lancelot avec une gratitude débordante. Chacun et surtout chacune aurait voulu le panser, le bercer, le serrer sur son cœur, le mignoter, le chouchouter, le cajoler, le caresser, le laver, le coiffer, l'habiller, le déshabiller et lui parler, jamais on ne pourrait assez lui dire tout ce qu'on lui devait. Eût-il été moins beau, les délivrés l'auraient-ils autant aimé ?

On lui donna une fortune, qu'il refusa. On le pria de choisir parmi les douze plus belles demoiselles à marier, il n'en préféra aucune. On lui présenta l'épée magique de Brandus le Noir, il ne voulut pas y toucher, alors faute de mieux on lui prépara les mets les plus savoureux, dont il usa largement, car cette aventure avait aiguisé son appétit.

Ses forces revinrent très vite et ses blessures se réparèrent avec une rapidité qui étonna tout le monde sauf lui. Cette agitation autour de lui, si pleine d'amitié, le gênait et l'emplissait plutôt de tristesse, car il n'en était pas touché, et se reprochait son indifférence. En fait, dès qu'il avait repris conscience, son esprit et son cœur avaient de nouveau été entièrement occupés par l'image de la reine et le désir de la revoir. La voir de nouveau ne fût-ce qu'un instant, s'emplir les yeux d'elle, ne rien dire, la regarder, l'écouter, peut-être toucher le bout de ses doigts, puis s'enfuir de nouveau pour échapper à la folie de sa présence, et se battre encore pour ne pas devenir fou de son absence.

Il avait un bon prétexte pour retourner à Camaalot : apprendre à Arthur les noms de ses chevaliers morts. Il partit le quatrième jour, au grand chagrin de sa foule d'amis, n'ayant accepté d'eux qu'un cheval blanc et un écu pour remplacer ceux qui avaient péri dans son combat.

Quand Lancelot arriva à Camaalot, le roi en était parti, avec un bon nombre de ses chevaliers, pour aller installer Lionel et Bohor dans leur royaume de Gannes. Merlin l'accompagnait.

Lancelot était dans ses dix-huit ans. Les épreuves qu'il venait de traverser ne lui avaient rien ôté de son éblouissant air de printemps. Quand Guenièvre le revit elle en fut si bouleversée qu'elle en perdit un moment la parole. Il avait mis genou en terre devant elle et n'osait lever les yeux vers son visage. Et lui non plus ne pouvait parler.

Reprenant un peu de sang-froid, la reine demanda :
— Beau chevalier, qu'avez-vous à me dire ?

Elle l'avait reçu en ses chambres, en présence de la Dame de Malehaut, qui se tenait à quelques pas d'eux. Lancelot leva la tête, regarda les yeux bleus qui le regardaient, et s'y perdit. Guenièvre se mit à trembler. Malehaut, comprenant ce qui se passait, s'approcha rapidement, la soutint et la fit s'asseoir.

— Chevalier, dit-elle à Lancelot, vous feriez bien de dire vite ce que vous avez à dire...

Puis elle sortit, les laissant seuls, mais attentive derrière une porte, pour le cas où la reine aurait besoin d'elle.

— Ce que j'ai à dire je ne puis le dire..., fit Lancelot, d'une voix que Guenièvre entendit à peine.

Il baissa la tête de nouveau, pour retrouver quelque courage.

— ... Je voulais tout d'abord vous dire qui je suis... Je désirais que vous fussiez la première à le savoir... je l'ai appris à la Douloureuse Garde... Mon nom doit rester secret... je ne l'ai pas encore assez mérité... mais je peux vous dire celui de mon père... Je suis le fils du roi Ban de Bénoïc...

« Ban de Bénoïc ! Comme il lui ressemble ! Pourquoi ne m'en suis-je pas aperçue plus tôt ? J'avais quinze ans... Il était le plus beau des quarante et un... Si mon père ne m'avait donné à Arthur, c'est lui peut-être que j'aurais épousé... Et voici son fils !... Qui pourrait être le mien... Et dont je me bouleverse !... Suis-je devenue folle ? »

Inquiet de son silence, Lancelot leva vers elle ses yeux couleur du ciel de l'aube, et quand leurs regards de nouveau se mêlèrent, elle oublia toute angoisse et toute raison. Lentement elle tendit la main vers le doux visage, la posa sur la joue pareille à la rose, se leva, fit doucement se lever le chevalier blanc, le chevalier de lune, et il fut alors plus grand qu'elle et elle dut se soulever un peu sur la pointe de ses pieds pour poser ses lèvres contre ses lèvres, qui étaient fraîches, douces, brûlantes, pulpeuses, qu'elle eut envie de mordre, et...

Et elle se rejeta en arrière et dit d'une voix étranglée :

— Fils de roi, va-t'en !... Va-t'en et ne reviens

plus !... Jamais !... Je ne veux plus te voir !... Je ne *peux* plus...

Lancelot, hors de lui de bonheur et de désespoir, tomba à ses genoux et voulut lui dire...

... mais elle fit « non » de la main et signe de s'en aller, de s'en aller, de s'en aller...

Il se redressa et sortit en courant...

Malehaut trouva la reine prostrée dans son fauteuil. Elle n'avait pas besoin de solliciter de confidence, pour savoir...

Avant de fuir Camaalot, Lancelot accomplit le devoir pour lequel il était venu dans la cité du roi : il dit les noms des tués à la Douloureuse Garde à un clerc qui les inscrivit sur un parchemin, pour les faire connaître au roi quand il reviendrait, et, en attendant, à celles qui s'inquiétaient pour le sort d'un absent.

La Dame de Malehaut fut une des premières à venir interroger le clerc. Elle apprit ainsi que le Sire de Malehaut, son époux, était mort, comme elle le supposait. Elle en éprouva quelque chagrin, car c'était un homme sans méchanceté pour qui elle avait eu de l'affection. Mais elle fut, en même temps, satisfaite de voir sa situation éclaircie. Elle était devenue l'amante de Galehaut, le fils de la Belle Géante. Ils étaient pleinement heureux de leurs amours, mais avaient dû les cacher. Elle allait pouvoir maintenant l'épouser et jouir au grand jour, longtemps, de son bonheur. Du moins le croyait-elle. Elle ne savait rien de la mission secrète dont avait été chargé Galehaut, qui lui-même l'ignorait. Mais peut-être ne la connaîtrait-il jamais ?...

Pour rester près d'elle, Galehaut n'avait pas accompagné Arthur en Petite Bretagne. Il avait passé le plus clair de son temps au château de Malehaut, proche de

337

Camaalot, qu'on nommait aussi le Château de l'Eau Sans Bruit, parce que, dans son verger en contrebas d'une colline, une source coulait du haut d'un rocher lisse en une nappe luisante, sans faire entendre même un chuchotement. Ce n'était qu'à son pied, en devenant ruisseau, qu'elle gazouillait quelque peu, mais de nouveau se taisait, coulant sous l'herbe penchée.

Le ruisseau arrosait fleurs et arbres à fruits, et s'épanouissait en un bassin que le sol singulier en ce lieu réchauffait si bien qu'y poussaient des lotus d'Asie dont les gens de ce pays éloigné disent que les fleurs ont la forme du cœur de Dieu. Qu'en savent-ils ?...

Près du bassin, à l'écart du château, s'élevait une courte maison de pierres de grès roux, aux murs tapissés de vigne folle. Elle recevait, comme le bassin, la chaleur de la terre. La Dame de Malehaut en avait garni la pièce la plus tiède d'un grand lit de fourrures et de mille coussins. C'était là qu'elle recevait son chevalier bien-aimé. Après les joies de l'amour, ils y goûtaient une grande paix, qui venait du murmure des feuilles, de la tiédeur de la terre et du silence de l'eau.

Ce fut là qu'elle conduisit Guenièvre après l'avoir convaincue de quitter Calaamot quelques jours, pour se remettre et cacher ses émotions, trop visibles. Il était déjà arrivé à la reine de s'absenter, accompagnée seulement de deux ou trois suivantes, pour aller faire retraite dans un couvent, ou honorer de sa visite la famille de telle ou telle de ses dames. Le sénéchal Kou était toujours ravi de la voir partir. En l'absence du roi et de la reine, il pouvait jouer à être le maître du royaume. Mais sans secrète envie. Sa fidélité était totale.

Il avait, comme les autres chevaliers présents à

338

Camaalot, fait grand accueil au vainqueur de la Douloureuse Garde. C'était la plus rude aventure menée à bien jusqu'à ce jour. Mais Lancelot n'en avait manifesté nulle fierté. Quand il repartit sans dire mot, comme égaré, il surprit tout le monde. Galehaut voulut l'accompagner quelque temps. Lancelot n'eut pas l'air de le reconnaître et ne prêta aucune attention à sa compagnie. Son regard semblait perdu à l'intérieur de lui-même. Parfois il souriait comme sous l'effet d'un bonheur infini, puis son visage devenait tragique, ses yeux clairs étaient envahis par la nuit, il piquait son cheval avec rage et fonçait droit devant lui dans un galop forcené. Dans un de ces accès de désespoir il se trouva face à un chevalier qui prétendit lui interdire de traverser le gué d'une rivière. Sans écouter plus d'un mot, il tira son épée, le tua, et poursuivit son chemin. A la nuit tombée il continuait de galoper, droit devant, et ses deux écuyers le perdirent. Mais Galehaut, peut-être parce qu'il était du dessous de la terre, savait se conduire dans la nuit, et put continuer de le suivre. Il aimait tendrement Lancelot, dans les bras de qui il avait franchi la frontière des deux mondes, et s'inquiétait de le voir dans un tel état.

Il le rejoignit devant une rivière profonde qui grondait. Le cheval blanc, tache pâle dans l'obscurité, s'était arrêté de lui-même, et Lancelot restait droit en selle, immobile, pareil à son propre fantôme. Son corps était présent, mais son esprit était resté à Camaalot, revivant sans cesse la scène où celle qu'il aimait avait fait de lui l'homme le plus heureux et le plus déchiré. C'était un court moment du temps, et c'était une éternité dont il n'avait ni le pouvoir ni l'envie de s'échapper.

Galehaut lui adressa doucement la parole. Il ne lui répondit pas. Alors le fils de la reine des Iles Lointaines prit le cheval blanc par la bride et les deux cavaliers s'en retournèrent côte à côte dans la direction de Camaalot. Galehaut avait décidé de conduire Lancelot au Château de l'Eau Sans Bruit où il pourrait, dans la paix et l'amitié, retrouver ses esprits.

C'est ainsi que sans que quiconque ni eux-mêmes l'eussent voulu, Guenièvre et Lancelot se trouvèrent réunis dans le même lieu. Le Diable lui-même n'y était pour rien mais il s'en réjouit. Viviane s'en alarma, mais n'intervint pas. C'était à Lancelot tout seul de conjurer ce péril, comme les autres.

Galehaut et Malehaut, si proches par leurs noms et par leur ressemblance, ne faisaient peut-être qu'un dans les mains de la fatalité. Et comme ils avaient eu tant de bonheur à se trouver et à s'unir, ils voulurent que ces deux-là qu'ils aimaient connussent le même bonheur. Sans rien leur dire, ils préparèrent leur rencontre.

Malehaut baigna Lancelot et frêmit de voir son jeune corps marqué de fraîches cicatrices. Pour le tirer de sa stupeur elle lui parla de la reine, dont elle était la fidèle compagne. Un peu apaisé, il mangea et s'endormit.

Malehaut s'en fut alors rejoindre la reine et lui conta l'errance de Lancelot, qui semblait avoir perdu la raison, de la douleur d'avoir dû la quitter. Devant le bouleversement de Guenièvre, elle se hâta d'ajouter qu'il allait mieux, qu'il était en train de se reposer, non loin, tout près...

A la nuit à peine tombée, Lancelot s'éveilla, trouva à son chevet une robe de soie dorée, la glissa sur lui, vint à la fenêtre par où entraient les chants des rossignols et des grives du soir, regarda le ciel comblé d'étoiles, sortit pour mieux les voir. Il se sentait soulagé il ne savait de quoi. L'herbe était fraîche et la terre tiède sous ses pieds nus. Quelques flambeaux de cire piqués parmi des fleurs éclairaient de loin en loin un sentier, l'invitant à s'y engager. Marchant de lumière en lumière, il arriva devant une porte ouverte sur une lueur douce, dans un mur de vigne folle. Encore à demi dans le sommeil, ses fins cheveux ébouriffés, ses yeux clairs emplis de rêve, il entra... Ici nous ne pouvons que nous taire. Pour décrire l'amour qui s'accomplit, tant de joie éperdue, la timidité d'abord, peut-être l'effroi, le cœur qui veut sauter hors de la poitrine, les mains qui veulent connaître, qui se tendent, qui se posent, qui se brûlent, la découverte, l'émerveillement, les corps qui se joignent peau à peau et s'unissent, la stupeur, l'envol, le bonheur de l'autre, la douce lassitude, la tendresse, la gratitude infinie, et la redécouverte et le nouvel élan, et les frontières de la joie sans cesse reculées, et celles du monde volant en éclats, pour dire la délivrance du cœur que plus rien ne gêne, l'épanouissement de l'esprit qui comprend tout, pour donner même une faible idée de ces moments hors du temps et de toutes contraintes, il faudrait employer d'autres mots que ceux dont dispose le langage ordinaire. Pour parler des joies de l'amour et des lieux du corps qui leur donnent naissance, il n'existe que des mots orduriers ou anatomiques. Ou d'une pauvreté si misérable, qu'ils sont comme une peinture grise sur le soleil. Le plus affreux d'entre eux est le mot « plaisir ».

Les amants inventent leur propre vocabulaire, mais

il n'a de signification que pour eux. Alors laissons Guenièvre et Lancelot murmurer, balbutier, chanter leur amour, leur folie, leur éblouissement. La porte s'est refermée. Eloignons-nous, en silence...

À L'INTÉRIEUR
DE CETTE
PAGE BLANCHE
GUENIÈVRE
ET LANCELOT
S'AIMENT.

Le sixième matin, Malehaut vint prévenir la reine
que le roi revenait. Un courrier était arrivé à Camaalot, précédant Arthur et ses compagnons.

Lancelot ni Guenièvre ne savaient exactement
depuis combien de temps ils étaient ensemble. Les
nuits et les jours s'étaient confondus plus que succédé,
en un temps nouveau qui ignorait ce qu'était la durée.
Parfois, elle ou lui tirait un des rideaux qui occultaient
les fenêtres, trouvait les étoiles ou le soleil, refermait en
clignant des yeux, et retournait à l'amour, dans la
lueur discrète et chaleureuse des lampes d'huile et des
chandelles à l'odeur d'abeilles. Dans la pièce voisine,
une table était approvisionnée par Malehaut elle-
même. Ils avaient mangé et bu en riant, heureux de
partager aussi cet appétit et cette joie de plus. Lancelot
avait trouvé parmi les coussins une harpe des îles. Se
rappelant les leçons reçues au Pays du Lac, regardant
Guenièvre nue dormir dans l'abandon bienheureux
qui succédait à l'extase, il avait chanté à voix très
basse, en effleurant les cordes, la beauté de son corps,
teint de rose et d'or par les courtes flammes. Et dans
son sommeil sans poids Guenièvre entendait ses
paroles comme de nouvelles caresses, et souriait.

Se quitter! Il fallait se quitter! Se séparer! Se déchirer!... Et rejoindre le monde des autres, ce monde devenu totalement étranger, avec ses bruits, ses gestes, tout ce qu'il faudrait dire et faire sans en avoir envie, parmi ces fantoches qui croyaient vivre et ne faisaient que s'agiter...

Ce n'était pas possible!

Lancelot proposa une folie, qui rendit brusquement à Guenièvre le sens de la réalité :

— Nous partons!... Ensemble!... Tu ne retournes pas à Camaalot!... Je t'emporte!

— Pour aller où?

— N'importe où! Loin!...

— Où dormirons-nous ce soir? Où vivrons-nous demain?

— Nous trouverons des amis!...

— Nous n'aurons plus d'amis! Je ne serai plus la reine, mais la prostituée!... Tu ne seras plus le héros mais le traître qui a honni son roi!... Tous les chevaliers nous chercheront pour nous tuer...

Il ne trouva plus rien à dire. Elle avait raison, mais c'était atroce. Il ne se sentait coupable de rien. Elle n'était pas coupable non plus. Ils n'étaient pas dans le mal, ils étaient dans l'amour, ils étaient blancs d'amour, innocents, lumineux d'amour...

Elle serrait doucement contre sa poitrine la chère tête aux cheveux pâles, elle lui disait : « Je vais rentrer... Toi tu viendras dans quelques jours... Bientôt!... Nous nous verrons de loin... J'aurai le bonheur de pouvoir te regarder, t'entendre... Et puis nous nous retrouverons ici... Ou ailleurs... Bientôt!... »

Il dit avec violence :

— Je ne peux pas... Je ne pourrai pas te parler avec

indifférence !... Je ne pourrai pas résister à l'envie de te prendre dans mes bras !... Je ne pourrai pas « faire semblant ! »... Et je ne pourrai pas me présenter au roi !... JE NE PEUX PAS !

Elle comprit que c'était vrai. Il ne pourrait pas dissimuler. Il n'avait jamais menti. Il ne savait pas.

Il voulut partir le premier. Si elle était partie avant lui il n'aurait pu s'empêcher de la suivre.

Anxieuse, elle lui demanda :

— Où iras-tu ?

— Je ne sais...

— Quand reviendras-tu ?

— Je ne sais...

Il ne dit rien de plus, baisa les chères mains posées sur lui, les écarta de lui, sortit à reculons, sans cesser de la regarder, et quand il fut dehors se détourna brusquement et s'éloigna en courant de la maison tapissée de vigne.

Galehaut l'aida à se mettre sous les armes. Quand il fut à cheval, sous le heaume et le haubert, son épée à son côté, il retrouva, dans l'équilibre vertical du guerrier, une sorte de sérénité. Il avait à faire. Beaucoup à faire. Pour mériter son nom. Pour mériter celle qui l'aimait.

Arrivé à quelque distance du Château de l'Eau Sans Bruit, il fit s'arrêter et se retourner sa monture, pour regarder ces lieux où il avait trouvé le bonheur inimaginable. Le château était une demeure récente, faite pour le séjour et non pour la bataille. Une allée plantée d'arbres courts taillés en forme de coupes conduisait à son enceinte basse qui n'aurait pas résisté au moindre assaut. Derrière l'enceinte s'étendaient les parcs et les vergers et se dressait la façade du château, de pierre ocre, percée de nombreuses fenêtres. Sur la droite, quelque part au milieu des arbres, se cachait la maison tapissée de vigne. Un peu plus loin, au-dessus des verdures, émergeait le rocher couvert de sa robe d'eau mouvante.

De chaque côté de l'allée luisaient des étangs plantés de lotus parmi lesquels nageaient des canards bleus et des poules d'eau au long col fin et au bec en aiguille.

Lancelot regarda tout, s'emplit le cœur de ces images, tira son épée, en salua ce qu'il quittait, puis la tendit vers le ciel et remercia Dieu pour ce qu'il venait de lui accorder.

Il rengaina et s'en fut. « Où iras-tu ?... Je ne sais... » Maintenant il savait : que ce fût au nord, au sud, à l'est, à l'ouest, c'est vers le Graal, uniquement, qu'il irait. Il le trouverait et il l'apporterait à la reine.

Dans la maison courte, étendue à plat ventre sur les fourrures, le visage enfoui dans ses cheveux dorés, la reine pleurait.

— Pauvre femme !... dit Merlin.

— Heureuse, bienheureuse femme ! dit Viviane.
Elle peut souffrir, mourir, peu importe, après les nuits
et les jours qu'elle vient de connaître !... Pourquoi,
mon aimé, me refuses-tu, pourquoi Dieu nous refuse-
t-il cela ?

— Nous aurons mieux, Viviane, nous devons avoir
mieux que cela...

Merlin était arrivé au Pays du Lac, aussitôt après
avoir franchi le Canal avec Arthur. Viviane, qui
promenait sa mélancolie au lent balancement de
l'oliphant, avait vu tout à coup celui-ci poser devant
elle, avec sa queue du devant, l'arbre bleu planté dans
un pot... Et Merlin était là, au tournant, dans sa robe
du premier jour, avec sa couronne d'or, debout devant
un buisson de genêt en fleur, celui-là même qui
poussait au Carrefour des Mules. Il la regardait avec
un sourire d'une tendresse infinie et elle avait senti son
cœur fondre dans sa poitrine. L'oliphant l'avait saisie
avec précaution et déposée à terre. Elle avait franchi
sans se presser les quelques pas qui la séparaient de
l'Enchanteur, et quand elle s'était trouvée contre lui
elle aurait voulu continuer de marcher pour entrer

348

dans lui, dans l'immense pays qui était en lui, et y vivre à jamais.

Il avait fermé ses bras autour d'elle et s'était transporté avec elle sur la terrasse ronde autour du tronc du grand Arbre. Il lui désigna les merveilles du Pays du Lac et lui demanda :

— Voudrais-tu perdre tout cela ?

Elle répondit :

— Oui, si je te gagne.

Il dit :

— Voudrais-tu être obligée de monter à pied les six mille marches qui conduisent au sommet de l'Arbre ?

Elle répondit :

— Oui, si c'est avec toi.

Il dit :

— Avec moi, mais autrement ! Viens !...

Il lui prit la main et ils furent à la cime.

L'arbre était plus haut que toutes choses dans le monde.

Il se terminait à la façon d'une pyramide, sa pointe tronquée formant une plate-forme, d'un feuillage aussi dense et résistant que la pierre. Dans l'épaisseur du feuillage étaient gravées les empreintes de deux pieds côte à côte et tête-bêche, chacun assez grand pour accueillir un homme couché. L'un avait son talon à l'est, l'autre à l'ouest.

— Les pieds qui ont laissé ces traces sont ceux du premier vivant, dit Merlin. Celui que nous nommons Adam. Adam seul, avant Eve. Seul n'est pas le mot qui convient, car c'est un mot masculin. Adam n'était pas masculin. Ni féminin. Il était le Vivant, avant le partage du monde en deux.

— Il avait une curieuse façon de marcher ! dit Viviane.

— Il ne marchait pas ; il dansait ! Et maintenant il court, il court après son sexe et son sexe est comme une plume dans la tempête : c'est le vent qui décide, et le vent ne sait rien... Et tout le vivant du monde s'agite, ou plutôt est agité, de la même façon... Regarde !

Le monde se montrait en rond, à plat, autour de l'Arbre, dans son entier, avec ses terres et ses mers et ses quatre saisons. Et Viviane le voyait dans sa totalité et dans chacun de ses détails. Elle vit des animaux familiers et d'autres qui lui parurent fantastiques. Elle vit dix millions de formes différentes d'insectes. Elle vit des fleurs grandes comme des tables et d'autres comme un grain de sel. Elle vit dans les eaux des océans des milliards d'espèces si petites que l'œil humain ne pouvait les voir et qui n'étaient ni plantes ni bêtes et les deux à la fois. Elle vit des êtres humains noirs, jaunes, rouges, bruns, blonds, roux, grands, petits, en foules, en couples, en armées, en familles. Et plantes, bêtes, humains, géants, invisibles, volant, nageant, rampant, gluants, courant, sautant, grouillaient du même mouvement incessant, désordonné, chaque être n'étant qu'une moitié qui cherchait sa moitié, trouvait une autre moitié qui n'était pas la sienne, essayait de s'unir, ne faisait que s'accoupler, se séparait, recommençait, tandis que naissaient partout, sans arrêt, d'autres moitiés qui, dès qu'elles pouvaient bouger, commençaient à chercher leur moitié...

— Mais pourquoi ? demanda Viviane. Pourquoi Dieu a-t-il séparé les moitiés du monde ?

— Lui seul le sait ! dit Merlin. Adam Premier était au commencement, mais il était aussi une fin, puisqu'il était complet... Peut-être cela n'était-il pas bon. Il contenait toute la vie, mais la vie en lui ne bougeait pas. Il était pour elle une prison. Dieu l'a coupé en deux pour que la vie s'évade et se mette à couler. Adam plus Eve sont devenus source. Tu as vu grouiller la vie dans le monde présent, regarde-la couler à travers le temps...

Et Viviane vit Adam homme et Eve femme couchés côte à côte sur la terre nue. Ils se tenaient par la main, et de la poitrine ouverte d'Adam et du sexe ouvert d'Eve coulait une source qui devenait ruisseau puis fleuve. A mesure que passaient les milliers et les millions d'années, le fleuve s'élargissait, devenait plus profond, plus puissant, emplissait les océans, submergeait les continents, et continuait de couler, lent, puissant, inexorable, formidable. Chacune de ses gouttes était un être vivant qui, homme ou insecte, s'accouplait et engendrait d'autres êtres vivants qui n'avaient d'autre mission, d'autre devoir, d'autre raison d'être, que d'engendrer d'autres vivants chargés de la même mission.

— Où va ce fleuve? murmura Viviane. Va-t-il quelque part?

— Regarde-le bien : au contraire des fleuves non vivants il ne coule pas vers le bas : il monte...

Et Viviane vit que le fleuve était déjà plus haut que les terres et les océans, plus haut que les montagnes. Elle regarda le ciel, demanda :

— Là-haut?...

— Là-haut il y a d'autres mondes, aussi nombreux que les gouttes du fleuve...

— Et Dieu?

— Dieu?... La vie mettra peut-être l'éternité pour le rejoindre...

351

« Voilà sans doute pourquoi celui qui est appelé à découvrir le Graal doit être vierge. Il faut qu'il soit arraché au fleuve, libéré du désir qui l'entraîne dans le courant et fait de lui un esclave indiscernable parmi les milliards de milliards d'esclaves, hommes ou bêtes, accomplissant la même tâche : assurer la continuité de la vie.

— Alors l'amour est une supercherie ?

— Qu'en penses-tu ?

— Je pense que rien de ce que tu m'as montré ne tient contre ce que j'ai à te dire.

— Qu'as-tu à me dire ?

— Je t'aime, dit Viviane.

La reine veuve du roi Ban, mère de Galaad dit Lancelot du Lac, et la reine veuve du roi Bohor, mère de Lionel et Bohor, plongées presque en même temps dans l'excès du malheur, ayant perdu époux, enfants et tous biens de la terre, s'étaient réfugiées dans le même couvent et avaient passé ensemble de longues années en prières, sans parvenir à guérir leur douleur. Un matin, la reine veuve du roi Bohor, dont nous ne connaissons pas le nom, s'approcha de la reine veuve du roi Ban, dont le nom était Hélène, et lui dit avec un visage rayonnant :

— J'ai vu mes fils !... Cette nuit !... Ils sont venus me visiter dans mon rêve ! Maintenant je peux mourir !...

Et elle se coucha, sur son dur lit de nonne, pour se laisser aller à rendre l'âme. Mais ce rêve n'était qu'une avant-garde du réel. Dans la journée même, ses deux fils, qui arrivaient en Petite Bretagne pour se réinstaller au royaume de leur père, furent conduits au couvent par le roi Arthur, qui n'ignorait pas où se trouvaient les deux reines.

Les jeunes chevaliers s'agenouillèrent auprès de leur mère étendue sur sa couche, et versèrent des larmes d'amour et de douleur sur celle qu'ils ne retrouvaient que pour la perdre. Elle, illuminée d'un immense bonheur, s'émerveillait de les voir tellement grandis, et devenus si beaux. Elle mourut ainsi, dans le ravissement.

La reine Hélène resta seule avec ses souvenirs. Elle souhaita de mourir vite. Elle ne pouvait espérer recevoir avant son trépas une joie pareille à celle qui avait été accordée à l'autre reine, car, son mari mort à ses pieds, elle avait vu de ses yeux une inconnue, à la raison égarée, s'enfoncer en riant dans les eaux d'un lac, en emportant son enfant tout neuf. Elle avait alors seize ans. Il lui semblait maintenant en avoir mille, bien qu'elle n'en eût pas trente-cinq. Elle avait tant pleuré, tant prié, n'ayant rien d'autre à attendre que la mort, qu'elle avait perdu presque toute chair. Ses cheveux étaient blancs comme neige, et son visage presque aussi clair. Elle ne pesait que le poids de ses vêtements et de sa peine.

Un jour, après la prière de midi, elle sentit que sa fin approchait et devint plus légère encore, soulagée d'avance du poids de la détresse qui ne pourrait plus s'accrocher à elle.

Elle s'en fut à pas menus s'asseoir au jardin du couvent, pour dire un dernier adieu aux oiseaux et aux fleurs. Le banc qui la reçut la sentit à peine plus qu'une feuille de l'automne.

Lancelot avait appris par Guenièvre, pendant son séjour à l'Eau Sans Bruit, le nom et l'emplacement du couvent qui abritait sa mère. Et le désir de la voir lui fut d'un grand secours dans sa séparation d'avec la reine. Il s'attacha à la pensée de sa mère et se laissa tirer par elle vers le rivage du Canal. Mais, sur le vaisseau qui le traversa, il se tenait tantôt à la poupe, tourné vers la reine, et tantôt à la proue, regardant vers sa mère.

Quand il eut débarqué, la pensée de cette dernière devint la plus forte, et il galopa vers le couvent sans se retourner une seule fois.

A son approche, une partie du mur disparut pour le laisser entrer à cheval dans le jardin : Viviane voulait que la reine des grandes douleurs découvrît dans toute sa gloire le beau chevalier que son fils était devenu. Le soleil l'illuminait, il avançait entre deux haies de hautes roses au pas tranquille de sa monture. Après l'avoir pris pour une apparition céleste, sa mère sut d'un seul coup qui il était. Elle se leva de son banc, toutes peine et faiblesse envolées, et tendit les mains vers celui qui arrivait. Elle était blanche comme lui. Le soleil l'éclairait doucement. Et Lancelot sut qui elle était.

Il s'arrêta, mit pied à terre, s'agenouilla, joignit les mains et pria :

— Mère accueillez-moi, me voici, je suis votre fils Galaad, si longtemps perdu...

Elle disait à voix basse :

— Mon petit..., mon petit..., mon petit...

Elle lui donna ses mains. Il les prit avec mille précautions tant elles lui paraissaient fragiles, les baisa, et les mouilla de ses larmes...

Il resta trois jours auprès d'elle. Il lui raconta comment la Dame du Lac l'avait emporté pour le sauver du roi Claudas qui voulait le faire périr, comment elle l'avait élevé dans le merveilleux Pays du Lac, comment il avait appris, il y avait si peu de temps, qui il était. Mais il ne lui dit pas un mot de son amour pour Guenièvre et ne prononça même pas son nom sans quoi il eût tout dit...

Elle ne cessait de le regarder, de caresser ses cheveux de soie, de lui faire répéter ce qu'il avait déjà conté, pour le bonheur d'entendre de nouveau sa voix. Elle reprenait vie, elle n'avait plus du tout désir de mourir. Elle mangeait comme quatre, elle voulait vivre encore et reprendre toutes ses forces, car elle savait que son fils revenu allait avoir besoin d'elle, mortellement besoin. Quand il la quitta pour poursuivre la Quête, elle retourna au réfectoire réclamer un petit supplément.

Lancelot s'éloigna du couvent en droite ligne vers le sud. Peu à peu, le visage de Guenièvre l'emplit de nouveau tout entier. Il chevaucha pendant des heures sans rien voir des forêts et des landes de Petite Bretagne qu'il traversait, ni des villages dont les habitants s'immobilisaient et faisaient silence pour le regarder passer.

A la fin du jour, le soleil, au lieu de se coucher, se trouva dans le ciel à la place qu'il occupait au commencement de la matinée, et Lancelot, regardant enfin ce qui s'offrait à ses yeux, reconnut devant lui le Château de l'Eau Sans bruit.

Ce n'était pas possible ! Il en était séparé par la largeur du Canal et des journées de terre... Et pourtant il voyait le rocher avec sa robe d'eau, l'allée des arbres taillés en coupes, la façade de pierre ocre...

Un homme coiffé d'un chapeau de joncs tressés, assis sur un tabouret au bord de l'allée, pêchait à la ligne dans l'étang de droite.

— Beau pêcheur, lui demanda Lancelot, pouvez-vous me dire quel est le nom de ce château qui ressemble si fort à un autre château que je connais ?

Mais le pêcheur, mettant un doigt sur ses lèvres, lui fit signe de se taire, et après quelques secondes tira sur sa ligne et sortit de l'eau un poisson long comme le doigt, tout frétillant et vivant, mais fait d'argent pur et bien luisant. L'homme soupira, décrocha le poisson et le rejeta dans l'étang.

— C'est un poisson d'or que j'espérais..., dit-il.

Puis répondant à la question :

— Beau chevalier, quel que soit le nom de ce château, tu y es attendu...

Et Lancelot se trouva subitement assis à une table ronde, avec sept chevaliers richement vêtus, en face d'un roi couronné en qui il reconnut l'homme au chapeau de jonc, qui lui dit :

—— Beau fils de roi, dont je ne prononcerai pas le nom, car de tes deux noms l'un n'est pas le vrai et l'autre n'est pas entièrement mérité, je suis le roi Pellès le Riche Pêcheur, et le château qui t'accueille est le Château Aventureux. Tu y es attendu depuis longtemps, mais tu t'es attardé en route, deux fois pour le bien de ton âme et une fois pour son péril. Aujourd'hui nous saurons si tu as gagné ou perdu...

La porte de la salle s'ouvrit et les valets entrèrent, portant la litière sur laquelle gisait le roi mehaigné. Après l'avoir regardé avec compassion, Lancelot reconnut, posée près de lui sur sa couche, la moitié d'épée qu'il avait vue dans la nef, qu'il avait saisie, utilisée et perdue. Mais, près du roi couché, a deuxième moitié était également présente, dans le prolongement de la première.

Le vieillard geignait. Son odeur affreuse l'accompagna autour de la table. Dans sa cuisse droite, nue et à peine plus grosse que l'os, était ouverte une plaie d'où saignait un rouge sang. Arrivant près de Lancelot il lui demanda d'une voix faible :

— Blanc chevalier, est-ce enfin toi qui me guériras ?

Lancelot, se souvenant des lettres qu'il avait lues dans le pavillon de la nef, sut ce qu'il devait faire. Il se leva, saisit dans chaque main une des moitiés de l'épée, et les rapprocha par leur cassure. Elles se laissèrent joindre, mais ne restèrent pas unies. Il insista, les forçant à s'ajuster, les pressant l'une contre l'autre. Mais dès qu'il relâchait son effort, les deux moitiés de l'épée se séparaient.

Renonçant, il les reposa à côté du roi mehaigné, qui avait déjà refermé les yeux. Les mains de Lancelot étaient douloureuses. Il en regarda les paumes, pensant les trouver ouvertes par le fil de la lame. Elles étaient intactes. Mais sur la litière, l'Epée Brisée saignait par les deux plaies de sa fracture, mêlant son sang à celui du roi...

Les valets emportaient le vieillard. Le pigeon blanc entra avec sa cassolette suspendue et vint faire trois fois le tour de Lancelot qui était resté debout.

— *Est-ce un bon signe ?* demanda Viviane. *A-t-il encore une chance ?*

— *Il va découvrir ce qui est le plus fort en lui,* dit Merlin. *Et ce faisant, il va perdre ou gagner.*

— *Qui est ce roi mehaigné dont j'ai grand pitié ? Et que signifie son nom ?*

— *Mehaigné est un mot de l'ancienne langue qui signifie à la fois châtié et blessé. Il était un des rois gardiens du Graal, le premier à avoir complètement oublié quel est son contenu. Ne connaissant rien, il voulut tout connaître, par curiosité et non par impérieux besoin, et il souleva le voile. Il ne vit rien, mais une épée jaillit du vase et le frappa à la cuisse avec tant de*

359

violence qu'elle se brisa... Son fils déjà né lui succéda. Le roi
Pellès est son descendant...

Le pigeon blanc sortit et le deuxième cortège entra.
Onze jeunes filles vêtues de robes de neige s'avançaient, portant des cierges, les dix premières deux par
deux et derrière elles la onzième, seule. Les cierges
répandaient un parfum de lys. De leurs flammes
naissaient de légers pétales de fleurs qui volaient
doucement, lumineux, se posaient et s'envolaient de
nouveau. La onzième ne portait pas de cierge, mais,
dans ses deux mains, levées devant elle à la hauteur de
sa poitrine, un vase recouvert d'un voile. Elle-même
était voilée d'une semblable étoffe, légère comme l'air,
qui lui cachait le visage et les cheveux.

Lancelot demanda d'une voix étranglée :

— Sire, est-ce là le Graal ?...

— C'est le Graal.

— A qui et à quoi doit-il servir ?

— *C'est la bonne question,* dit Merlin, satisfait.

— Celui qui lèvera le voile le saura, dit le roi.

— Sera-ce moi ?

— Essaye, si tu t'en crois digne.

La onzième s'arrêta devant Lancelot et se tourna
vers lui, offrant le vase à son geste possible. Les pétales
de lumière voletaient dans la pièce, se posaient sur les
mains et les visages, neige tiède qui s'envolait de
nouveau avec un élan minuscule. Des chants venus de
très loin traversaient les murs. Des voix exquises
d'enfants, peut-être d'anges.

Lancelot tremblait, hésitait, partagé entre le fantastique désir d'achever la Quête, et la terrible crainte
d'échouer.

— *Il doute !* dit Merlin. *Il a perdu toute hardiesse...*

— *Serais-tu hardi, à sa place ?*

— *Je n'oserais bouger un doigt...*

Brusquement, retrouvant son habituel courage, Lancelot leva les mains et saisit les deux coins du voile. Dans ce mouvement, son regard se porta jusqu'à celle qui tenait le vase. Comme de la fumée sous un coup de vent, la fine étoffe qui la dissimulait disparut.

Lancelot poussa un cri rauque, lâcha les coins du voile du Graal, resta un instant pétrifié, son regard halluciné fixé sur le visage qui venait d'être révélé, puis s'écroula évanoui.

— *C'est perdu !...*, dit Merlin.

— *Mais que lui est-il arrivé ?* dit Viviane stupéfaite. *Celle qui tient le vase, c'est Elwenn, la fille du roi Pellès. Pourquoi lui a-t-elle produit un tel effet ?*

— *Ce n'est pas Elwenn qu'il a vue*, dit Merlin.

Il avait vu Guenièvre...

Quand l'étoffe légère s'était dissipée, c'était le visage de Guenièvre qui lui était apparu, les yeux de Guenièvre qui le regardaient.

C'était Guenièvre qui lui tendait le Graal. Et le Graal avait cessé d'exister pour lui. Il n'y avait plus au monde que Guenièvre.

Quand il reprit ses sens, il était avec elle dans un lit tiède, il la tenait dans ses bras, sa peau contre sa douce peau, ses mains déjà se promenant sur elle. Il ne chercha pas à comprendre, il refusa de supposer ceci ou cela, sa bien-aimée était là, dont il s'était arraché vif, et de nouveau arraché à chaque pas de son cheval l'éloignant d'elle. Tellement regrettée, voulue, désirée, appelée, elle était là !...

Si sortilège il y a, que le sortilège soit béni ! Et si c'est l'œuvre du Diable, que Dieu lui pardonne tout le mal qu'il a fait depuis le commencement des siècles...

Ce n'était pas le Diable, c'était le Riche Pêcheur qui avait tout élaboré. Sa fille Elwenn était jeune, belle, et vierge. Elle avait accepté que son père lui donnât l'apparence de Guenièvre, afin que fût révélé à Lancelot, au moment suprême, quel désir était le plus fort en lui. Et si ce n'était celui du Graal, qu'il renonçât à lever le voile.

Dans ce cas, le stratagème appelait obligatoirement une suite, afin que soit conçu celui qui, peut-être, achèverait le geste interrompu de Lancelot. Elwenn savait que ce commencement de sa vie de femme en serait également la fin. Elle accepta.

Elle devint amoureuse de Lancelot avant de l'avoir vu. Quand il arriva à proximité du Château Aventureux, et qu'elle le découvrit, elle sut que l'amour qu'elle lui portait était juste et mérité, et cet amour en fut multiplié. Lancelot, croyant voir au-dessus du Graal les yeux de Guenièvre, trouva dans les yeux d'Elwenn la même passion.

La nuit fut pour Elwenn paradis et enfer. Jamais femme, en si peu de temps, ne fut autant aimée. Mais cet amour ne lui était pas destiné. Et celui qu'elle donnait était reçu comme venant d'une autre.

Le sortilège prit fin au soleil levant. Lancelot, retrouvant brutalement le réel, se découvrit en train de caresser une inconnue, et sut ce qu'il avait fait durant la nuit.

Eperdu d'horreur et de honte, il s'arracha à la couche, empoigna son épée, pour frapper celle qui l'avait trompé et avec qui il avait trompé Guenièvre. Mais en levant sa lame il déchira les apparences, le château disparut avec tout ce qu'il contenait et Lancelot se retrouva, tout armé, étendu sur le sol brûlant d'une lande d'où s'élevaient des fumerolles. Près de lui, son cheval goûtait de ses longues dents un chardon.

Dans le même instant, si loin, dans l'autre Bretagne,

Guenièvre sentit son cœur serré dans une main de braise, et souhaita mourir.

Elle crut que Lancelot était mort et qu'elle venait d'en recevoir le message. Elle dut cacher sa détresse car elle était auprès du roi tenant audience. Elle ne pouvait pas se permettre de pleurer, ce serait un scandale, mais si elle mourait ce serait seulement un triste événement. Dieu lui accorderait-il cette grâce ?

Merlin, sur sa mule avec son fagot, traversa le mur de la salle et la tapisserie qui le recouvrait, toute rouge et bleue, et qui représentait en cet endroit une reine chevauchant un lion à sept têtes. Hommes et femmes qui attendaient leur tour de parler au roi lui firent place et prêtèrent l'oreille car les interventions de l'Enchanteur étaient toujours intéressantes. Il ne parlait pas pour ne rien dire.

— Sire, dit Merlin, je viens vous donner des nouvelles de Lancelot...

— Comment va-t-il ? s'écria Arthur.

— Il est bien vif, dit Merlin, avec un coup d'œil vers Guenièvre dont les joues rougirent de joie. Son corps est en très bonne santé, mais son esprit est souffrant car il a échoué dans son approche du Graal. Il tenait les coins du voile, et il les a laissés retomber...

— Oh !... fit la foule désolée.

— Pourquoi ? demanda Arthur.

— Dieu le sait, dit Merlin. Lancelot aussi. Et sans doute quelqu'autre personne...

— Je me doutais, reprit Arthur, qu'il ne réussirait pas la Quête, puisqu'il avait refusé de s'asseoir au Siège Périlleux...

— Je le craignais aussi, dit Merlin, mais il fallait lui laisser faire sa course...

— Revient-il ? demanda Guenièvre. Le reverra-t-on bientôt à Camaalot ?

Elle avait réussi à ne mettre dans ces questions qu'un intérêt de reine débonnaire, alors que son cœur s'ouvrait en deux en attendant la réponse. L'Enchanteur, qui était venu exprès pour la rassurer, jugea qu'il en avait assez fait, et, au lieu de répondre, disparut. Il n'aurait su, d'ailleurs, que lui dire de réconfortant, car Lancelot avait décidé de ne plus jamais se montrer à celle qu'il avait trompée.

Et Lancelot allait sans savoir où, déchiré par l'absence, écrasé par le remords, n'ayant d'autre désir que de rencontrer une aventure qui lui apporterait la délivrance. Ne pouvant — c'était le plus grave des péchés — mettre lui-même fin à ses jours, il espérait qu'un adversaire s'en chargerait. Il lui aurait suffi de montrer moins d'adresse et de vaillance, mais cela lui était impossible. Dès qu'il commençait à combattre, ses qualités se montraient plus fortes que lui et il n'obtenait que des victoires, même s'il recevait de graves blessures.

Un jour, il entendit les appels d'une demoiselle que quatre chevaliers emmenaient pour la livrer au dragon Gallemahout. C'était un malheur commun en ce temps-là : un dragon s'installait quelque part, près d'un village, de préférence dans une profonde caverne, et exigeait qu'on lui livrât à date fixe une fille vierge sans quoi il détruirait le village, incendierait les récoltes et réduirait les paysans en bouillie.

On n'a jamais su pourquoi les dragons exigeaient des filles vierges. Car ils ne les demandaient pas pour en user charnellement, mais seulement pour les manger. On aurait pu penser qu'une dame un peu grassette, ou même un bœuf, auraient mieux fait l'affaire. Mais non : les dragons, tous les dragons, ont toujours voulu des filles vierges. C'est un mystère.

Lancelot tua les quatre cavaliers et décida d'aller tuer aussi le dragon Gallemahout. Il entra jusqu'au fond de la noire caverne qu'éclairaient seulement les flammes que l'horrible bête crachait par la gueule et par les yeux. Il avait dû laisser dehors son cheval épouvanté mais avait gardé sa lance, qu'il enfonça dans la gueule flamboyante jusqu'à ce qu'elle sortît derrière la tête. Mais la cervelle des dragons n'est jamais dans leur tête, toujours dans des endroits imprévus. Gallemahout gardait la sienne dans son troisième estomac, prenant bien soin de ne pas la digérer. Si bien que la lance qui lui traversait le crâne ne faisait que le gêner. Le temps qu'il s'en débarrasse en la secouant, la broyant, la brûlant et l'avalant, Lancelot lui avait déjà tranché cinq pattes, trois ailes et le cou, et commençait à lui tailler le ventre.

Mais chaque morceau détaché du monstre devenait aussitôt un dragon d'un volume correspondant. Et ce qui restait de son corps se divisa en d'autres dragons de dimensions diverses. Et plus ils étaient petits, plus leur agressivité était grande. Si l'épée en coupait un en deux, cela faisait deux dragons.

Lancelot fut bientôt entouré d'une masse grouillante, mordante et brûlante qui l'attaquait de tous côtés. Chaque coup d'épée ne faisait que la multiplier. Il eut la tentation de se laisser submerger. Mais s'il succombait, la horde allait se répandre sur tous les villages d'alentour. Il continua donc la lutte, taillant, coupant, pointant, embrochant, moulinant, et augmentant à chaque coup le nombre des crocs et des griffes. Il s'aperçut qu'il pouvait venir à bout des plus petits en les écrasant sous ses pieds chaussés de fer : les dragons écrasés ne donnaient pas naissance à d'autres. Mais ceux qui dépassaient la taille d'une pomme étaient trop coriaces pour céder à la pression. Sous le soulier de mailles ils résistaient, glissaient, giclaient sur le côté, laissant le fer brûlant. S'il voulait exterminer ses adversaires de cette façon, qui semblait la seule possible, Lancelot devrait d'abord les réduire tous en menus morceaux...

Ce fut la voix de Viviane qui lui indiqua comment en finir plus vite :

— Frappe le rocher, devant toi !

Il frappa.

L'épée ouvrit dans la paroi de la caverne une brèche d'où une source jaillit sur les dragons. Au contact de leurs flammes, l'eau devint bouillante, et ils furent cuits...

Tout le village était rassemblé devant la caverne, écoutant avec terreur le tumulte de la bataille. Quand vint le silence, la fille délivrée, surmontant sa peur, entra dans les ténèbres et en ressortit soutenant Lancelot couvert de plaies et de brûlures.

La demoiselle sauvée le soigna nuit et jour, retira de ses propres mains une griffe de Gallemahout qui avait traversé son haubert et le bas de sa poitrine jusque dans le dos, et y était restée fichée. Elle fut lancée dans la caverne que les villageois comblèrent avec de la terre et de la chaux arrosées d'eau bénite.

Les blessures de Lancelot guérissaient lentement, ses brûlures étaient profondes. Tous ses cheveux avaient flambé, et son visage et ses mains n'étaient que cloques suppurantes. Viviane décida d'intervenir.

Elle était désireuse qu'il demeurât le plus longtemps possible en convalescence, c'était pour lui un repos du corps et peut-être de l'esprit, mais les brûlures risquaient de le défigurer, ce à quoi elle ne pouvait se résigner. Son beau fils de roi devait rester le plus beau chevalier du monde, si, par grand élan de son cœur il avait failli à devenir le meilleur. Et quand il serait redevenu ce qu'il était, la fille sauvée, qui se nommait Passefleur, deviendrait sûrement amoureuse de lui et peut-être réussirait-elle à lui faire oublier sa reine perdue. Viviane n'y croyait guère, mais elle se forçait à l'espérer.

Elle vint dans la deuxième moitié d'une nuit, alors que tout le monde dormait dans la chaumière de Passefleur, sauf Lancelot que les douleurs tenaient éveillé. Il était étendu sur une couche faite de paille et de peaux de chèvres. Il avait toute sa connaissance mais ne savait ce qui se passait autour de lui, car les croûtes des brûlures lui bouchaient les yeux. Il reconnut Viviane à son parfum de roses, des roses du Lac à la senteur incomparable. Bouleversé de joie, il murmura :

— Mère, est-ce vous ? Etes-vous là ?...

— Beau doux fils, dit Viviane, cœur de feu, corps brûlé, oui je suis là et j'ai mal de tes maux, et j'ai mal de ton cœur. Pour celui-ci je ne peux rien faire, mais pour celui-là je peux. Ne bouge plus...

Les mains blanches de Viviane se promenèrent au-dessus du corps de Lancelot comme des oiseaux de mer qui volent au ras des eaux.

— Beau doux visage consumé, belles mains charbonnées, beau corps aimé déchiré, j'appelle sur vous la fraîcheur de l'herbe, l'élan des bourgeons neufs, la

369

puissance nourricière des racines, la pure perfection de la rosée qui est en train de naître, et je vous les donne...

Les mains de Viviane s'unissaient en coupe et versaient l'invisible sur le corps meurtri. Et Lancelot sentait l'apaisement et la force couler dans sa chair hachée et brûlée. Un bien-être d'une merveilleuse douceur remplaçait la multiple souffrance. Il sentait chaque fragment maltraité de son être retrouver l'essor de la vie, germer, bourgeonner, se refaire, dans un fourmillement de plaisir physique. Il essaya d'ouvrir les yeux mais ne put.

— Mère, je voudrais vous voir ! dit-il.

— Tu n'as pas besoin de tes yeux pour me voir... N'as-tu pas tous nos souvenirs ?... Tes yeux s'ouvriront dans peu de jours... J'aurais pu te guérir entièrement tout de suite, mais je ne veux pas... Je désire que tu te reposes, que tu reprennes lentement de bonnes forces, avant de t'élancer de nouveau vers les dangers. Et que tu réfléchisses...

« Il faut d'abord que tu saches qu'au Château Aventureux tu n'as pas été la victime d'un sortilège maléfique. La fille qui avait pris l'apparence de celle-qui-t'est-chère n'était pas une créature du démon, mais Elwenn, la propre fille du roi Pellès, et la plus sage du royaume. En face d'elle, sous la semblance que son père lui avait donnée, tu ne pouvais résister à ton propre élan. Tu n'as donc aucune trahison à te reprocher...

— Mais pourquoi, pourquoi cela ? demanda Lancelot.

— La réponse a vu le jour hier. Elwenn a mis au monde ton fils. Elle lui a donné ton nom, Galaad. Il a des cheveux d'or, et des yeux pareils.

Passefleur s'émerveilla de voir les blessures de celui dont elle ne connaissait pas le nom se fermer complètement, et les brûlures guérir sans laisser de traces. Cloques et croûtes parties dévoilèrent un visage si beau, couronné de cheveux nouveaux en courtes boucles, que la fille sauvée en devint éperdument amoureuse, mais n'osait accepter ce sentiment, pensant que celui qui en était l'objet était peut-être un ange.

Elle avait quinze ans et tous les garçons du village la trouvaient belle. Elle le devint plus encore par l'émerveillement de l'amour. Lancelot, ses yeux clairs guéris, ne la voyait même pas, bien qu'il fût prodigue pour elle de paroles aimables et de bonnes manières. Il lui était reconnaissant de ses soins et de sa gentillesse mais ne pensait de nouveau qu'à Guenièvre, cette fois sans honte ni remords, au contraire avec un brûlant espoir. Il allait retourner à Camaalot et la revoir, quoi qu'il pût arriver. Rien ne comptait, seule leur séparation était monstrueuse. Il l'emporterait et lui offrirait son royaume, le royaume de Bénoïc, qui lui revenait de son père, le roi Ban.

Pendant que Passefleur le soignait, le forgeron du

village lui avait rapetassé de son mieux son haubert, ferré à neuf son cheval et confectionné une lance au bout solide et tranchant bien qu'un peu rustique.

Dès qu'il se sentit assez de forces, Lancelot s'arma, remercia tout le monde, baisa les mains de Passefleur et s'en fut.

Passefleur alla s'étendre à sa place sur la couche de peaux de chèvres et décida de se laisser mourir puisque celui qu'elle aimait tant était parti pour toujours.

Malgré les supplications de son père et de sa mère, elle refusa de manger la moindre bouchée. Au bout d'une semaine elle commença de se sentir très agréablement faible et elle pensa qu'elle allait sans doute mourir l'après-midi, ce dont elle fut satisfaite. Mais elle se trompait, car il faut, hélas, beaucoup de temps pour mourir de faim.

Merlin vint la voir, sous l'apparence de son grand-père qu'elle avait à peine connu lorsqu'elle était toute fillette, mais dont elle se souvenait parce qu'il la faisait rire en la prenant sur ses genoux et lui permettant de tirer les poils blancs qui sortaient de ses oreilles.

— Petite Fleur, lui dit-il, que pleures-tu?

— Je ne pleure pas!... Mais qui je pleure, c'est mon amour qui est parti et qui ne m'aimait pas.

— S'il ne t'aimait pas, pourquoi le pleurer?

— C'est qu'il n'a pas son pareil, et que sans lui il n'y a plus de lumière.

— Oh! dit grand-père Merlin.

Et il lui tendit un plant de primevères tout fleuri. Il y ajouta le bruit du ruisseau dans lequel trempait le bout d'une feuille et les friselis du soleil sur l'eau légère. Et le parfum des premiers narcisses.

— Oui, dit Passefleur, c'est joli mais il est plus beau

encore et je ne peux plus le voir puisqu'il n'est plus là...
Mais si c'est un ange je le retrouverai peut-être au
ciel !...

Elle souriait à cette pensée.

— Tu aurais d'abord au moins dix mille ans de
purgatoire à traverser, pour avoir voulu mourir... Et
s'il est un ange il a peut-être là-haut une angelle qui
l'attend...

— Tu crois ?

— Certainement, s'il est si beau ! Tu penses bien
que tu n'es pas la première à l'avoir vu !...

— C'est vrai, dit Passefleur. Mais j'ai quand même
bien du chagrin...

— Pleure un peu..., dit Merlin.

Et quand elle eut pleuré il lui donna une pomme,
qu'elle mangea, et elle soupira et ça allait mieux.

Elle se maria l'année suivante. Elle aimait son mari,
mais elle n'oublia jamais l'ange qui l'avait sauvée du
dragon.

Le jour de son mariage Merlin lui fit un cadeau : il
créa pour elle une fleur qui porte depuis lors son nom.
On la nomme passiflore et aussi fleur de la Passion. Au
grand soleil elle grimpe le long des murailles. En
infusion elle calme les chagrins, et ses fruits font une
bonne confiture.

Avant de traverser le Canal, Lancelot se rendit au royaume de Bénoïc, dont il était l'héritier légitime. Il voulait y préparer son arrivée avec Guenièvre. Il lui faudrait sans doute se battre contre Arthur. Il se battrait, s'il le devait, contre toutes les armées de la terre pour conserver et défendre celle qu'il aimait !... Il ne doutait pas de gagner tous les combats. Il avait vingt ans et ne connaissait de l'amour que l'absolu, de la vie que des victoires. Son échec au Graal était finalement, aussi, une victoire, puisqu'il en avait obtenu un fils.

Guenièvre avait presque le double de son âge, bien qu'elle parût beaucoup moins. Et sa fonction de reine lui avait enseigné une grande sagesse, que sa passion pour Lancelot était venue secouer brutalement. Mais irait-elle jusqu'à accepter la folie qu'il allait lui proposer ? « Il revient vers moi ! pensait-elle ! Il revient !... » Elle en était sûre. Quand il arriverait, que se passerait-il ? On verrait bien, on s'arrangerait... Elle préparait des projets subtils avec sa fidèle Malehaut, qui avait épousé Galehaut et en était enceinte.

Sans avoir l'air d'insister, elle encourageait Arthur dans son projet d'aller combattre les Saxons installés sur la frontière nord du royaume et de les rejeter le plus loin possible. Elle espérait qu'ainsi il resterait longtemps absent. Et elle soignait son corps et son visage pour conserver sa jeunesse et essayer de devenir plus belle encore, et y réussissait.

La cité de Trèbes, que le roi Ban avait quittée pour mourir, avait été incendiée au moment où Claudas le noir l'avait prise par traîtrise. Ce fut dans une belle ville reconstruite, toute neuve, que Lancelot fut reçu par le fidèle Pharien, qui l'avait porté dans ses bras lors de l'équipée tragique de ses parents à travers le marais et était devenu ensuite le père adoptif des fils du roi Bohor, puis prisonnier avec eux de Claudas le noir.

Arthur, qui connaissait sa loyauté, lui avait confié la régence du royaume de Bénoïc, en attendant que se manifestât, éventuellement, l'héritier du roi Ban. Lancelot arriva sans prévenir, sans bruit, sans escorte. Pharien avait presque atteint les cinquante ans. C'était un homme tranquille et fort. Il se déclara prêt à laisser le trône à Lancelot, quand celui-ci aurait rendu foi et hommage au roi Arthur et reçu de lui son royaume, tous les rois des Bretagnes, et quelques-uns d'ailleurs, étant les vassaux du roi de Logres.

— En tant que Chevalier de la Table Ronde, je dois hommage au roi Arthur, dit Lancelot, mais ces terres-ci ont été conquises par mon père, et c'est de lui que je les tiens, non du roi de Logres. Je ne les inféoderai à personne !

— Sire, dit Pharien, allez en discuter avec Arthur. Je suis ici par sa volonté, et ne peux m'en aller sans son agrément. Si vous prétendez occuper le trône sans son accord je serai obligé de le défendre contre vous, ce qui me désolerait, car j'étais l'homme de votre père, et je vous ai porté dans mes bras... Et ce royaume, effectivement, est vôtre...

— Bel ami, dit Lancelot, gardez-le maintenant dans vos bonnes mains. Je vous le confie comme Arthur vous l'a confié. Je m'en vais à Camaalot. En mon absence, levez l'armée la plus forte que vous pourrez, alertez mon cousin Lionel, roi de Gannes, pour qu'il en fasse autant, et préparez-vous à faire une rude guerre...

— Contre qui ? demanda Pharien étonné.

— Vous le saurez bien quand je reviendrai...

Guenièvre attendait, et Lancelot chevauchait vers elle. Et Pharien, bien que se trompant sur sa cause éventuelle, avait bien deviné que la guerre évoquée par Lancelot l'opposerait au roi Arthur. Il lui faudrait choisir son camp. Il n'hésita pas longtemps. Il serait pour le royaume de Bénoïc, à côté de son jeune roi, car le premier à qui il eût juré sa foi était le roi Ban, père de Lancelot. Ban, Lancelot, Bénoïc, c'était la même cause, et Pharien se sentait rajeunir à la pensée de reprendre les armes pour défendre la terre dont il avait l'honneur d'être provisoirement le souverain.

Mais il n'eut même pas à lever l'armée, car le patron du vaisseau qu'il avait fait fréter pour conduire Lancelot vers la Grande Bretagne lui fit savoir que le voyageur ne s'était pas présenté. Plusieurs semaines plus tard on n'en avait toujours aucune nouvelle.

Lancelot avait disparu pendant le court trajet qui séparait la cité de Trèbes du rivage du Canal. Et ni Merlin ni Viviane affolée ne savaient ce qu'il était devenu.

Guenièvre attendait. Elle attendit longtemps.

Lancelot avait quitté Trèbes le cœur léger, joyeux, pareil à une des bulles de la fontaine de Barenton qui sortent de la terre sans lumière pour se hâter, à travers l'eau, vers l'air et le soleil. Dans quatre jours, cinq jours au plus, il arriverait à Camaalot, où brillaient son soleil, ses étoiles, son firmament, Guenièvre, sa bien-aimée.

En chevauchant il prononçait son nom et le chantait, sur tous les airs qu'il connaissait et d'autres qu'il inventait.

Au soir tombant, alors qu'il arrivait presque au rivage où il allait s'embarquer, il entendit, venant d'une courte forêt qu'il devait encore traverser, et qu'on nommait la Forêt Perdue, de la musique et des rires. Telle était son humeur du moment qu'il sourit et fit hâter son cheval pour voir qui se réjouissait. Il arriva à la lisière d'une large clairière dans laquelle un grand nombre de femmes et d'hommes étaient en train de danser au son d'un orchestre de cinq instruments juché sur une estrade. Des lanternes étaient accrochées aux branches des arbres et répandaient leur lumière à travers des verres de toutes couleurs.

Lancelot mit pied à terre et s'approcha des danseurs

qui lui parurent pour la plupart très jeunes et tous très agités. Une fille tendit un bras vers lui, ne parvenant pas à l'atteindre car les figures de la danse l'éloignaient ou la ramenaient irrégulièrement. Enfin elle réussit à lui prendre la main et le tira vers elle.

Aussitôt qu'il se trouva dans le cercle des lanternes, Lancelot fut assailli par une énorme musique. Il semblait que le son des cinq instruments fût multiplié par mille. Il frappait les oreilles comme des marteaux, frappait les crânes et les ventres, les musiciens se tortillaient en hurlant des mots sans suite, et des éclairs éblouissants jaillissaient sans arrêt des lanternes.

Lancelot se mit à danser, sans pouvoir résister. Il agitait les bras et les jambes, agitait la tête et le derrière, ne pensait plus à rien, euphorique, porté par le rythme que ponctuait un des musiciens qui frappait à grands coups de maillet une peau d'âne tendue sur un baquet de cuivre. Jamais Lancelot ne s'était senti aussi détaché de tout, il n'avait plus une image dans la tête, plus une miette de sentiment ou de raisonnement, il n'était que sensation et mouvement, mis en branle par le son, qui agissait sur lui comme l'eau d'un torrent sur l'aube d'un moulin, et heureux de tourner, de cliqueter, de s'agiter, d'aller-venir, de bien faire ce que devaient faire ses muscles des jambes, des cuisses, des hanches, des épaules, des bras, du cou. Des pieds...

Il ne sentait ni le poids de son haubert ni la gêne de son heaume. La fille qui l'avait attiré le conduisait peu à peu, de contorsions en agitations, vers l'estrade. Au pied de celle-ci se trouvait un trône d'ivoire sur lequel était posée une couronne d'or. Ne pouvant se faire entendre, la danseuse lui expliqua par signes qu'il devait s'asseoir sur le trône et poser la couronne sur sa tête. Mais il n'avait aucune envie de rompre son rythme et il s'éloigna du trône et continua de danser, pendant des heures, peut-être des jours et des nuits, peut-être des mois, nul ne l'a jamais su.

Comme tous ceux qui s'approchaient de la clairière du cœur de la Forêt Perdue, et qui franchissaient le cercle des lanternes, il avait été pris par le sortilège. Certains et certaines étaient là depuis des années, ne pouvant quitter la clairière, dansant sans se reposer ni dormir ni boire ni manger. Seul serait capable de mettre fin au sortilège un chevalier auquel siérait exactement la couronne d'or, ni trop petite ni trop grande. Mais aucun de ceux qui l'avaient essayée n'avait la tête qui convenait. Et ils continuaient de danser...

Enfin la fille, à moins que ce ne fût une autre, réussit à pousser Lancelot sur le trône, à lui ôter son heaume et à le remplacer par la couronne. Elle lui allait comme sa peau va à un fruit.

L'estrade, les musiciens et les lanternes disparurent, et danseurs et danseuses s'écroulèrent sur le sol, écrasés de fatigue. Certains moururent. D'autres n'étaient plus que poussière.

Lancelot, saisi par un profond sommeil, s'écroula dans l'herbe, le trône s'étant lui aussi volatilisé. La couronne devint de la poudre d'or et se déposa doucement sur les lignes de son visage, et dans les boucles de ses cheveux.

Une des premières à recouvrer ses forces fut une dame du voisinage, arrivée depuis quelques jours seulement — ou quelques heures — dans la danse. Elle était toute jeune, et son mari, le sire de Guillebault, n'avait plus d'âge présentable.

Pour sortir de la clairière, elle passa près de Lancelot endormi et fut frappée par sa beauté que soulignaient des reflets d'or. Elle s'arrêta un instant pour le contempler, puis se hâta vers son château tout proche. Son mari fut heureux de la voir revenir — ce fut du moins ce qu'il dit. Elle envoya ses serviteurs chercher et inviter le chevalier à la poudre d'or et le porter au château s'il dormait encore. Ce qui était le cas. Il se réveilla alors qu'elle était en train de le baigner, se mit à table, mangea comme quatre et déclara qu'il devait repartir aussitôt. Mais il s'était déjà rendormi, ce qui fit bien rire son hôte.

Au milieu de la nuit, la Dame de Guillebault trouva le moyen de quitter la couche de son mari pour aller se glisser dans celle où elle avait fait étendre Lancelot. Elle le réveilla délicatement. Il la remercia de l'avoir tiré du sommeil, se leva et s'en fut.

Il chevauchait gaiement, il avait trouvé ses armes près du lit, son cheval à l'écurie, le jour se levait, dans très peu de temps il allait s'embarquer pour traverser le Canal, le bonheur et l'aventure l'attendaient de l'autre côté de l'eau. Ses lèvres souriaient sans qu'il y prît garde. La joie débordait de lui.

Il découvrit la mer du haut d'une colline. La marée était haute. Trois vaisseaux attendaient dans un petit port près de quelques maisons. Le sien se trouvait sans doute parmi eux. Des moutons broutaient l'herbe d'un pré qui couvrait le flanc de la colline. Il le descendit au pas. Un agneau bêla. Une source coulait en bas du pré. Lancelot avait soif. Il mit pied à terre et but.

C'est à ce moment-là que Viviane et Merlin le perdirent.

Merlin savait tout le passé, tout le présent, et parfois un peu d'avenir. Mais il ne savait plus où était Lancelot. Viviane avait des pouvoirs mais peu de connaissances. Sa tendresse pour Lancelot l'avait toujours maintenue en contact avec lui. Elle avait assisté à toutes ses batailles, elle ne s'était détachée de lui que pendant les heures les plus chaudes qu'il avait vécues dans la maison courte. Par discrétion, et aussi peut-être pour s'épargner de souffrir. Quoi qu'elle fît ou pensât, elle savait que l'image de Lancelot vivait en son esprit et qu'il lui suffisait de l'évoquer pour le voir et l'entendre en quelque endroit qu'il fût. Et maintenant cette place était vide et à ses appels ne répondaient que des tourbillons de vide qui la terrifiaient.

— Ne sois pas inquiète, lui dit Merlin, s'il était blessé ou malade, même s'il était mort, nous le saurions. C'est autre chose qui a dû se produire. Quelque sortilège doit avoir dressé un obstacle entre lui et nous. Il le franchira. Nous le retrouverons...

Il se souciait moins que Viviane de Lancelot. Il faisait confiance à son adresse et son courage. Et le chevalier blanc n'était plus au premier plan de ses préoccupations : il n'avait plus de rôle à jouer dans la Quête. Celui qui tourmentait désormais l'Enchanteur, celui qui demandait toute son attention, était le minuscule Galaad.

Il s'était demandé par qui le faire éduquer, où l'abriter, que lui enseigner pour qu'il soit, à l'âge voulu, insensible à toutes les tentations. Il avait trouvé...

Guidée par lui, Elwenn entra dans la forêt de Brocéliande, chevauchant Lusine, sa douce jument alezane à trois balsanes blanches. Elwenn était vêtue de soie amarante en signe de joie, et portait devant elle, dans un berceau de vermeil, son nouveau-né qui dormait très sérieusement et en paix. Derrière elle venaient les dix demoiselles du Graal et les sept chevaliers, suivis des serviteurs, des chariots et des mules de bagages.

Elwenn et son escorte montèrent l'allée de Fol Pansé puis suivirent un chemin bordé de hauts plants de houx tous garnis de leurs fruits rouges, et pénétrèrent dans l'espluméor. L'Enchanteur les attendait, debout près de son pommier. Il était là bien à sa place, comme un jeune arbre près d'un arbre ancien, et, à le voir si beau, le souvenir de Lancelot s'estompa un peu dans le cœur d'Elwenn, la préparant à moins de regrets.

Merlin prit l'enfant dans son berceau pour le regarder de près. Ce qu'il vit lui donna satisfaction. Il sourit. Galaad s'éveilla et lui sourit. Il y eut entre eux un instant de compréhension et d'accord, puis l'enfant redevint enfant et se rendormit. Merlin le reposa dans ses dentelles et fit un signe vers le pommier. Dans le tronc de l'arbre une porte s'ouvrit. Elwenn sur sa jument la franchit. Toute son escorte entra derrière elle dans le pommier et la porte se referma.

Merlin, heureux, cueillit une pomme et la mordit d'un bon coup de dents.

— Donne-m'en une ! dit Viviane.

Il en choisit une verte et rouge, bien craquante et juteuse, et la lança devant lui. Elle devint transparente, disparut, arriva devant l'oliphant qui la saisit au vol et la tendit à Viviane, bien qu'il eût fort envie de la manger lui-même. Cramsh ! entre deux dents, une goutte de nourriture...

Viviane avait installé un lit sur le dos du gros animal et y passait de longues heures, essayant de calmer son inquiétude au bercement de son pas nonchalant.

Elle demanda à Merlin :

— Pourquoi ne m'as-tu pas confié Galaad ? Tu sais combien je suis seule... J'ai eu un enfant-merveille, puis deux autres, ils bousculaient ma vie et la rendaient rieuse. Faute de t'avoir, je m'emplissais d'eux le cœur. Et ils sont partis et tu ne viens pas. Je m'éteins, comme le pays que tu m'as donné... Regarde-nous...

Et Merlin vit le printemps du Lac se transformer en quelques instants en automne mélancolique. Les arbres découragés laissaient tomber leurs feuilles roussies, les oiseaux se rassemblaient et tournaient dans le ciel, cherchant un passage vers des pays plus cléments. Au milieu d'eux la baleine tremblait. L'oliphant poussa un barrissement de détresse.

L'Enchanteur vit du coin de son esprit Viviane qui se moquait de lui, resplendissante de jeunesse, les yeux brillants, ses cheveux dénoués pleins de liserons et de roses, des reflets de ciel bleu dans les mains.

— Le printemps ne veut pas te quitter, dit-il, et ne te trahira jamais. Chaque année qui passe te rajoute des fleurs qui ne faneront pas. Quand je te regarde, mon bonheur et mon tourment grandissent. Mon amour, aie pitié de moi, cache-toi, enveloppe-toi de nuit noire...

— Oui mon amour, dit Viviane, comme ceci...

Et, d'un soupir, elle ôta ses vêtements. Non, le printemps n'était pas aussi rayonnant, aussi divers, aussi vivant et lumineux, aussi chaleureux, frais et pulpeux et neuf.

Les mains de Merlin se tendirent, contre sa volonté. Il soupira :

— Heureusement, tu es loin... Es-tu heureuse de me torturer ?

— Pardonne-moi, dit Viviane. Parfois j'ai peur que tu m'oublies...

Elle se couvrit d'une oreille de l'oliphant et demanda de nouveau :

— Pourquoi ne m'as-tu pas confié Galaad ?

— Parce que je ne veux pas recommencer la même erreur. Aucun être humain ne pourrait éduquer Galaad sans lui communiquer ses propres faiblesses. Comme tu as imbibé Lancelot de tout l'amour qui t'habite. Et il a échoué...

— Alors, qui sera le maître de Galaad ?

— La forêt... C'est elle qui lui donnera les forces essentielles : le besoin absolu de lumière et l'élan vers le ciel.

— Et Lancelot, mon beau doux fils, l'abandonnes-tu ? Ne peux-tu rien faire pour savoir ce qui lui est arrivé ?

— Cherche-le... Tu es mieux armée que moi pour le trouver... Appelle-moi si tu as besoin d'aide...

Mais quelque chose en lui savait qu'il vaudrait mieux pour tout le monde que personne n'apprît jamais où se trouvait en ce moment le chevalier blanc.

Il jeta sa pomme, et entra dans le pommier.

Les jours où le temps était clair, Guenièvre montait au sommet du donjon et regardait dans la direction du sud, d'où surgirait celui qu'elle attendait. Elle voyait arriver des cavaliers, jeunes courriers du roi au galop, vieux chevaliers au pas, poussiéreux, harassés, elle voyait rouler des convois, monter des fumées, travailler des paysans, et tout cela lui était indifférent. Parfois, quand commençait à se préciser, très loin, une silhouette, elle se demandait, le cœur battant, si cette fois... Mais elle savait déjà que c'était quelqu'un d'autre. Quand ce serait lui elle ne se demanderait rien, elle le reconnaîtrait au fond de l'horizon, immédiatement, avec certitude ! Il serait un éclat blanc, une lumière qui jaillirait au milieu du gris et percerait tout, droit jusqu'à elle.

Mais les jours passaient, les semaines s'écoulaient, et Lancelot n'arrivait pas. Aucun des chevaliers qui revenaient n'apportait de ses nouvelles.

Merlin, interrogé par Arthur, ne répondait pas.

Guenièvre combattait sa détresse par la volonté farouche de ne pas laisser le chagrin marquer son visage et faire peser sur son corps les années. Se garder intacte, telle qu'il l'avait aimée. Contre le temps, contre le malheur. Pour lui.

Elle interrogea à son tour Merlin. Il la vit si malheureuse qu'il lui assura qu'il était vivant. C'était tout ce qu'il pouvait dire.

Mais en lui-même il n'en était pas sûr...

Vint le moment de tenir la Table Ronde de Noël, celle où tous les chevaliers devaient être présents. Il y eut comme toujours des absents, mais on savait pourquoi : morts, blessés, prisonniers, retenus par une aventure. De Lancelot on ne savait rien.

Gauvain se leva du siège qui portait son nom et dit :

— Sire, le meilleur d'entre nous, celui qui a levé la Douloureuse Garde et détruit cette vieille saleté de bête maudite de Gallemahout qui avait mangé tant des nôtres, celui qui a tenu dans ses mains les coins du voile du Graal, nous manque douloureusement. Il est peut-être en danger quelque part, en train d'attendre du secours. Je propose qu'avec votre accord nous partions tous à sa recherche, chacun de notre côté. Si dans un an et un jour nous ne l'avons pas retrouvé, chacun de nous viendra vous rendre compte de ce qu'il aura appris et même s'il n'a rien appris. Lancelot est comme mon frère. Je l'aime. J'irai le chercher, même si je suis le seul.

Mais tous les chevaliers furent d'accord.

— Beau cousin, dit Arthur à Gauvain, je vous remercie d'avoir eu cette pensée. Je déclare que la Quête du Graal sera interrompue pendant une année pour la recherche de Lancelot. Mais en cherchant l'un, sans doute vous rapprocherez vous de l'autre. Que Dieu vous guide vers celui que nous aimons tous.

Ayant affûté leurs épées, fourbi leurs hauberts, changé de cheval quand c'était nécessaire, les chevaliers quittèrent Camaalot les uns après les autres. Dans les huit jours il n'y en eut plus aucun. La neige tombait sans arrêt sur la Grande Bretagne.

A la Noël suivante, un soleil pâle faisait briller la plaine verglacée. Guenièvre, amaigrie, enveloppée de triples fourrures, guetta du haut de la tour les chevaliers revenant. Elle les reconnaissait à leurs couleurs peintes sur leur enseigne et leur écu. Et, à leur allure, elle savait que l'un après l'autre ils venaient dire au roi qu'ils n'avaient rien trouvé et rien appris.

Quand se tint la Table Ronde il y eut des retardataires, mais on sut pour chacun la cause de son retard ou de son absence définitive.

Sauf pour Gauvain et Perceval, dont nul ne savait où ils étaient.

Ils s'étaient rencontrés au bord du Canal, Perceval revenant de la Petite Bretagne et Gauvain s'y rendant. Après avoir échangé des nouvelles, qui se résumaient à dire que ni l'un ni l'autre ne savait rien, ils se préparaient à se séparer de nouveau quand la nef blanche aborda au rivage et une voix féminine les invita à y monter.

Dès qu'ils furent à bord, la nef se mit en mouvement. Le temps de faire descendre à leurs chevaux la rampe qui conduisait à l'écurie et de remonter sur le pont, ils se trouvaient en pleine mer, aucune côte n'étant plus visible.

La porte de toile du pavillon s'ouvrit quand ils s'approchèrent. Ils entrèrent et virent une fille couchée endormie sur le grand lit. Ils la reconnurent, bien que son visage ne fût plus encadré de ses tresses couleur de moisson. C'était Celle-qui-jamais-ne-mentit, vêtue d'une robe blanche comme l'hermine, ses deux longues mains croisées au bas de sa poitrine. Elle avait la tête nue, et ses cheveux coupés court, à la façon des moines, donnaient à son visage l'apparence de celui d'un jeune garçon. Près d'elle sur le lit était posé un coffret de bois noir, dont le couvercle portait des lettres que Perceval lut à voix haute :

SEUL POURRA M'OUVRIR
CELUI QUI AURA PRIS PLACE
AU SIÈGE QUI ME RESSEMBLE

Comme il finissait de lire, Celle-qui-jamais-ne-mentit s'éveilla, se redressa et leur parla tour à tour.

D'abord à Gauvain :

— Beau doux sire, cœur loyal, dit-elle, tu prendras ce coffret et le porteras au roi Arthur, ton roi. Mais nous devons d'abord traverser ensemble une aventure.

Ensuite à Perceval :

— Beau cœur naïf, je t'avais dit : « Quand tu me rencontreras de nouveau ce sera pour me voir mourir. » Puisque tu es là, c'est que le moment approche. Je ne sais quelle sera ma mort, mais tu y assisteras.

Elle s'allongea de nouveau et ferma les yeux. La nef navigua cinq jours et cinq nuits sans que Perceval ni Gauvain pussent savoir dans quelle direction ils allaient, car les étoiles changeaient de place d'une nuit à l'autre, et le soleil se levait un matin à gauche un matin à droite. Pendant tout ce temps ils n'eurent ni faim ni soif et ne sentirent ni fatigue ni ennui.

Le sixième matin, Celle-qui-jamais-ne-mentit se leva, sortit du pavillon et leur dit :

— Nous arrivons.

Le rivage, en effet, était là.

Ils quittèrent la nef et montèrent sur leurs chevaux qui étaient en bon état, parfaitement étrillés et lustrés. Il y en avait un troisième, pour la demoiselle, blanc comme son vêtement. Ils se mirent en route tous les trois et vers le milieu de l'après-midi arrivèrent à proximité d'un château qui ne paraissait pas construit à la façon des châteaux de Bretagne. Les toits de ses tours avaient la forme d'oignons et ses murs étaient recouverts de carreaux de céramique d'un bleu luisant très agréable à regarder.

Six chevaliers en sortirent, vêtus sur leur haubert d'une chemisette de soie bleue, et coiffés de heaumes surmontés d'une pointe. Cinq d'entre eux étaient armés et le sixième portait une grande écuelle vide. Il s'adressa à Gauvain qui était le plus âgé.

— Cette demoiselle est-elle vierge ? demanda-t-il.

— Voilà une question que je vais vous faire rentrer dans la gorge ! rugit Gauvain en portant la main à son épée.

Mais la demoiselle le calma d'un geste, et ce fut elle qui répondit :

— Je suis telle que ma mère et Dieu m'ont faite le jour de ma naissance.

— Alors, dit l'homme pointu, vous devez nous donner de votre sang de quoi emplir cette écuelle.

— Vous êtes fou ! dit Perceval. Elle en mourra !...

Déjà Gauvain avait tiré son épée et frappait le chevalier bleu le plus proche. Perceval se mit à la bataille et en peu de temps les cinq chevaliers armés furent étendus sur le sol. Celui à l'écuelle galopait vers le château d'où sortirent quarante autres cavaliers décidés à s'emparer de la fille vierge. Perceval et Gauvain furent à la fête, bien que les forces de ce dernier diminuassent avec la clarté du jour. Quand la nuit tomba, la moitié des hommes bleus étaient morts ou gravement blessés. L'homme à l'écuelle revint demander le sang de la fille, qui lui fut de nouveau refusé. L'obscurité rendant la poursuite du combat impossible, il proposa à Gauvain et Perceval de reprendre la bataille le lendemain matin et les invita, en attendant, à se reposer au château. Ce qu'ils acceptèrent.

Quand on les eut baignés et que leurs blessures furent soignées, le maître du château les invita à ses tables, et tandis que tous se restauraient, leur conta son histoire. Il avait une voix grave et douce. C'était un homme triste, à la barbe en boucles grises. Comme il était coiffé d'un bonnet qui ressemblait à un turban, Perceval, qui ne se gênait plus pour poser des questions, lui demanda s'il était païen. Il lui répondit qu'il était chrétien de Constantinople. Sa fille était malade de la lèpre, si malade que son visage n'avait plus d'apparence humaine. Le médecin de l'empereur de Constantinople, qui l'avait soignée, avait dit qu'il n'existait pour la guérir qu'une seule médication : il fallait que son corps fût lavé avec le sang d'une vierge. Il avait longtemps hésité, ne voulant imposer à personne un tel sacrifice, puis, l'état de sa fille empirant, s'était enfin décidé.

— Voilà, demoiselle, dit-il, pourquoi nous vous avons fait une telle demande.

— Vous auriez dû expliquer cela plus tôt, dit Celle-qui-jamais-ne-mentit. Prenez de moi tout le sang qu'il vous faut.

— Mais vous allez en mourir ! s'exclama Gauvain.

— C'est possible... Mais ma vie donnée sauvera celle de la malade, et, en plus, celles des chevaliers que vous tuerez demain pour me défendre. Et peut-être les deux vôtres. C'est un bon marché...

Le maître du château la remercia et la bénit, et le barbier vint lui ouvrir les veines du bras avec une de ses lames affûtées.

On avait apporté la malade, qui ne pouvait plus se mouvoir seule, et qui ressemblait à une vieille racine rabougrie et bulbeuse toute grise et noire. Et à mesure que le sang coulait dans l'écuelle, deux femmes en prenaient dans leurs mains et l'en frottaient partout. Rapidement elle changea, reprit formes et couleurs, et quand le sang de la vierge cessa de couler elle était redevenue normale. Une fois baignée elle était fraîche et belle comme une rose du matin. Elle versa des larmes sur la douce fille qui l'avait sauvée et qui en était à son dernier souffle, et elle lui baisa ses mains devenues transparentes.

Celle-qui-jamais-ne-mentit eut encore la force de demander à ses deux compagnons de la ramener dans la nef, et de l'y laisser quand le vaisseau aborderait en Bretagne. Puis elle leur dit :

— Sachez que celui que vous cherchez est en un lieu d'où personne jusqu'à ce jour n'est revenu.

Et elle expira.

Au bout de cinq jours et cinq nuits, la nef arriva à la côte de la Grande Bretagne. Perceval et Gauvain en descendirent, laissant Celle-qui-jamais-ne-mentit couchée sur le grand lit, aussi blanche que sa blanche robe. Gauvain emportait le coffret. Dès qu'ils furent à terre, la nef quitta le rivage et s'éloigna rapidement en mer.

Les deux chevaliers arrivèrent à Camaalot le jour de deuil des Cendres, deux mois après la Noël, et racontèrent leur histoire qui attrista profondément le roi Arthur et tous les gens du château et de la cité, à cause de la mort de la pucelle, et aussi de ce qu'elle avait dit de Lancelot. C'était les seules nouvelles qu'on avait de lui.

Gauvain remit le coffret à Arthur alors que celui-ci avait pris place dans son nouveau trône, qui lui avait été offert par un roi d'Afrique. Il était incrusté de pierres fines et décoré de dents de lions. Son bois était du bois noir, comme celui du coffret. Ayant lu les lettres peintes sur celui-ci, Arthur remarqua que, par son bois, le coffret ressemblait au siège sur lequel il avait pris place, et, ayant posé la boîte sur ses genoux, voulut en soulever le couvercle. Mais le coffret se déroba à ses mains, resta suspendu en l'air devant lui et sa couleur noire s'effaça, révélant sa vraie couleur, qui était jaune.

— Ce coffret est du même bois que le Siège Périlleux, dit le roi. Celui qui l'ouvrira sera le meilleur chevalier du monde !

Le coffret revint alors se confier à ses genoux.

Guenièvre avait assisté à la scène sans y attacher d'intérêt, pensant uniquement aux nouvelles apportées par les deux chevaliers. Elle y trouvait un réconfort dans son désespoir : Celle-qui-jamais-ne-mentit n'avait pas dit que Lancelot était mort...

En bas du pré, une source coulait. Lancelot avait soif. Il mit pied à terre, recueillit de l'eau dans ses mains en coupe et but. L'eau avait un goût horrible. Il voulut la recracher mais ne put, sa mâchoire crispée lui fermait la bouche. Il fut contraint d'avaler la gorgée nauséabonde et vit à cet instant trois vipères noires sortir de la source. Il mit la main à son épée pour les tuer, mais l'eau avalée était arrivée au milieu de son corps et répandait son effet dans toute sa chair et son esprit. Et tout d'un coup il ne sut plus qui il était, ni ce qu'était un chevalier ni une épée.

Et la source se mit à ricaner et à couler à l'envers, et elle rentra dans la terre : c'était une des langues du Diable.

Celui-ci avait disposé ce piège à la demande de Morgane, et aussi pour sa satisfaction personnelle. Il n'en avait pas fini avec Lancelot. Pour le faire échouer au Graal, il lui avait suffi de laisser agir la nature amoureuse du chevalier, mais il avait dû souffler quelque peu sur le brasier endormi dans le corps de Guenièvre. Il estimait qu'il pouvait encore tirer parti de ces deux-là. La demande de Morgane l'avait réjoui. Elle entrait tout à fait dans la ligne de ses projets infernaux.

Le chevalier aux armes blanches debout en bas du pré n'était plus Lancelot. C'est pourquoi ni Viviane ni Merlin ne pouvaient plus savoir où se trouvait ce dernier. Il avait été effacé du monde. Il ne connaissait plus aucun de ses deux noms. Il redécouvrait avec étonnement tout ce qui l'entourait. Le vert du pré, le bleu du ciel, lui étaient nouveaux et il était heureux de les regarder. Il s'assit à terre pour caresser l'herbe. Il la sentit fraîche dans sa main et cela lui fit plaisir.

Il vit son cheval, se leva pour regarder cette chose de près, lui caressa le flanc et le visage, et le cheval rit en montrant ses dents, ce qui le fit rire aussi. Mais il avait oublié ce qu'est un cheval et comment on l'utilise.

Il vit venir vers lui une créature qui lui tendit la main en souriant et lui dit :

— Viens !...

Il regarda cette main qu'on lui tendait et se pencha sur elle pour mieux la voir. Il ne savait qu'en faire. La main se souleva jusqu'à son visage et lui caressa une joue. Il trouva cela agréable, et sourit. La main prit la sienne et le tira un peu, tandis que la voix répétait gentiment :

— Viens !...

Morgane le conduisit ainsi vers la nef noire et blanche, qui était un des trois vaisseaux attendant dans le port. La nef s'engagea dans une rivière qui coulait à l'envers et devint souterraine, pour aboutir à un petit lac tranquille, juste au-dessous du château de Morgane.

Des flammes immobiles accrochées à des murs de verre éclairaient une plage de sable fin. Morgane entra dans un mur avec Lancelot et ils se trouvèrent dans une grande chambre meublée d'un large lit de four-rures et de beaux fauteuils et coffres sculptés, dont l'un supportait une harpe légère. Les murs étaient très blancs et semblaient faits d'une matière si douce que Lancelot alla en toucher un de sa main ouverte. Bien qu'il ne fît pas froid, un feu de bois brûlait dans une cheminée de marbre, pour le plaisir des yeux.

Morgane aida Lancelot à ôter son heaume et son haubert, ce qu'il ne savait plus faire, le vêtit d'une robe d'hermine et lui montra une table couverte de pâtés, de gâteaux et de fruits. Il s'assit vivement et mangea de bon appétit : il n'avait pas oublié l'essentiel... Assise près de lui, elle grignota un peu en le regardant faire, adressa un signe aux rideaux qui masquaient un mur, et les rideaux s'écartèrent, découvrant une fenêtre qui donnait sur un jardin fleuri tout ensoleillé.

Quand il fut rassasié, Lancelot vint à la fenêtre et tendit le bras pour toucher une fleur qui se penchait vers lui. Mais sa main heurta un obstacle. Il y avait là une sorte de mur qu'il ne pouvait pas voir. C'était une épaisse lame de verre plus solide que des barreaux. Les fenêtres de toutes les chambres du château en étaient pourvues, aux étages au-dessus du sol ou au-dessous. Quelle que fût leur position, toutes semblaient être au niveau des jardins. Elles étaient accompagnées d'une autre pièce garnie d'un baquet pour le bain, de forme allongée, en bois précieux, où l'eau arrivait par de petites gueules de lions en argent sortant du mur. Il y en avait trois, pour l'eau chaude, pour l'eau froide et pour l'eau parfumée. En tournant la crinière des petits lions on faisait arriver l'eau ou on l'interrompait. Elle s'évacuait par un trou au fond du baquet.

Le plus étonnant dans cette pièce adjacente était le

mur du fond, fait entièrement d'un grand miroir comme on n'en pouvait voir nulle part ailleurs. Il n'était pas de métal poli, mais de verre, et on pouvait s'y mirer à la perfection.

Chacune des chambres des multiples et vastes étages était occupée par un homme.

Il n'en sortait jamais. Par sortilège il n'en éprouvait pas le désir. Mais eût-il voulu s'en aller, il n'aurait trouvé nulle part de sortie.

Les nombreux occupants du Château du Val Sans Retour y étaient, pour la plupart, venus de leur plein gré, invités par Morgane, séduits par sa beauté et espérant la conquérir. Ce à quoi ils étaient parvenus d'autant plus aisément qu'elle les avait choisis d'avance, en vue de son plaisir. D'autres, elle avait dû les capturer, mais ils ne le savaient plus.

Cette cueillette d'hommes durait depuis des années, et Morgane avait dû faire pousser des étages supplémentaires à son édifice. Il était plein comme une ruche, mais chacun de ses occupants se croyait son seul amant. Elle allait de l'un à l'autre, goûtant, dégustant, variant. Elle recrutait sans cesse des jeunes. Elle aimait le neuf. Les plus anciens étaient mis en réserve, et souvent oubliés. Ils se ratatinaient dans leur coin, sans cesser d'être heureux.

Elle procurait à tous des distractions selon leurs goûts. Il leur suffisait de les souhaiter pour les obtenir aussitôt, parfois réelles, parfois irréelles comme les jardins. Il leur arrivait de participer à des joutes ou de voyager, sans être pourtant sortis de leur chambre. Et leurs sens et leur esprit y croyaient. Pour qu'ils ne se lassent pas d'elle unique, elle donnait parfois, à ceux chez qui elle en sentait le désir, de vraies filles assez belles pour les entretenir en vigueur, pas assez pour être préférées.

Dans la chambre de Lancelot, la harpe sur le coffre était réelle. Morgane s'était souvenue qu'il en jouait. Elle pensait qu'il réapprendrait vite à s'en servir. Il en effleura les cordes en revenant de la fenêtre et, surpris d'avoir provoqué des sons, sourit de plaisir et recommença. Morgane le quitta.

Elle revint quand l'illusion de nuit fut tombée sur le jardin illusoire. Elle n'était vêtue que d'une chemise légère qui soulignait plus qu'elle ne la cachait la beauté de son corps au teint mat, ses petits seins fermes aux pointes aiguës, ses hanches minces, ses longues jambes, ses épaules fines. Voyant que Lance-lot dormait, nu dans les fourrures, elle ôta son vêtement et rejoignit le beau dormeur dont le corps parfait, juvénile et solide, orné de quelques cicatrices comme de bijoux, paraissait fragile, attendrissant, à la lumière des flammes insolites.

Elle n'eut pas de peine à le réveiller. Il la regarda avec curiosité, la toucha par-ci par-là en souriant : il faisait connaissance. Il remarquait les différences avec son propre corps et s'en amusait. Mais ni ces explora-tions, ni la collaboration que Morgane lui apporta, ne firent naître chez lui les signes d'intérêt qu'elle souhai-tait. Elle enragea, trouvant que l'oubli provoqué par l'eau de la source empoisonnée était un peu excessif. Le Diable se réjouissait du bon tour qu'il lui avait joué. On l'entendit rire cette nuit-là à tous les carrefours de la Petite Bretagne et un orage sec se promena, craquant et ricanant, au-dessus du Val Sans Retour.

Morgane revint plusieurs fois auprès de Lance-lot, puis lui envoya les plus énervantes de ses filles sans réussir à briser son indifférence souriante.

Un soir, elle entra à demi dévêtue dans sa chambre, alors que, grattant la harpe, il chantonnait des paroles indistinctes. Elle s'assit près de lui, lui prit une main et la posa sur un de ses petits seins fermes et pointus, qui montrait le bout de son nez. Il le dégagea entièrement, en fit le tour, puis passa à l'autre en souriant. Morgane s'énervait. Lui restait très calme. Il semblait réfléchir, tout en examinant les seins exquis qui lui étaient offerts. Brusquement il se leva, alla chercher un morceau de charbon dans la cheminée et dessina rapidement sur le mur le plus proche l'esquisse d'un buste dans lequel Morgane n'eut pas de peine à reconnaître, pour les avoir si souvent vus au bain, les seins glorieux de Guenièvre, ronds, presque sphériques, abondants comme les moissons, leurs pointes orgueilleuses tendues en oblique.

Lancelot regardait avec une sorte de stupéfaction ce qu'il venait de dessiner. Il hésita, sembla chercher une image dans sa tête, puis se mit à continuer son dessin vers le haut. Le cou..., le visage..., les tresses à demi défaites tombant sur les épaules... C'était, miraculeusement ressemblante en quelques traits, une Guenièvre intime, libérée de l'attitude imposée par sa condition, mais royale dans sa nudité superbe.

— Sais-tu qui elle est ? demanda Morgane. Dis-moi son nom !...

Il ne savait pas, il commençait des mots qu'il ne terminait pas, il voulait s'expliquer sans y parvenir. Il disposait, depuis la source, d'un vocabulaire très restreint qu'il n'avait pas l'occasion d'enrichir. Il ne cessait de regarder l'inconnue qu'il venait de faire apparaître. Et soudain il écarta les bras, les étendit de part et d'autre du portrait, essayant de le serrer contre son cœur. Devant l'inanité de son geste il se laissa glisser à terre. Accroupi, le visage levé vers le dessin maintenant à demi effacé, il pleurait...

Morgane l'injuriait à voix basse, partagée entre sa haine pour Guenièvre, son désir de Lancelot, et une émotion qu'elle ne pouvait entièrement repousser devant la manifestation d'un amour tel que ni le Diable ni ses vipères n'avaient pu en venir à bout.

Parce qu'il avait violemment souhaité pouvoir recréer le visage aimé, Lancelot trouva, près de la harpe, des pinceaux, des petits pots pleins de couleurs vives et de blanc et de noir, et du liquide à effacer et des éponges et des serviettes, tout un matériel qu'il avait connu au Pays du Lac et qu'il réapprit rapidement à utiliser.

Il couvrit un mur de portraits de Guenièvre, de plus en plus ressemblants. Il lavait ceux qui ne lui plaisaient pas. Il n'en garda qu'un, très grand, qui occupait le centre du mur.

Quand Morgane le vit, dans un geste de rage elle gifla Guenièvre de sa main ouverte et en barbouilla les couleurs. Lancelot, furieux, se jeta sur elle pour la frapper. Elle dut user de ses pouvoirs pour l'immobiliser. Haussant les épaules, elle rétablit d'un geste le portrait dans son intégrité et quitta la chambre. Ce garçon était décidément idiot : se cramponner à l'image d'une absente alors qu'elle était, elle, bien présente, à sa disposition... Elle n'allait pas se montrer aussi stupide que lui. Elle avait, dans ses chambres, cent fois de quoi le remplacer...

Elle resta plusieurs mois sans revenir. Elle l'avait presque oublié, comme quelques autres. Ce fut le

Diable qui lui chuchota d'aller regarder ce qu'il avait fait. C'était intéressant...

Avec stupeur elle découvrit que les murs de la chambre étaient entièrement couverts de scènes représentant l'épisode du Château de l'Eau Sans Bruit, dont elle ne connaissait pas grand-chose, seulement ce que le Diable lui en avait dit en gros. Elle en découvrit tous les détails...

Lancelot avait commencé par de grandes scènes qui devenaient de plus en plus petites à mesure que la place lui manquait. Les dernières peintes, au ras du sol, étaient minuscules et précises comme des miniatures de Livres d'Heures. C'était les Heures de l'Amour.

La première scène montrait Lancelot entrant dans une chambre où dormait Guenièvre. Sur la deuxième elle était réveillée et lui tendait les bras. Sur la troisième ils s'étreignaient. Sur la quatrième ils...

Morgane devint violette de fureur jalouse, mais ne put s'empêcher de continuer à suivre le déroulement de la fresque amoureuse, qui s'enroulait autour du grand portrait de Guenièvre, passait sur le mur suivant, où il encadrait de sa guirlande un autre portrait de Guenièvre, couchée, nue, souriante, impudique et belle, lavée de tout péché par la splendeur de son bonheur. Bonheur que Morgane avait en vain cherché, la multitude de ses amants ne lui ayant donné que du plaisir.

Lancelot avait souhaité et obtenu un haut escabeau. Juché sur lui, il était en train de peindre au plafond le paysage général du Château de l'Eau Sans Bruit, tel qu'il l'avait vu quand il s'était retrouvé au moment de son départ, avec son allée, ses étangs, ses parcs, et son rocher vêtu d'eau. La maison courte, il l'avait extraite des jardins dont les arbres la couvraient, et peinte en grand dans un coin. Et il avait sorti Guenièvre de la maison, l'avait peinte dehors, près de la porte, vêtue de ses seuls cheveux défaits, le visage désespéré, faisant le geste de l'adieu.

Le temps semblait s'être immobilisé, et, en même temps, défiler à une vitesse folle. Les mois devenaient des années et les années se succédaient sans qu'on eût l'impression d'avoir vu passer les jours. Rien de particulier ne marquait le déroulement des saisons, les chevaliers continuaient sans conviction de chercher le Graal auquel ils ne croyaient plus guère, les vieux se faisaient tuer, des jeunes leur succédaient, Arthur avait renoncé à la guerre contre les Saxons, sa barbe devenait blanche, Malehaut avait mis au monde quatre filles et arrivait au terme d'une cinquième grossesse, Guenièvre montait à sa tour pour surveiller l'horizon, sans se décourager, son amour et son espoir indestructible repoussant les atteintes de l'âge. Les ans enrichissaient sans les marquer son regard et son corps.

Merlin semblait s'être résorbé du siècle. Arthur ne l'avait plus rencontré depuis ce qui lui paraissait une éternité. Les paysans ne le trouvaient plus dans son espluméor. Seule Viviane savait qu'il était dans son pommier, absorbé par une tâche unique et formidable : préparer Galaad.

Jamais, malgré sa longue absence, elle ne s'était

sentie aussi proche de lui, en un accord aussi profond, sans impatience, sachant maintenant, de tout son être, qu'il avait eu raison et que le terme approchait...

Elle n'avait pas cessé de chercher Lancelot, explorant toutes les Bretagnes, interrogeant les voyageurs ou fouillant leur esprit, mais ils n'avaient rien à dire et il n'y avait rien à découvrir. Comme Guenièvre, cependant, elle était sûre qu'il vivait, et qu'elle le reverrait.

Au terme de sa cinquième grossesse, Malehaut mit au monde, d'un seul coup, quatre autres filles. Galehaut, ébloui par tant de richesse, secouait la tête, sentant que quelque chose, là-dedans, demandait aussi à sortir. Il agitait ses doigts dans ses oreilles, essayant d'ouvrir, d'un côté ou de l'autre, une porte, sans succès.

Il regardait avec ravissement, près de la cheminée dont le grand feu éclairait leurs rondeurs, quatre nourrices donner quatre seins aux quatre nouvelles-nées strictement ficelées dans leurs langes raides qui ne laissaient passer que leur tête. Malehaut, épuisée, dormait dans la chambre voisine.

Il sembla tout à coup à Galehaut — ce n'était pas possible! — qu'il entendait des pleurs venant d'un des quatre berceaux disposés en carré au centre de la pièce. Les nourrices avaient entendu aussi, et tourné leurs quatre têtes incrédules dans la direction du bruit.

Galehaut se leva, s'approcha et vit l'impossible : un cinquième bébé, pareillement langé, posé au fond d'un berceau et qui ne pleurait plus : qui hurlait, ouvrant une bouche grande comme celle d'un cheval qui bâille.

La stupéfaction de Galehaut sembla réjouir le bébé,

qui s'arrêta de crier, sourit, cligna de l'œil et dit avec une voix d'homme :

— Mal compté, hein ?

— Mais... mais... je... je..., dit Galehaut.

— Est-il possible d'être si grand et si fort et de ne pas savoir compter jusqu'à cinq !... dit le nourrisson, qui se débarrassa de son maillot, fit un rétablissement et s'assit au bord du berceau, montrant avec innocence qu'il était un garçon.

— C'est l'Enchanteur ! crièrent les nourrices d'une seule voix ravie.

— Merlin ! soupira Galehaut, soulagé.

Merlin prit l'apparence d'une cinquième nourrice, plus sa barbe rousse irlandaise, et s'assit près des quatre autres.

— C'est moi qui t'ai sorti de ton pays, dit-il, à la demande de ta mère. Ta tête sait pourquoi tu as été envoyé en mission au pays d'en-haut. Mais ton cœur ne veut pas le savoir, parce qu'il se trouve bien ici. Mais il faut que tu fasses ce qui te reste à faire. Ferme tes yeux, mets tes mains sur tes oreilles, écoute...

Galehaut obéit, écouta une minute puis poussa un cri qui ébranla tout le château : « MAMAN ! »...

— Voilà, dit Merlin, tu sais... Tu as largement fait la preuve que tu possèdes la qualité que ta mère désirait te voir acquérir. Tu dois maintenant retourner au pays !...

— Mais..., dit Galehaut désolé, montrant d'un geste rond les bébés.

— Tu les emmènes ! Et leurs quatre sœurs aussi. Ta mère te bénira. N'oublie pas de les baigner avec toi dans la source dont l'eau t'a baptisé. Elles ont ton sang dans les veines, elles grandiront !

— Et Malehaut, ma chère femme?

— Si elle le désire, elle peut te suivre. Mais elle restera petite... C'est un problème... A vous d'en choisir la solution... Ne perds pas de temps : le vaisseau noir de ton pays attend déjà, au rivage de la mer d'Irlande.

Et la cinquième nourrice disparut. Un brin de lumière voleta jusqu'au genou de la quatrième qui le recueillit avec dévotion. C'était un poil de la barbe rousse. Poil d'enchanteur, porte-bonheur...

Galehaut partit dans la semaine. Malehaut ne voulut pas le suivre. Il n'insista pas, c'était raisonnable. Et elle en avait vraiment assez de faire des filles. Elle aurait voulu en garder au moins une, l'aînée, qui était une belle demoiselle. Mais celle-ci ne voulut pas se séparer de son père. Malehaut décida de se retirer au couvent où se trouvait la reine des grandes douleurs et s'en fut avec ses servantes et ses bagages vers le sud, s'embarquer pour la Petite Bretagne, en même temps que Galehaut s'en allait vers le nord, s'embarquer pour l'Irlande.

Viviane, à force d'y penser, sut ce qu'elle devait faire pour Lancelot. Il était sûrement prisonnier, et quelque sortilège lui ôtait le désir ou la force de s'évader. Il fallait lui rendre ce désir et cette force.

Seule, elle n'y parviendrait pas, et, pour ce qu'elle envisageait, l'aide de Merlin ne lui servirait à rien.

Une nuit, elle vint voir Guenièvre, lui expliqua ce qu'elle voulait tenter, et se transporta avec elle dans la cellule de la reine Hélène. Celle-ci était en prière, elle ne dormait presque jamais. Cette visite ne la surprit pas, ni ce que lui dit Viviane. Elle savait que son fils aurait besoin d'elle un jour, et se maintenait en vie pour l'aider quand en viendrait le moment. Ce moment arrivait.

Elle regarda Viviane et Guenièvre et vit que l'une et l'autre aimaient son enfant d'un amour différent du sien mais presque aussi grand. Presque...

Les trois femmes s'agenouillèrent, les deux mères et l'amante... Elles prièrent Dieu de les assister, puis, unissant leurs mains et leur amour, appelèrent celui dont elles ne savaient plus rien :

— Viens !... Viens !... Viens !...

Elles l'appelèrent jusqu'à l'aube. Quand les premiers rayons du soleil perçèrent la fenêtre de la cellule, la reine des grandes douleurs dit, le visage extasié :

— Il est sorti ! Merci à Dieu !...

Elle s'allongea sur le sol et mourut.

Lancelot fut réveillé par une aube artificielle qui copiait la vraie. Il vint vers la fenêtre regarder le ciel qui peu à peu s'illuminait. Et dans le jardin, au ras de la fenêtre, poussées ensemble, tournées vers lui, il vit trois roses épanouies, différentes par leur couleur mais semblables par leur forme et la plénitude de leur floraison. L'une était d'un rose très tendre, la seconde d'un rose chaud, un peu orangé, la troisième d'un rouge de brasier atténué par un imperceptible voile d'ombre. Rassemblées, serrées l'une contre l'autre, elles ne formaient qu'une seule fleur d'une beauté si intense que la main de Lancelot se tendit vers elles pour les toucher.

Ses doigts se heurtèrent à la paroi de verre. Irrité, il la frappa, essaya de l'ébranler, de l'ouvrir d'une façon ou d'une autre, en la cognant, en la poussant, à gauche et à droite. Le verre épais restait inébranlable. A mesure qu'il répétait ses efforts vains, Lancelot sentait grandir en lui une violence qu'il ne pouvait pas reconnaître : celle qui l'habitait pendant ses combats.

Il recula, arracha à ses tréteaux le lourd plateau de la table et le lança contre la fenêtre. Il s'y brisa.

Il regarda autour de lui. Il avait presque oublié les

roses. Ce qu'il ressentait, c'était le désir absolu, *la nécessité* de vaincre ce qui s'opposait à lui. Il empoigna le coffre le plus lourd, aussi long que le lit, en bois massif bardé de fer épais, le souleva et fonça avec lui sur la vitre.

Le verre vola en éclats. Lancelot se retrouva dehors parmi les débris du coffre, sur le sable frais d'une plage. Les roses avaient disparu comme les autres fleurs. Quelques flammes immobiles piquetaient l'obscurité. Lancelot était nu. Il sentit le froid humide mouiller sa peau. Il rentra dans la chambre pour s'habiller et ressortit en emportant sa harpe. Il trouva et reconnut le petit lac et la rivière par laquelle il était arrivé. Elle coulait maintenant dans l'autre sens. La nef blanche et noire n'était pas là : Morgane l'avait prise pour aller rendre visite à son frère le roi Arthur, comme elle le faisait souvent.

Lancelot se mit à suivre le courant, en marchant sur le rivage. Parfois celui-ci, devenant abrupt, l'obligeait à entrer dans l'eau qui, sur les bords, n'était pas profonde. Il aurait pu nager si cela avait été nécessaire, bien qu'il ne sût pas qu'il était un excellent nageur, ni même ce que c'était que nager.

L'obscurité n'était pas totale. Les parois rocheuses et le plafond déchiqueté reflétaient une vague lueur rougeâtre, faible émanation de l'enfer. Service du Diable, au bénéfice de Morgane...

Lancelot ne savait toujours pas qu'il était Lancelot. Il ne pensait pas qu'il pût être quelqu'un d'autre que ce qu'il était présentement, marchant vers ailleurs, sa harpe légère pendue à son cou, et son cœur plein de l'image de ses amours avec celle qu'il ne connaissait pas...

Un ciel bleu léger, exquis, coiffait d'un chapeau de printemps une foule innombrable rassemblée en cercle sur la plaine de Salisbury.

Au sommet de la colline la plus proche du centre, préservé de la foule, trois trônes vides attendaient leurs occupants. Le roi, la reine... Mais pour qui le troisième ?

— Pour cette garce de Morgane ! dit une dame qui avait son âge, mais pas sa fraîcheur.

Cent cinquante sièges raides étaient disposés sur la pente de la colline, à l'intention des Chevaliers de la Table Ronde. Un certain nombre resteraient vides...

Des trônes plus modestes garnissaient une autre colline un peu plus basse. Ils allaient recevoir les rois vassaux du roi Arthur.

Celui-ci, sur les instructions de Merlin enfin revenu, avait envoyé des courriers dans toutes ses terres pour convier son peuple à se réunir le jour de Pâques sur la plaine de Salisbury. Et il y avait invité les rois des Bretagnes, et ceux d'ailleurs, qui reconnaissaient sa suzeraineté. Ce jour-là, en ce lieu, devant eux, serait érigé, à la gloire du royaume de Logres et des royaumes réunis, le plus extraordinaire monument que la surface de la Terre ait jamais porté. Et le peuple, curieux, vint, et s'installa sur la plaine, par familles, par villages, avec ses chevaux et ses chariots. avec ses provisions mortes et vivantes, avec ses enfants et ses vieux qui voulaient voir ça avant de mourir. Des feux brûlaient un peu partout, on rôtissait des volailles, des porcs, des bœufs entiers, des colporteurs vendaient des fèves bouillies, des graines de potiron grillées, des saucisses de tous calibres et des fromages des royaumes francs.

Peu à peu, les trônes étrangers furent presque tous occupés. Le roi Arthur et la reine Guenièvre arrivèrent, couronnés, vêtus d'or et d'hermine, sur des chevaux en robes de brocart. Cent douze Chevaliers de la Table Ronde les suivaient, tous vêtus de renard fauve, têtes nues, tenant droit leur lance où flottait l'enseigne à leurs couleurs. Les manquants étaient morts, ou disparus, et non encore remplacés. Gauvain et Perceval chevauchaient en tête. Gauvain et Sagremor restaient les seuls survivants de la vieille génération. Tous les frères de Gauvain avaient péri dans la Quête, sauf Mordret le Maudit. Mais il n'était pas de la Table Ronde. Le poil de Gauvain avait viré au blanc. Cheveux et barbe encadraient sa tête d'une auréole qui lui convenait.

Les chevaliers s'assirent après que le roi et la reine eurent pris place en leurs trônes. Et tout le peuple remarqua qu'ils s'étaient assis lui à la droite, elle à la gauche, du siège du milieu qui restait vacant.

Des hérauts, passant dans la foule, criaient depuis le matin, du haut de leurs chevaux, que le monument serait dressé à midi. L'heure approchait. Le ciel dégagé permettait de se rendre compte que le soleil

413

allait atteindre le haut de sa course. Mais nulle part ne se voyait le moindre préparatif d'une quelconque construction.

Du centre de la plaine partaient quatre routes nouvellement tracées, désertes jusqu'à perte de vue. L'une vers l'est, d'où le soleil vient, une autre vers l'ouest où il s'en va, une vers le nord d'où l'hiver arrive en courant, une vers le sud où se montre, hésite, se risque, le printemps effrayé, repoussé, obstiné, vainqueur.

Le printemps avait gagné le ciel et semé de fleurs l'herbe de la plaine, mais aucun convoi de pierres, de briques ou de charpentes ne se montrait sur aucune des routes. Et le trône du milieu restait vide.

Sur la route du sud grandissait depuis un moment un point qui devint une silhouette. L'attention s'en détourna quand on vit que c'était un chanteur mendiant, un de ces bardes sans talent qui, au lieu de vivre auprès des rois et des chefs, quémandent chez les humbles nourriture et couvert en échange d'un récit ou de quelque chanson.

Dès qu'il atteignit la frange de la foule, celui-là quitta la route pour aller de groupe en groupe exercer son art. Il était vêtu d'une robe blanche déchirée et pas très propre. Ses cheveux réunis en tresses pâles lui encadraient le visage. Ses yeux gris très clairs semblaient perdus dans un rêve anxieux. Il chantait en s'accompagnant d'une harpe légère.

Ma bien-aimée
Ma bien-aimée
Je vais vers toi, je ne sais où je vais
Ma bien-aimée

Ma bien-aimée
Je ne te connais pas, je te reconnaîtrai
Ma bien-aimée
Ma bien-aimée...

Il s'arrêtait pour regarder les femmes. Lorsqu'une était de dos il en faisait le tour pour la voir de face. Il hochait la tête, déçu, refusait la nourriture qu'on lui offrait, recommençait à chanter :

Je ne sais où tu es, je te retrouverai
Ma bien-aimée
Ma bien-aimée
Où que tu sois je viens vers toi
Reconnais-moi,
Reconnais-moi !...

Quelques femmes, touchées par les paroles de son chant et par une beauté qui se devinait sous la saleté, s'attardaient à le regarder avec curiosité, avec amitié, avec convoitise — si je le lavais, si je le rasais, si je... — puis se détournaient, gênées, troublées par le sentiment qu'il appartenait à un autre monde, comme un aveugle, ou une de ces plantes qui bougent, et qu'on ne peut voir qu'en rêve.

Reconnais-moi...
Reconnais-moi !...

Personne ne pourrait le reconnaître...
Les hommes ne lui prêtaient aucune attention, et les regards des femmes revenaient vite vers le centre nu de la plaine, où quelque chose allait se passer...

415

Guenièvre regardait par-dessus les têtes de la foule, sans rien voir. Près d'elle, le trône du milieu restait vide.

Et tout à coup il fut occupé. Celui qui s'y trouvait assis n'y était arrivé de nulle part. Même ceux qui étaient en train de regarder le siège vide en se demandant si, et qui, et quand, ne le virent pas surgir. Il n'était pas là. Et puis il y fut...

Son nom courut aussitôt jusqu'aux limites de la plaine en murmure puis clameur de joie :

— L'ENCHANTEUR !... L'ENCHANTEUR !...

Il se leva. Il avait dû, pour cette cérémonie, garder son apparence réelle, celle qu'il avait révélée à Viviane lors de leur première rencontre. Vêtu d'une robe couleur du cœur des marguerites, ses cheveux ceints d'une légère couronne d'or, paraissant âgé de vingt ans ou de trente selon qui le regardait, il offrait aux yeux ce qu'ils pouvaient voir de plus beau au monde sous les traits d'un homme dans son éclatante jeunesse. Debout, il parut très grand, bien qu'il eût gardé sa taille normale, et tous le virent, même les plus éloignés, et tous le reconnurent, alors que peu l'avaient rencontré, et nul sous son aspect véritable.

Il dénoua lentement la ceinture verte qui rassemblait les plis de sa robe, et la lança devant lui. Elle ondula, tournoya, se ferma en un cercle parfait et vint se poser au milieu du croisement des quatre routes, au centre exact de la plaine. Il était midi. Merlin ferma les yeux, mit ses mains sur son visage et appela les forces de l'air, de la terre, de l'eau et du feu.

Les petites brises qui folâtraient parmi la foule s'arrêtèrent, les fumées se figèrent, les foyers s'éteignirent. Entre la Bretagne d'Irlande et la Grande Bretagne les vagues de la mer devinrent molles et s'aplatirent, et la mer fut lisse comme l'eau d'une écuelle. Dans les corps de la foule le sang ralentissait. Le soleil devint blanc.

Dans le silence absolu une musique grave s'entendit, d'abord faible puis de plus en plus forte. On eût dit que dix, cent, mille, dix mille violes grandes comme des chevaux, comme des chariots, comme des maisons, jouaient de leurs plus grosses cordes une suite de six notes répétées, toujours les mêmes, toujours plus fortes, si fortes que la terre tremblait et les os tremblaient dans la chair et la chair sur les os, et au moment où il ne fut plus possible que cela devînt encore plus fort, il y eut une septième note, et la terre s'ouvrit.

Une bouche ronde s'ouvrit au centre de la plaine. La vapeur d'une haleine en sortit. La vapeur se dissipa et découvrit, dressée au-dessus du sol qui avait repris sa place, une quadruple couronne de pierres géantes, dont les plus grosses étaient si hautes qu'on pouvait les voir de tous les horizons.

La musique avait cessé. Dans un bruit de cataclysme, le sommet du ciel se déchira. Un éclair en jaillit et vint frapper le milieu de la plus haute pierre. Il se retira en y laissant plantée son extrémité aiguë : une épée à la poignée d'or, dont la lame, couleur du soleil, au trois quarts enfoncée dans la roche, faisait corps avec elle.

L'archevêque de Camaalot, assis parmi les rois, se leva de son siège et se mit à prier Dieu à haute voix, à le remercier de ces prodiges et à demander sa protection pour le peuple et le roi. La foule répondit par un immense « Amen !... ».

La ceinture de Merlin était de nouveau nouée autour de sa taille. L'Enchanteur s'assit et dit à Arthur :

— Sire, je vous prie de tenir la Table Ronde au jour prochain de Pentecôte. C'est le jour où l'Esprit Saint, qui est Dieu, descendit sur les apôtres réunis. Devant les chevaliers réunis ce jour-là viendra celui qui a été choisi par Dieu, qui tirera l'épée hors de la pierre, et mettra fin aux Temps Aventureux.

Et le trône du milieu fut de nouveau vide.

L'appel des trois amours avait arraché Lancelot à sa prison sans lui rendre son être. Etranger à lui-même, il errait parmi des humains qui ne lui paraissaient pas réels, qu'il eût voulu écarter de sa route des deux mains, comme de l'herbe haute, des roseaux qui font un vain bruit dans le vent. Il devait pourtant leur prêter attention, car se trouvait parmi eux la seule réalité : un visage, un corps, une âme, qu'il aimait et qu'il avait perdus. Il cherchait, il marchait, il chantait, il regardait, il cherchait. Jour après jour, certain qu'il trouverait. Alors tout serait éclairé...

> *Rose du matin*
> *Ma bien-aimée*
> *Ma bien-aimée*
> *Je t'ai perdue, je te retrouverai*
> *Ma bien-aimée*
> *Je viens vers toi*
> *Reconnais-moi...*

Ni Merlin ni Viviane n'avaient pu renouer le contact avec celui qui vivait mais n'existait pas. Et Morgane l'avait perdu dès qu'il avait franchi la

fenêtre. Mais le Diable le suivait d'un œil — il en a
tant ! — comme une fourmi au creux de sa main.

— Où diable est-il ? avait demandé Morgane
furieuse, frappant du pied, quand elle avait constaté
son évasion.

— Je n'en sais rien..., répondit le Diable d'une voix
innocente.

— Tu mens, naturellement !

— Pas plus que d'habitude... Mais qu'il soit en tel
endroit ou ailleurs, quelle importance ? Regarde le
beau piège qu'il a laissé derrière lui !... Que penserait
ton frère Arthur s'il pouvait contempler la reine, sa
chère femme, dans la liberté de ses ébats amoureux ?

Morgane, saisie, regarda les scènes peintes sur les
murs et imagina son frère découvrant Guenièvre et
Lancelot si ressemblants, si reconnaissables, si
occupés...

Elle en devint rouge de joie anticipée.

— Il la verra ! dit-elle.

Elle se rendit à Salisbury pour l'arrivée des grandes
pierres. Elle y assista du haut de la colline des rois
vassaux, assise à côté du roi Frolle, encore impression-
nant malgré son grand âge. Arthur espérait, sans trop
y croire, que ce rude célibataire pourrait s'intéresser à
sa sœur et réciproquement, et qu'il l'emmènerait pour
toujours dans ses Alémagnes. Morgane pensa que
c'était Guenièvre qui l'avait ainsi reléguée parmi les
souverains soumis, et sa jubilation, à la pensée du mal
qu'elle allait lui faire, s'en accrut.

La cérémonie terminée, elle alla trouver son frère
sous la tente royale et l'invita à venir visiter son
château, qu'il ne connaissait pas encore.

— Je viendrai, je viendrai, dit Arthur.

Mais le ton de sa voix signifiait qu'il ne viendrait pas. Il écoutait Kou le sénéchal qui lui demandait où il devait placer Lionel au repas qui allait suivre : avec les rois ou avec les chevaliers ?

— Parmi les rois, il sera avec sa femme, qu'il voit tous les jours, dit Arthur. Parmi les chevaliers il sera avec des amis, et avec son frère Bohor, qu'il ne voit pas souvent... Je pense qu'il préférera cela...

Il sourit.

« La reine ne nous le pardonnera pas...

— Bof ! dit le sénéchal.

Le roi prêtait l'oreille à la rumeur du peuple qui coulait vers le monument, tourbillonnait autour, le pénétrait, le traversait, pour regarder de près et toucher les pierres encore chaudes de leur voyage. Certains essayaient d'atteindre l'épée plantée au milieu de la plus haute, mais c'était trop haut, même pour les plus grands. Des sergents, en grand nombre, avaient peine à faire circuler la foule et à protéger l'emplacement où des serviteurs dressaient les tables du banquet qui allait réunir les invités du roi.

— C'est un beau jour ! dit Arthur, visiblement heureux.

— Bouf ! dit le sénéchal. Et il sortit.

Avec les années, son agressivité s'était usée, le laissant seulement grognon. Il avait récolté dans la Quête un coup de lance qui lui avait traversé le ventre et cassé l'os du dos. Il survécut miraculeusement, mais l'os se ressouda de travers, et son torse formait un angle avec ses hanches. Il marchait comme un crabe, un peu de côté, un peu en avant. Un vieux crabe gris, rabougri, aussi increvable qu'un caillou.

— Mais si, mais si je viendrai ! dit Arthur, impatient, à Morgane qui exprimait ses doutes.

Elle regarda Guenièvre qui rêvait, qui attendait, toujours la même attente, et la même certitude qu'elle prendrait fin un jour... Morgane sut ce qu'elle devait dire :

— Si vous venez...

Elle fit semblant d'hésiter...

« Je vous montrerai quelque chose qui pourrait peut-être vous mettre sur la trace de Lancelot...

— Lancelot ?

Il semblait que Guenièvre et Arthur se fussent exclamés en même temps, mais c'était la reine qui avait parlé la première...

— Quelque chose ? dit Arthur. Qu'est-ce que c'est ? Pourquoi n'en avez-vous pas parlé plus tôt ?

— Je ne peux rien vous expliquer, il faut que vous voyiez vous-même...

Elle ajouta :

— Vous serez surpris !...

— Je serais surpris qu'on puisse le retrouver vivant, après un si long temps sans nouvelles, dit Arthur. Il est sûrement mort...

— Je crois qu'il est vivant, dit Morgane.

— Moi aussi ! dit Guenièvre, avec plus de fougue qu'elle n'aurait voulu.

Puis affectant d'être seulement polie :

— Nous viendrons, c'est entendu... Dès que le roi pourra...

— Si cela vous fait plaisir..., dit le roi à Guenièvre.

Et à Morgane :

— Après la Table Ronde... Je serai content de connaître votre château. On dit qu'il est ensorcelé...

— Qu'est-ce qui ne l'est pas ? dit Morgane.

Vint le jour de la Pentecôte, et quand tous les chevaliers furent assis avec le roi, cent neuf sièges seulement se trouvèrent occupés, outre celui d'Arthur. Trois chevaliers étaient morts depuis Pâques et le roi n'en avait pas fait de nouveaux. Il se proposait d'y pourvoir le lendemain. La cité grouillait d'adolescents valeureux venus pour se faire adouber et savoir si leur nom se trouverait tracé sur un des sièges vides.

Arthur se leva, tous les chevaliers se levèrent, et ensemble ils se recueillirent pour demander à Dieu de les aider à mener la Quête à bonne fin. Alors qu'ils avaient encore leurs yeux clos et leurs mains jointes, ils entendirent le bruit soudain d'une eau courante et sortirent pour voir de quoi il s'agissait.

Le fossé qui encerclait le château et constituait sa troisième défense s'était déroulé et coulait en forme de vive rivière. Pour arriver et pour partir, elle perçait les murailles des deux autres défenses. Le château de Camaalot étant bâti sur une hauteur, la rivière, pour parvenir jusqu'à lui, devait gravir la pente, ce qu'elle faisait tout droit. Cette rivière, depuis, n'a pas cessé de couler, mais elle fait le tour de la butte...

Et le roi et les chevaliers virent arriver, portée par le

courant, couchée sur l'eau et flottant comme si elle eût été de bois léger, la plus haute pierre du monument de Salisbury, portant fichée en son milieu l'épée à la poignée d'or.

Bien que l'eau continuât de couler, la pierre s'arrêta près de la porte de la salle de la Table Ronde, juste au ras du pont baissé.

Des lettres de lumière palpitaient autour de l'épée. Arthur les lut :

QUI DÉLIVRERA
DE SA PRISON
DE ROCHE
L'ÉPÉE VENUE DU CIEL ?

Gauvain, bien sûr, essaya le premier, comme il se lançait, toujours, le premier au combat. C'était l'heure de sa triple force. Il sauta sur la pierre et voulut saisir la poignée, mais n'y parvint pas. Sa main semblait trop grande, ou trop petite, ou glissante, ou se présentait mal, par la tranche ou même de dos. Furieux, il y mit les deux mains mais celles-ci s'étreignaient l'une l'autre au lieu d'étreindre l'épée et faisaient des nœuds avec leurs doigts...

Gauvain renonça et remonta sur le pont. D'autres essayèrent, avec le même résultat. Gerbaut, le plus jeune chevalier, dont la carrure était pareille à celle d'un taureau, la force énorme et la vertu très pure, n'éprouva aucune difficulté à saisir la poignée, d'une, puis des deux mains. Arc-bouté, ses muscles noués, ses os gémissants, il parvint à tirer l'épée de l'épaisseur d'un doigt. Mais elle se renfonça aussitôt d'une main. Gerbaut à son tour renonça.

— Puis-je essayer? demanda un adolescent que personne n'avait remarqué.

Il se tenait au premier rang de la foule attirée par l'extraordinaire phénomène de la pierre flottante et les tentatives des chevaliers. Arthur le regarda et se demanda comment il avait pu ne pas le voir plus tôt. Il ne voyait plus que lui. Il portait un haubert de mailles couleur de fleurs de genêt, et ses courts cheveux en désordre étaient de la même lumière. Un fourreau vide pendait à la ceinture tissée d'or qui lui entourait la taille. Il ne devait guère avoir plus de quinze ans.

— J'ai un fourreau et point d'épée, dit le garçon en riant.

Celle-ci ferait bien l'affaire...

— Tu peux essayer, dit Arthur.

Il sauta sur la pierre, léger comme un oiseau, saisit la poignée et, sans peine mais d'un élan parfait, tira l'épée hors de sa prison. Elle brillait comme une lame de soleil. Il la tendit vers le roi pour que celui-ci la vît bien. Il dit :

— Elle est belle !

Puis la ramena vers lui, la baisa et, sans regarder, la mit d'un seul geste au fourreau. Il rayonnait. Il était l'image de la joie. Personne parmi la foule ou les chevaliers ne pouvait plus le quitter des yeux. Il sauta sur le pont.

— Il me manque le baudrier... Je crois savoir où le trouver... Sire, me permettez-vous d'entrer ?

— Va ! dit Arthur.

Et le roi s'effaça pour le laisser entrer dans la salle de la Table Ronde...

La pierre, lentement, se remit en route. Elle remontait le courant vers Salisbury.

Les chevaliers se pressaient pour pénétrer dans la salle. Le roi regagna sa place et resta debout. Le garçon regardait les tapisseries, la grande table de marbre et les sièges qui l'entouraient comme !es fleurons d'une couronne. Son regard disait que tout cela était beau et qu'il le savait. Il leva un peu les bras, les mains ouvertes à la hauteur de ses épaules, doigts écartés, paumes en avant, en un geste qui disait à la fois qu'il acceptait et qu'il donnait.

Il vit et désigna ce qu'il cherchait : le coffret posé sur la Table.

— Voilà ! dit-il.

En trois pas il fut près de lui et, pour l'ouvrir, s'assit sans façon sur le Siège Périlleux.

Un grondement terrible monta du fond de la terre, les murs tremblèrent, le siège et celui qui l'occupait, enveloppés de flammes, s'enfoncèrent dans le sol qui craquait comme des arbres de feu. Ils réapparurent aussitôt, intacts, les flammes s'éteignirent et la terre se tut. Le garçon riait. Le coffret s'était ouvert. Il contenait un baudrier tissé de fins fils d'or et d'acier et de fils plus fins encore, qui étaient les cheveux de Celle-qui-jamais-ne-mentit.

L'adolescent le prit, se leva, le passa sur son épaule et y accrocha sa ceinture.

— Après les deux épreuves dont tu viens de triompher, dit le roi, je crois que nous savons tous quel est ton nom, mais il convient que tu le dises de ta bouche. Beau vainqueur de la pierre et du feu, quel est ton nom ?

— Galaad..., dit Galaad.

— Qui est ton père ?

— Galaad..., dit Galaad. Mais vous le connaissez comme étant Lancelot du Lac...

Les chevaliers, que la succession des événements stupéfiants avait rendus muets retrouvèrent la parole pour s'exclamer :

— Lancelot ! Où est-il ? Qu'est-il devenu ?...

Galaad n'avait pas cessé de regarder le roi et n'entendait que lui.

— Beau fils, dit Arthur, sais-tu où est celui dont tu portes le nom et le sang ?

— Je ne sais, dit Galaad, mais je le saurai.

— Est-il vivant ?

— Je ne sais, mais je le crois.

— En quel pays as-tu grandi ?

— Au pays d'ailleurs, qui est en Petite Bretagne.

— Qui fut ton maître ?

Le visage de Galaad s'illumina.

— L'Enchanteur ! dit-il. Et la Forêt...

— Pourquoi, en ce beau jour, Merlin ne t'a-t-il pas accompagné ?

— Il est ici ! dit Galaad, avec un sourire de bonheur.

Merlin se montra, encadré par la porte, appuyé sur son bâton de houx.

— Sire, dit-il, je voulais qu'il vous montre tout seul ce qu'il est. Il n'a plus besoin de moi. Demain vous le ferez chevalier et la vraie Quête pourra commencer.

Galaad courut vers lui, s'inclina et lui baisa la main.

— Maître, dit-il, j'ai une autre tâche à accomplir d'abord... Et celui qui doit me faire chevalier n'est pas ici...

Il se tourna vers le roi.

— Sire, me permettez-vous de m'éloigner ?

— Va! dit Arthur. Nul ne saurait te retenir...

Pour montrer son accord, Merlin s'écarta de la porte, laissant tout l'espace à Galaad.

Galaad sortit, se mit à courir, franchit les trois ponts et les murailles et arriva hors de la cité. Deux chevaux galopaient à sa rencontre, un blanc et un noir. Ils s'arrêtèrent et se cabrèrent en arrivant à sa hauteur. Galaad tira son épée et traça de sa lame, dans la direction du cheval noir, le signe de la croix. La sombre monture se fendit en quatre morceaux qui s'évanouirent en fumée. Galaad éclata de rire, rengaina et d'un bond fut sur le cheval blanc, ses cheveux brillant de la flamme du soleil. Et le cheval l'emporta vers l'horizon.

Arthur, Guenièvre, et leur suite d'écuyers, de sergents, de servantes et de serviteurs, franchirent le Canal sur trois vaisseaux, et chevauchèrent jusqu'au Val Sans Retour. Morgane, pour les recevoir, avait ouvert une large allée et fait pousser des fontaines qui la bordaient de jets d'eau gracieux. Elle permettait de découvrir de loin les lignes élégantes du château, longue demeure basse, comme couchée dans ses jardins, bâtie de briques rouges et noires alternativement disposées en des motifs de dentelles autour de hautes fenêtres. Aucun mur de défense ne l'entourait. Morgane voulait montrer ainsi qu'elle ne craignait personne.

Pendant qu'on servait des boissons et des nourritures aux gens de la suite, elle fit visiter le château au roi et à la reine. Toutes les chambres avaient évidemment disparu, sauf une... Sans que leurs occupants se fussent rendu compte de rien, elles s'étaient enfoncées dans le profond sous-sol, avec leurs jardins illusoires. De grandes pièces claires les remplaçaient, décorées de meubles sculptés et de tapisseries. Arthur remarqua qu'il y avait beaucoup de plantes vertes, qu'il ne reconnaissait pas pour des plantes des Bretagnes.

— Elles viennent des empires d'Afrique, dit Morgane. Elles me divertissent...

Elle en caressa une, qui se mit à ronronner. Arthur, amusé, tendit la main vers une feuille ronde. La plante siffla, la feuille s'enroula en pointe et le piqua.

— Aïe!... Je n'aime pas vos sorcelleries! dit le roi à sa sœur.

— Il n'y a aucune sorcellerie!... C'est leur nature... Elles ne se laissent toucher que par moi... Il faut les connaître...

Elle fit trois pas vers la porte d'une autre pièce, s'arrêta et dit :

— Et elles attrapent les souris!

— Qu'en font-elles?

— Elles les mangent!...

On eût dit qu'elle venait d'en croquer une, en se régalant... Elle riait. Guenièvre frissonna. Dès son arrivée au Val Sans Retour elle avait senti peser sur elle, physiquement, la malfaisance de Morgane. Elle était certaine que celle-ci allait leur apprendre de mauvaises nouvelles. Mais tout plutôt que ce silence, ce désert, cette absence totale et interminable... Elle réprimait son impatience, n'osant prononcer la première le nom de Lancelot.

— Et Lancelot? dit enfin Arthur. Que vouliez-vous nous montrer, à son sujet?

— Nous y arrivons... Je dois d'abord vous dire qu'il a vécu ici...

— Ici, Lancelot?

— Je l'ai rencontré à la sortie de la Forêt Perdue. Il y avait laissé sa raison, dans quelque aventure. Il ne savait plus qui il était, il savait à peine parler, il était pareil à un enfant qui commence à marcher... Je l'ai pris par la main, il s'est laissé conduire, je l'ai hébergé, nourri, soigné, en vain, pendant des mois...

Arthur était aussi stupéfait que furieux.

— Pourquoi n'en avez-vous rien dit? Pourquoi ce silence? Qu'est-il devenu? Où est-il?

Guenièvre sentait quelque chose de monstrueux s'approcher d'elle. La visible jubilation de Morgane la terrifiait. Qu'avait-elle fait à Lancelot?

— Pourquoi je n'ai rien dit? Vous allez le voir... Où il est? Je n'en sais rien... Un matin, sa fenêtre était ouverte et il n'était plus là... Sans doute a-t-il considéré qu'il avait terminé sa tâche...

— Quelle tâche?

— Il avait commencé à tracer des dessins sur un mur de sa chambre. Je lui ai donné des couleurs et des pinceaux. Il a couvert les quatre murs d'une quantité de scènes se rapportant toutes à un même souvenir, un moment de sa vie qu'il n'avait pas oublié, le seul, tout ce qui lui restait de son passé... Pour le revivre? Pour s'en délivrer? Je ne sais. Quand il n'a plus eu de place où peindre, il est parti... Regardez: c'est très beau...

Elle ouvrit la porte de la chambre et s'effaça.

Le roi entra le premier...

Peinte au centre du mur d'en face, une femme nue, un peu plus grande que nature, illuminée par le soleil venu de la fenêtre, l'accueillit comme une vivante. Allongée sur des fourrures, épanouie, radieuse, elle le regardait.

Il ne la reconnut pas. A cause du bonheur qui rayonnait de son visage, tel qu'il ne l'avait jamais vu. Quant à son corps, il ne l'avait jamais regardé...

La surprise le rendit un moment silencieux, puis il retrouva sa respiration...

431

— C'est très beau, en effet, dit-il. Qui est-ce?

— Vous ne la reconnaissez pas? Réellement?
Regardez-la bien... Regardez les scènes autour d'elle...

Il regarda... Et au premier duo il reconnut Lancelot.
Puis elle...

Il passa d'un tableau à l'autre. Les couleurs étaient
vives, le dessin fidèle. Il devint violet, blême, il serra
les poings, il cria :

— Sorcière! Qu'avez-vous inventé là? Je vais vous
livrer à l'Eglise! Vous serez jugée. Cette histoire est
une invention diabolique! Guenièvre, avez-vous vu ce
qu'elle a osé...

Il se tourna vers la reine, et sa colère s'écroula.

Guenièvre, debout au milieu de la pièce, immobile,
raidie, pleurait. Son regard allait lentement d'une
scène à l'autre, et le souvenir et le regret atroce lui
labouraient le corps et le cœur. Les larmes coulaient
sur son visage, sur sa robe, sans arrêt, et elle ne savait
pas qu'elle pleurait. Elle se déplaça vers le mur de
gauche, elle semblait ne pas marcher, glisser lentement
sur le sol. Près de la fenêtre, Lancelot s'était représenté
presque de face. Elle s'approcha de lui. Heureux, avec
un amour infini il la regardait venir. Elle baisa ses
lèvres peintes, posa sa joue contre sa joue et brusquement se mit à sangloter, puis à crier, de désespoir et
d'horreur.

Morgane toucha le bras d'Arthur, qui regardait
Guenièvre avec stupéfaction. Il avait la bouche à demi
ouverte, sa courte barbe grise tremblait. Il semblait en
proie à l'incompréhension et à la consternation plus
qu'à la colère.

— Il va falloir la punir, dit Morgane.

Bénigne posa une nouvelle boîte au bord de la tombe de Bénie, en son jardin. La tombe était entourée de sept rangs de boîtes de petits pois, de choucroute, de haricots verts, de pêches et de poires, de maïs, de lait condensé, de fruits de la passion, et d'autres belles nourritures, toutes fleuries. Il suffisait à Bénigne d'emplir de terre une boîte et aussitôt une plante y poussait et fleurissait, quelle que fût la saison. C'était le sortilège que Merlin lui avait laissé entre les mains.

Au cours des ans, elle avait perdu ses nouvelles dents et ne demandait plus guère à son placard. Elle mangeait menu et tendre, elle mangeait peu, mais cela faisait quand même toujours de nouvelles boîtes. Elle en avait posé des deux côtés du chemin, presque jusqu'au village, fleuries de pétunias et de géraniums, elle en avait planté dans le sable de la dune, partout jusqu'au sommet, et la dune ravie de se voir si belle n'osait plus bouger.

Bénigne ne sortait pas les jours de grand vent de peur d'être emportée comme un brin d'algue sèche, elle était réduite à rien, elle avait oublié son âge, elle se croyait si vieille qu'elle ne pouvait plus vieillir.

Lancelot entra dans le jardin comme elle se redressait, au bord de la tombe. Il avait suivi le chemin fleuri, essayant de se rappeler un autre chemin, d'autres fleurs avec des lumières, qui conduisait à celle qu'il n'avait pas retrouvée.

Il trouva Bénigne qui le regarda de bas en haut, elle était devenue à peine plus grande qu'une fillette.

— Hé ben, beau doux garçon, lui dit-elle, je vois que tu as une musique... Tu devrais ben en jouer un peu pour celle-là qui est là-dessous et qui a pas eu beaucoup l'occasion d'en entendre avant de trépasser, la pauvre...

Il joua, pour celle qui était là. Et il chanta, pour celle qu'il cherchait :

> *Champ de blé doré,*
> *Rose en sa rosée,*
> *Fleur de prime saison,*
> *Fruit de toutes saisons*
> *Mon aimée*
> *Mon aimée*
> *Reconnais-moi...*

— Ben, dit Bénigne, comment tu voudrais-t-y qu'elle te reconnaisse, la pauvre morte ? Et c'était pas toi qu'elle attendait, la pauvre, il avait le poil noir...

Lancelot sourit.

— Celle qui est là n'est pas morte, dit-il. Ecoute-la...

Il pinça la plus grave corde de sa harpe, et du fond de la tombe le même son lui répondit.

— Tu entends ? C'est son cœur..., dit-il.

Il recommença et de nouveau Bénie lui répondit, paisible.

Bénigne avait l'oreille très dure, qui n'entendait que ce qu'elle voulait bien, parfois même pas la tempête, mais parfois les pas des fourmis sur le mur.

Lancelot continuait son dialogue.

— Elle attend, dit-il doucement, elle continue d'attendre...

— Y a qu'à te regarder pour voir ce qui te fait entendre des voix, dit Bénigne. T'as pas dû manger depuis huit jours... Viens au placard!...

Quand il fut nourri il s'endormit, étendu sur la maigre couche de Bénie. Réveillé, il se trouva si bien en cette demeure tranquille qu'il resta.

— Tu es sale comme trois cochons, lui dit Bénigne. La mer est haute, va donc te mouiller et te frotter. Et je te couperai ta barbe et tes cheveux, que bientôt la chouette pourrait y faire son nid... La pauvre Bénie aussi voulait garder ses cheveux longs. A quoi ça sert ? C'est qu'un embarras...

Elle lui lava et rapetassa sa robe. Et elle le fit manger, elle lui ouvrait sans cesse de nouvelles boîtes.

— Tiens, mange donc un morceau, c'est le moment...

C'était toujours le moment. Il reprenait formes et couleurs. Chaque jour il allait dans le jardin, jouer pour Bénie. Et elle lui répondait. Un matin, il dit à Bénigne :

— Grand-mère, je suis bien, près de toi et de celle qui attend, mais je dois m'en aller, maintenant...

— Et où donc que tu vas, beau neveu ? C'est-y loin ?

— Grand-mère je ne sais...

— Qui que c'est-y que tu cherches, celle que tu lui chantes « reconnais-moi reconnais-moi »... ?

435

— Grand-mère je ne sais...

— Eh ben, t'es pas près de la trouver !... Emporte donc quelques boîtes, pour l'en-cas...

Elle avait un vieux sac de pêcheur, accroché au mur. Elle y mit de la daube et du cassoulet. Du solide. Elle sortit pour le passer au cou de Lancelot. Debout devant la porte, il regardait vers le soleil levant, du côté de la terre. Un cavalier arrivait au galop, dans un nuage de poussière dorée. En approchant, il mit son cheval au trot, puis au pas, puis s'arrêta. C'était un adolescent, tout jeune, à peine jailli de l'enfance, mince et solide, qui deviendrait un homme superbe, s'il en avait le temps. Ses cheveux courts en désordre avaient la couleur des primevères et ses yeux étaient d'or clair.

Bénigne laissa tomber son sac et joignit ses vieilles mains tordues. Elle n'avait jamais vu sur un visage tant de jeunesse, tant de lumière et tant de bonheur.

— Beau Jésus, dit-elle, qui c'est-y qui nous arrive ?

Le cavalier sauta de son cheval, mit ses deux genoux à terre devant Lancelot, lui prit la main et la posa sur sa tête baissée, en signe de respect. Puis il leva vers lui son visage radieux.

— Père ! Enfin je vous retrouve !...

— Beau doux fils, qui es-tu ? demanda Lancelot gentiment.

— Père, je suis Galaad, votre fils de chair, né de vous et de Elwenn, qui vous a donné sa virginité et son amour, d'où je fus conçu parce que Dieu le voulut.

Lancelot secoua doucement la tête.

— Je n'ai pas de fils... Je ne connais pas Elwenn... Celle que j'aime et dont je me souviens dans mon corps et dans mon âme se nomme... Son nom est... Ah ! Je

436

suis toujours sur le point de le connaître et toujours il m'échappe... Je la cherche depuis si longtemps... Peut-être la connais-tu ?

Il regarda avec plus d'attention Galaad agenouillé devant lui, et il eut de la joie à le regarder.

— Tu es beau..., dit-il. Je serais heureux d'être ton père... Qui es-tu ? Et que me veux-tu ?

— Je suis Galaad, votre fils de sang. Et je suis venu vous demander de me faire chevalier... Je ne veux l'être que de vous...

Il tira de son fourreau l'épée tombée du ciel, la prit par la lame et en présenta la poignée à Lancelot.

Lancelot la saisit d'un geste instinctif, d'un geste qu'il connaissait, qui venait du plus profond de ses nerfs et de ses muscles. Sa main se referma de la façon exacte qu'il fallait pour la meilleure prise, et quand il leva l'épée lâchée par Galaad, il sut ce qu'il devait dire et accomplir pour faire de cet enfant un chevalier. Il devait dire et accomplir pour faire de cet enfant un chevalier. Il dit :

— Sois chevalier !

Et le frappa du plat de l'épée sur l'épaule gauche. L'épée dans sa main et sur l'épaule de Galaad fut le lien qui rassembla le père et le fils. Et Lancelot se rappela qui il était.

Il reçut en bloc tous ses souvenirs. Ce ne fut pas un choc, mais la suite naturelle de son être, comme s'il continuait, sans interruption, l'instant où la première goutte d'eau empoisonnée avait touché ses lèvres. Il fut surpris par le brusque changement du paysage et des circonstances, mais avant de chercher à comprendre il lui fallait achever ce qu'il avait commencé. Il dit :

— Sois preux !

Il frappa l'agenouillé sur l'épaule droite, et lui présenta l'épée dans ses deux mains ouvertes.

Galaad la prit, se releva, et la mit au fourreau avec une aisance qui ravit son père.

— Elle est belle! dit Lancelot. Qui te l'a donnée?

— Je l'ai arrachée d'une pierre. Je ne sais qui l'y avait mise...

— Où sont ton heaume et ton écu?

— Je n'en ai, ni n'en veux. L'épée suffit...

— Qui t'a enseigné?

— Je m'en suis chargé, dit Merlin.

C'était un merle qui parlait, perché sur la selle du cheval de Galaad. Viviane se posa près de lui, sous la forme d'une mésange. Elle avait retrouvé Lancelot dès qu'il s'était retrouvé lui-même. Merlin l'avait précédée de peu. Il n'avait jamais perdu de vue Galaad, depuis que l'adolescent avait quitté Camaalot. Il savait qu'il cherchait son père, et qu'il le trouverait.

— Hé ben, dit Bénigne, voilà-t-y pas un merlot qui cause?

— Vieille chatte! dit le merle. N'es-tu pas capable de reconnaître un ami quand il change de robe?

Le cheval devint un âne qui portait Merlin en son apparence de bûcheron.

— Une chatte? lui demanda Bénigne, quoi c'est-y?

— Une gentille bestiole d'un royaume d'Afrique, dit le bûcheron. Elle aime le coin du feu, comme toi...

Et Merlin se montra dans son apparence réelle.

— Merlin! dit Lancelot.

— Te voilà enfin sorti des griffes du Diable..., dit Merlin.

— Ah! Ah! ricana le Diable, je n'en ai pas fini avec lui! Tu le sais bien!...

438

C'était une branche desséchée de genêt épineux qui se trouvait là tout à coup et qui parlait.

— Saloperie de cornu, dit Bénigne, veux-tu t'en aller !

Elle lui cracha dessus et lui fit le signe de la croix. La branche se consuma en grinçant des dents...

— Les griffes ?... Le Diable ?... Je ne comprends pas, dit Lancelot.

En retrouvant ses esprits, il avait oublié tout le temps passé dans le sortilège, et qu'il avait involontairement trahi ses amours, avant de disparaître.

Il ignorait le présent comme il avait oublié le passé. Merlin le regardait avec gravité, se demandant comment lui dire, sans le meurtrir, les nouvelles tragiques dont il était porteur. Il ne trouvait en ses pouvoirs aucune ressource.

Il appela à mi-voix :

— Viviane !...

Pour les mêmes raisons, elle n'avait pas encore osé se montrer, et aussi parce qu'elle avait été saisie par le changement de Lancelot. Elle avait toujours pensé à lui comme à son beau doux fils, son beau trouvé, son chevalier adolescent, blanc comme la lune nouvelle, et elle se trouvait en face d'un homme mûr, achevé, marqué par le temps, durci par les errances et les épreuves, au visage de cuir et aux muscles de fer, dont seul le regard avait gardé la fraîcheur et la clarté de la jeunesse. Alors qu'elle-même n'avait pas changé...

Quand elle répondit à l'appel de Merlin et apparut près de lui dans la splendeur de ses seize ans, vingt ans peut-être, elle eût pu passer pour la fille de Lancelot, au lieu de celle qu'il appelait...

— Mère !

439

Il tomba à genoux devant elle, referma ses bras sur elle et pleura de bonheur, le visage enfoui dans sa robe. Elle était comme il l'avait toujours vue en pensant à elle, il n'y avait rien de changé.

Viviane, bouleversée, caressait ses cheveux clairs parmi lesquels devaient se trouver des cheveux blancs qui ne se voyaient pas... Elle murmurait, rien que pour lui :

— Beau doux fils, mon trop aimé, mon perdu, mon retrouvé...

Comment lui dire ? Comment lui dire ?...

Merlin décida d'être brutal. Il appela :

— Lancelot !

Toujours à genoux, ses bras autour de Viviane, Lancelot tourna la tête vers l'Enchanteur en reniflant comme un enfant.

— Tu sais maintenant qui tu aimes ?

Il cria :

— OUI !

Il se dressa, glorieux.

— Et je viens la chercher ! Et je l'emporterai !

— Ecoute bien, dit Merlin. Ce que tu sais, le roi le sait aussi. Il sait tout. Il a fait juger la reine. Elle a été reconnue coupable d'adultère, et il va la brûler !

— Le temps presse ! dit Galaad. Le temps presse !...

D'un saut il fut en selle. Son destrier léger, en redevenant cheval, avait encore affiné ses formes, et son poil avait pris la même teinte que les cheveux de son cavalier.

Bénigne les regarda s'en aller sans bruit, au pas devant la dune fleurie qui les encadrait de mille couleurs. Ils dépassèrent la dune, Galaad mit le cheval au galop et ils ne furent bientôt plus qu'un point de lumière au fond des yeux de Bénigne.

Elle se retourna pour dire à L'Enchanteur ce qu'elle pensait de tout cela. Mais il n'était plus là, ni la belle Dame, ni celui qui jouait de la musique.

Elle soupira.

Elle était contente d'avoir eu de la visite, mais me voilà bien seule de nouveau... Tiens il a oublié ses boîtes... Je vais ouvrir celle qui a des petites fèves et de la saucisse... Avec un petit coup de cidre...

Elle alla s'asseoir près du feu, prit sa vieille cuillère de bois piquée dans un trou du mur et vida la boîte en un clin d'œil. Il y avait longtemps qu'elle n'avait pas autant mangé.

— Ça console, dit-elle à la bestiole qui la regardait, assise sur son petit derrière.

« Tiens ! qu'est-ce que tu fais là, toi ? Je t'avais pas vu !... Quoi c'est-y ce bestiau ?

— Je suis une chatte, dit le bestiau.

— Ah c'est donc ça ?... L'Enchanteur m'avait pas dit que tu causais... D'où c'est-y que tu sors ?

— Je viens d'Egypte. C'est un royaume d'Afrique, en haut à droite.

— Encore un pays de sauvages !

— Tous les hommes sont des sauvages, dit la chatte.

Elle se leva et fit un petit tour devant le feu, sur ses pattes légères, et puis un autre en sens contraire, pour bien se faire admirer de tous côtés. Elle était petite, blanche avec une tache couleur d'orge sur le flanc gauche, en forme de nuage, et une autre plus petite sur le flanc droit et une troisième sur le dos. Les yeux bleus et le nez rose. Et une longue queue fine, bien verticale, avec juste l'extrémité qui ondulait.

— Je m'appelle Fumette, dit-elle.

— C'est pas un nom dit Bénigne. Je t'appellerai Cri-Cri...

— Comme tu voudras. De toute façon je ne viens pas quand on m'appelle.

Elle lui sauta sur les genoux et s'y coucha en rond.

— Quoi c'est-y ce bruit que tu fais ? demanda Bénigne.

— Je ronronne, dit la chatte. Ça veut dire que je suis bien.

— Moi aussi, dit Bénigne.

GALAAD. Il filait comme une flèche vers son but. Il ne savait pas où se trouvait le Château Aventureux, mais devinait à chaque instant la direction à prendre pour s'en rapprocher. De même qu'il avait su, à chaque croisée de chemins, choisir celui qui le conduirait vers son père.

Il ne savait pas quelle serait la durée de sa course, des jours ou des mois, seulement qu'il ne devait se laisser arrêter par rien.

Le Diable comprit que celui-là ne se laisserait pas engluer dans l'exquise douceur féminine. Il ne pouvait le combattre que par l'abominable. Il lança d'abord contre lui la horde de ses chiens jaunes, ceux qui avaient transformé en désert le Pays Gasté en dévorant tout ce qui y vivait, hommes, bêtes, plantes et arbres. Galaad traversa la plaine grouillante en ramant à gauche, à droite, à grands coups d'épée. Son cheval mordait comme un lion. Ils ne ralentirent pas. Ils laissaient derrière eux une route de sang que couvraient aussitôt les déchireurs de cadavres.

Le Diable ramassa sept tempêtes sur les océans, les assembla et les pressa entre ses mains et en fit un dragon gigantesque qui se rua vers Galaad en brisant tout sur son passage.

Galaad fonça sur lui et se dressa sur ses étriers en hurlant le nom secret de son cheval. Celui-ci lui répondit, criant comme le vent, et d'un seul élan sauta par-dessus la monstrueuse bête, à qui, au passage, l'épée de Galaad creva les yeux. Les tempêtes, depuis, tournent en rond sur le monde, croyant aller tout droit.

Le Diable fit surgir brusquement, devant Galaad au grand galop, la montagne de marbre noir au sommet de laquelle poussent les tournesols de la nuit. Galaad se tailla un chemin dans le marbre, mit la montagne en pièces et délivra les huit cent douze demoiselles qui la portaient sur leur dos.

Alors qu'il traversait le royaume d'Auvergne, le Diable en décapita les montagnes et fit cracher sur lui, par les plaies ouvertes, les feux de son enfer.

Du plat de son épée, Galaad ferma les blessures puis, un peu las, s'étendit sous un châtaignier pour prendre un instant de repos. Le Diable lui dépêcha les sept vipères de l'arc-en-ciel, une de chaque couleur, les plus mordeuses, les plus venimeuses des tueuses rampantes. Elles s'endormirent dans ses bras.

LANCELOT. Les Bretagnes crient son nom. « Lancelot revient ! Lancelot arrive ! »

Le chevalier blanc, après avoir franchi le canal, traverse le pays de Logres comme un météore. Viviane lui a donné un cheval et des armes, et son enseigne aux deux lunes d'argent, celle du commencement et celle de la fin. Elle a retrouvé, pour l'attacher à son heaume, l'écharpe de Guenièvre.

Lancelot s'enfonce dans le royaume d'Arthur

comme une épée. Derrière et devant lui on commence à se battre. Ceux qui prennent parti pour la reine, contre ceux qui prennent le parti du roi. Accourant du sud où elles viennent de débarquer, galopent vers Camaalot les armées de Lionel et de Pharien, qui ont dénoncé leur allégeance à Arthur et volent au secours de la reine. Gauvain cœur fidèle arrive de l'ouest avec l'armée d'Orcanie, dont il est le souverain, pour défendre son roi. Son jeune frère, Mordret le Maudit, dont Arthur est le seul à savoir qu'il est son propre fils incestueux, a pris la tête d'un parti de Saines et arrive du nord pour combattre son frère et son roi. Il espère succéder à l'un ou à l'autre, ou peut-être aux deux.

Frolle s'est fait hisser sur son cheval énorme et arrive avec six vaisseaux chargés d'Alémans barbus. Il veut se libérer de son vasselage en tuant Arthur.

Déjà la bataille, encore confuse, s'est engagée au sud de Camaalot. Dans la cité même, des femmes, des jeunes garçons, ont essayé, avec des armes dérisoires, de prendre le donjon pour délivrer la reine. Les sergents du roi les ont massacrés.

Gauvain, Sagremor, les douze Yvain, fils, petits-fils et neveux des trois premiers Yvain de la Table Ronde, sont au sommet de la Tour, regardant les campagnes qui fument de toutes parts, de la poussière des combats, et des incendies.

— Sire, dit Gauvain, il est encore temps, renoncez !... Mettez la reine en un couvent, mais renoncez à cette atrocité ! Pardonnez !

Le visage d'Arthur est dur comme de la pierre et blanc comme ses cheveux. Son haubert d'acier et son heaume sont recouverts d'argent. Il est armé de ses deux épées, Escalibur et Marmiadoise.

Entre la deuxième et la troisième défense, au bord de la rivière qui coule depuis Pentecôte à travers la cité, s'élève le bûcher où sera brûlée Guenièvre.

— Si je ne fais pas la justice avec la reine, dit Arthur, comment pourrai-je la faire avec mon peuple ?

— Roi ! tu n'as plus de peuple ! crie le plus gros des douze Yvain. Il est temps d'aller nous battre...

GUENIÈVRE. La reine est enfermée dans le cachot souterrain de la Tour au sommet de laquelle elle monta si souvent pour guetter le retour de celui qu'elle aimait. On ne sait rien d'elle. Elle ne sait rien du monde. Elle sera brûlée le dixième jour du mois d'août, jour consacré au souvenir de saint Laurent, qui fut martyrisé par le feu, sur un gril.

BÉNIGNE. La chatte ne lui a pas dit qu'elle est enceinte. Elle mettra au monde cinq chatons de différentes couleurs. Devenus adultes, après le départ de l'Enchanteur, ils seront pourchassés par les paysans du village qui, n'ayant jamais vu de telles bêtes, les croiront envoyées par le Diable. Ils en brûleront trois.

Bénigne réussira à sauver un couple, qui aura de nombreux descendants. Par bonheur pour nous.

PERCEVAL ? Où est Perceval ? Que fait-il ? Gauvain se le demande, voudrait bien savoir s'il est mort ou

446

vivant, voudrait bien qu'il soit là pour se battre avec lui près d'Arthur.

Il est très loin. Il ignore ce qui se passe et se prépare au royaume de Logres. Après son échec au Château Aventureux, il n'a pas renoncé à se présenter une nouvelle fois devant le Graal. Cette fois-ci il osera poser une question, et même plusieurs ! Mais il faut d'abord trouver la Demeure. Année après année, il est reparti, sans rien trouver, et sans se décourager. Il a traversé les aventures et les sortilèges, donné des coups, reçu des blessures, donné la mort, sauvé des vies et des honneurs, gardant intacts son espoir, son courage, et la fraîcheur de son esprit.

Cette année, il a décidé de prendre une direction que personne ne prend jamais, il a tourné le dos à tous les chevaliers, il est parti vers le haut du monde.

Il a dû tailler son chemin à travers les Saines, puis les Saxons et des guerriers inconnus, il a rencontré de moins en moins d'êtres humains, puis plus du tout, et il est arrivé dans un pays où c'est de la glace qui pousse à la place de l'herbe, où les poissons sortent de l'eau pour donner le sein à leurs petits, où les oiseaux marchent et ont des bras à la place des ailes.

Il a regardé ces choses nouvelles avec une joie toute fraîche. Ce n'est plus son destrier qui le porte, mais son bidet d'adolescent. Ni lui ni son bidet ne se sont nourris depuis des jours, et c'est toujours le même jour car le soleil ne se lève plus.

Enfin il voit briller devant lui un château qui ressemble à un bouquet de verre. Ses tours sont rondes et pointues, de largeurs et de hauteurs diverses, et plus Perceval s'approche, plus il en découvre.

Le château est entièrement transparent. Les rayons

du soleil le traversent, sans rien montrer de l'intérieur. Après en avoir fait le tour, Perceval comprend qu'il ne peut pas aller plus loin : il est en haut du monde. Il n'a pas trouvé de porte pour entrer dans le château. Il pousse sa monture et ils passent à travers le mur, à la suite du soleil. Ils avancent par de larges couloirs, parcourent des pièces et des cours, franchissent des murailles, et arrivent au centre du château.

C'est une grande chambre ronde emplie du soleil, de la tiédeur, et des parfums et des couleurs du printemps. Au centre de la chambre se dresse un grand lit rond, blanc, blanc, blanc. Sur le lit est couchée Bénie dans une longue chemise de dentelles. Elle se lève. Elle sourit, elle est bien portante et heureuse, ses cheveux la couvrent jusqu'à la taille d'une lumière dansante. Elle tient dans la main droite un géranium rose et dans la gauche un pétunia rouge. Elle les tend à Perceval. Il n'a plus de cheval, il n'en a plus besoin. Il court vers Bénie et la serre dans ses bras, et tous les deux se mettent à rire. Il a tant de choses à lui raconter. Il a fini de chercher. Elle a fini d'attendre.

LES PIERRES. Celle qui portait l'épée a repris sa place. Une cicatrice la marque à l'endroit où la lame la pénétra.

Les générations passeront et les pierres s'useront, seront mutilées, certaines emportées, et le souvenir de leur surgissement devant le peuple du royaume de Logres sera perdu. On ne saura plus qu'il s'agit de la quadruple couronne du roi Arthur. On ne saura plus rien, à l'époque où on croira tout savoir. On donnera à la quadruple couronne un nom banal, qui n'a qu'un sens évident, Stonehenge : enclos de pierre.

Pour connaître son vrai nom il suffit de changer une lettre. On connaît alors aussi sa fonction, dont Merlin n'a rien dit à personne.

Au-dessous de Stonehenge, à la profondeur qui convient, passe un large fleuve dont le courant est si lent que l'eau en paraît immobile. Il traverse la plaine de Salisbury et joint le Canal à la mer d'Irlande. Juste sous les Pierres, au milieu du fleuve, une île émerge des eaux. C'est l'île d'Avalon, avec son château de fer. Où Arthur attendra.

L'EAU SANS BRUIT. Arthur veut faire toute la justice. Il va brûler Guenièvre, il tuera Lancelot, et punira leurs complices. Mais Malehaut, réfugiée en un couvent, est intouchable, et Galehaut, de retour dans le royaume du Dessous, ne peut être atteint. Faute de mieux, Arthur a décidé de faire raser le château de l'Eau Sans Bruit. Il a envoyé sur place un convoi de démolisseurs, maçons contre les murs, bûcherons contre les arbres, laboureurs contre les jardins, et une quantité d'hommes de toutes mains et de fortes mules pour s'attaquer au rocher de l'eau, boucher les sources, casser les fontaines, combler les étangs, piéger les oiseaux.

La caravane est arrivée sur les lieux au bout d'un jour de marche, et n'a rien trouvé. Il n'y a là ni château ni construction aucune, ni parcs ni jardins, ni rocher avec ou sans eau, ni aucune eau avec ou sans bruit.

Le chef du convoi, qui connaissait bien le domaine pour y être souvent venu, est certain de ne s'être pas égaré. Cependant, devant l'évidence, il décide de revenir en arrière et de refaire le chemin en prêtant bien attention à tous les carrefours, collines, rivières, repères du trajet qui lui est familier. Et il aboutit de nouveau à l'endroit où le domaine de l'Eau Sans Bruit *ne se trouve pas*.

Il suppose qu'il n'est pas allé assez loin. Et la caravane se remet en marche pendant une demi-journée, sans rien trouver.

Alors il cherche à gauche, puis il cherche à droite, et depuis une semaine la caravane serpente et zigzague dans la campagne, le chef du convoi ne sachant comment il va annoncer au roi qu'il n'est pas néces-saire de raser le domaine de l'Eau Sans Bruit, car celui-ci a déjà cessé d'exister.

VIVIANE. Elle suit Lancelot. Merlin lui a dit : « Suis-le, aide-le si tu veux, que tu l'aides ou non rien ne sera changé, ce qui doit être fait sera fait. Il n'y a pas deux fins possibles. »

MERLIN. Malgré son assurance, il a rejoint Galaad. Il ne doit pas l'aider. Il ne peut pas. Mais on ne sait jamais...

Arthur a rassemblé autour de la cité les troupes fidèles qui livraient des combats dispersés. Leurs adversaires les pressent, et il en arrive sans cesse de nouveaux. La bataille ne s'arrête pas.

La cité est vulnérable, et le château lui-même, le château imprenable, cédera peut-être quand les armées de Pharien et Lionel, et les Alémans de Frolle, se joindront aux Saines et aux vassaux révoltés. Et d'autres Saines se sont mis en route, et les Saxons ont franchi les frontières. Camaalot risque de fondre comme un château de sable quand monte la marée. Pharien et Lionel avec son frère Bohor seront là demain, Frolle un jour plus tard. Lancelot sera là aujourd'hui. Il faut tenir un jour. Demain le bûcher sera allumé et justice faite. Ensuite, que la victoire aille aux plus vaillants...

Sans grande conviction, Arthur a appelé Merlin, n'espérant pas être entendu.

— Merlin, mon ami, ne viendras-tu m'aider ?

Merlin a entendu et répondu :

— Pardonne !...

Ce fut la fin du dialogue.

Arthur a fait dresser des embuscades sur le chemin de Lancelot. Celui-ci, et les chevaliers qui se sont joints

451

à lui ont tout balayé, sauf le dernier parti, qui est fort de plus de cent guerriers. Lancelot se bat contre eux depuis une heure, et ne parvient pas à percer le rempart qu'ils lui opposent. Il ne cherche pas à vaincre, mais à passer. Ses adversaires ont l'ordre de lui barrer la route, et malgré leurs pertes se reforment sans cesse devant lui. Ils ne sont plus qu'une cinquantaine, mais Lancelot n'a plus que trois hommes à ses côtés. Il est fou de rage. Camaalot est maintenant si proche, et il piétine...

Alors surgissent, dans une clameur, Pharien, Lionel et Bohor, qui ont devancé leurs armées, et que suivent ceux de leurs hommes qui ont pu se montrer aussi rapides qu'eux.

Lancelot leur hurle un merci et fonce de nouveau, avec eux. Le rempart ennemi se disloque et se disperse. La route de Camaalot est ouverte.

Morgane est restée en son château. C'est tellement plus commode... Assise en un monceau de coussins, entourée de ses plantes vertes préférées, elle peut, de si loin, par-dessus les terres et le Canal, voir tout ce qui se passe à Camaalot.

Un sortilège du Diable a transformé le mur de verre qui lui fait face. La réalité s'y reproduit en même temps qu'elle surgit ailleurs, avec ses mouvements, ses couleurs, ses bruits, ses odeurs. Le Diable est là-bas, ici, partout, et c'est ce qu'il voit qu'elle voit. Parfois les combats débordent dans la pièce, et le sang coule jusqu'aux pieds de Morgane. Elle en frissonne d'excitation. Ses plantes vertes tremblent de toutes leurs feuilles, d'avidité insatisfaite. Elle entend le Diable laper le sang et grogner de plaisir. Puis gronder de fureur : du sang, un fleuve de sang, mais pas une âme !

Tous ces tueurs sont aussi innocents et aussi bêtes que des nourrissons...

Arthur, peut-être... Si Arthur ne pardonne pas, lui sera-t-il pardonné ?

Morgane, sûrement... Mais quelle âme revêche, dure et moisie !...

Morgane voit arriver Lancelot et ses compagnons, qui commencent à tailler dans les défenseurs de la cité.

Elle se dresse et crie au Diable :

— Tue-le ! Tue-le ! Mange-le ! Il est à toi !..

— Non ! dit le Diable jubilant. Pas tout de suite ! Regarde-le ! Quel travail il fait !

— Guenièvre je viens !... Guenièvre je viens !... hurle Lancelot, et la savoir si proche, menacée, souffrante, désespérée, l'emplit d'une telle fureur qu'il n'a presque pas besoin de son épée. La vue de son visage terrible, le sang dont il est couvert, les cris qu'il pousse, épouvantent ses ennemis, qui se dérobent.

Il frappe, taille, ouvre la route. La porte de la cité est là, rien ne l'en sépare plus, elle est fermée mais il s'en moque, il se sent capable de la briser avec ses poings. Bohor et Lionel le suivent avec leurs hommes. Derrière eux accourt Mordret armé et casqué de noir sur un cheval noir.

La porte de la cité s'ouvre. Arthur en sort au galop, suivi de Gauvain, des douze Yvain et de Sagremor. Le roi tire ses deux épées et vient droit à Lancelot.

— Non, Sire !... Non !... Ecartez-vous ! crie Lancelot.

Et il rengaine son épée.

Arthur le frappe d'Escalibur puis de Marmiadoise. Le premier coup lui ouvre la joue gauche, il esquive le second, se penche, saisit le roi de ses deux mains et le jette au sol. Il tire son épée et éperonne. Un chevalier lui barre la route : Gauvain...

— Lancelot, va-t'en ! cria Gauvain. Tu as fait assez de mal ! Va-t'en !...

— Ecarte-toi, Gauvain ! Laisse-moi passer !

— Va-t'en, Lancelot ! Va-t'en !...

— Gauvain, mon ami, mon frère, écarte-toi !...

Gauvain ne répond plus et frappe. Lancelot fait voler son épée, lève la sienne à deux mains et lui fend la tête jusqu'aux épaules. Il hurle :

— Guenièvre ! J'arrive !...

La porte est ouverte. Un groupe de guerriers la défend mais n'ose la fermer, à cause du roi qui est dehors, à bas de son cheval, défendu par les Yvain contre Mordret et une nuée de Saines. Lionel a tué Sagremor, il rejoint Lancelot et Bohor qui sont en train de dégager la porte. Ils passent...

Arthur, remonté sur son cheval, esquive un coup de taille de Mordret et fonce vers la porte. Une seule chose compte : rejoindre Lancelot et le tuer. Ce qui reste des Yvain l'entoure. Ils entrent en trombe dans la cité, poursuivis par Mordret et ses hommes.

Lancelot et ses amis ont déjà franchi la première défense du château.

Arthur rameute les fuyards et les indécis, et attaque Lancelot, Bohor et Lionel devant la deuxième défense. Le chevalier blanc et ses deux amis sont trois chevaliers rouges. Ils ont à faire à plus de cent ennemis. Mordret retient ses hommes. Inutile, pour le moment, d'intervenir. Laisser les autres s'exterminer...

Lancelot n'a qu'une pensée : franchir cette deuxième porte, dont le séparent maintenant la moitié des hommes d'Arthur, leur roi parmi eux.

GONG !

La grosse cloche de la chapelle...

Gong !... Gong !... Lente, grave, elle sonne le glas. Un nuage rouge en forme de tourbillon s'élargit au centre du ciel.

Lancelot hurle :

— Guenièvre ! J'arrive !...

Guenièvre l'entend...

Elle a entendu la rumeur de la bataille peu à peu s'approcher, et maintenant, clairement, SA voix ! Son appel, son cri, son amour !... Les interminables années d'attente s'effacent d'un seul coup. IL EST LÀ !... Un immense bonheur l'inonde. Quelle que soit l'issue du combat, il est venu, enfin ! Cela lui suffit. Elle tombe à genoux, remercie Dieu de toute sa foi, et lui demande de lui pardonner si elle a péché, lui demande de sauver Lancelot même si pour cela il doit s'enfuir et ne pas la rejoindre. Elle accepte le bûcher, pourvu qu'il soit sauvé, mais si elle pouvait le revoir ne serait-ce qu'une minute, un quart de minute, avant de mourir, Mon Dieu si vous vouliez bien, Lancelot, Mon Dieu, elle ne sait plus très bien, elle mélange les deux noms dans le même amour, Lancelot, Mon Dieu...

La porte s'ouvre, des sergents entrent, avec des moines portant des cierges allumés. L'archevêque les suit. Sentant la bataille s'approcher et craignant pour son issue, il a décidé d'avancer le moment de la justice. La pécheresse ne doit pas échapper au châtiment. Le glas sonne, le bourreau est au pied du bûcher.

— Madame, préparez-vous, dit l'archevêque. Le moment est venu... Je dois vous entendre en confession... Soyez brève, nous savons tout... Vous repentez-vous de ce que vous avez fait ?

— Je me repens de tout le mal que j'ai fait, dit Guenièvre.

— Voilà qui est bien vague ! Qu'appelez-vous le mal ?

— Le mal que j'ai fait à mon époux et roi, le mal que j'ai fait au chevalier Lancelot...

— Vous mélangez tout, Madame, je ne peux pas...

— Guenièvre ! J'arrive !... crie la voix de Lancelot.

— Ô Dieu pardonnez-moi ! dit Guenièvre. Et sauvez-le !

— Je ne peux pas vous donner l'absolution, dit l'archevêque. Dieu vous jugera, je ne m'en sens pas capable. Allons ! Nous devons nous dépêcher maintenant...

GON !

Par la porte ouverte de la Tour, le son de la cloche descend vers le cortège qui monte l'escalier du cachot. L'archevêque, en tête, porte une croix d'or. Puis vient, entre les sergents, Guenièvre en robe de bure, pieds nus, ses cheveux dénoués.

GONG !...

L'archevêque, arrivé à la porte, trébuche, tombe et laisse tomber la croix. Le Diable se précipite, saisit à la gorge le prélat qui suffoque. Mais Guenièvre a ramassé la croix et la lui rend. Le Diable recule en sifflant de fureur. Il ne reste que quelques pas à faire pour atteindre le bûcher au bord de la rivière.

GONG !...

Au milieu du ciel, le nuage rouge tourne lentement et s'agrandit.

Dans la plaine, les Saines massacrent tout le monde. D'un parti ou de l'autre, tout est bon.

Lancelot se trouve de nouveau face à face avec

Arthur, qui vient de tuer Lionel. Il jette violemment son cheval contre celui du roi, et le jette à terre avec son cavalier. Il n'y a plus qu'une dizaine d'adversaires entre lui et la dernière porte.

Il crie plus fort que jamais :

— Guenièvre ! J'arrive !

Et frappe, et coupe, et tranche, et avance.

Guenièvre l'entend. Attachée par des chaînes au sommet du bûcher, le visage radieux, elle crie à son tour :

— Lancelot ! Je t'aime !...

Sa voix faible est couverte par le crépitement des flammes qui montent. Lancelot ne peut pas l'entendre, mais il voit s'élever la fumée du bûcher. Sa fureur devient celle d'un cyclone. Son cheval éperonné, couvert de sueur et de sang, bondit en avant. Lancelot aperçoit vaguement, pour la troisième fois, Arthur devant lui. Il le frappe au visage du pommeau de son épée. Arthur assommé reste à cheval. Le sang coule de sa bouche et de son nez écrasé. Il ne voit plus rien, il ne sait plus rien, sauf qu'il est au combat. Dans le noir qui l'entoure, il frappe à gauche, il frappe à droite, de l'une et de l'autre épée.

Mordret, cette fois, a suivi. Cette fois il va intervenir, sans risque. Il s'approche, esquive Marmiadoise, et plonge son épée noire, à fond, dans la poitrine du roi. Dans un sursaut aveugle, Arthur lui fend la tête avec Escalibur.

Les trois Yvain qui restent s'acharnent sur Bohor. Il en tue deux. Le troisième le tue et succombe à ses blessures.

Lancelot a franchi la porte. Il hurle, il rugit, il est un ouragan qui laisse une traînée rouge derrière lui. Il

457

enfonce ses éperons dans les flancs du cheval, l'enlève en un bond prodigieux et plonge avec lui dans les flammes du bûcher. Guenièvre brûle. Elle le voit, essaie de lui sourire, son visage est noir, son regard bleu. Il frappe les chaînes à grands coups d'épée, le feu lui entre dans les poumons, le cuit dans son haubert, tout ce qui peut s'enflammer sur lui flambe. Le cheval en feu épouvanté veut s'enfuir, il lui écrase la bouche avec le mors. Les chaînes cèdent, il arrache Guenièvre, la hisse devant lui et se jette avec elle, à cheval, dans la rivière.

GO...

Le son de la cloche est coupé net. Tout s'arrête. Les épées levées ne s'abattent pas. Le bûcher se pétrifie en pourpre. La cité et la campagne sont paralysées dans un silence absolu. Lancelot et Guenièvre, flamboyants sur leur cheval qui brûle, sont immobilisés à mi-chemin de leur chute vers la rivière. Guenièvre est noire et ses cheveux et la queue du cheval sont des flammes écarlates figées. De la bouche de Lancelot rouge sort une fumée de marbre gris.

Galaad vient de soulever le voile du Graal.

Droit devant lui, toujours tout droit, Galaad avait traversé des royaumes dont les habitants étaient nus et d'autres dont les femmes étaient si vêtues que même leurs yeux se cachaient derrière de petits grillages. Il avait rencontré des hommes dont la peau était noire, jaune, rouge, peinte, velue, des hommes qui ne descendaient jamais de leur cheval même pour dormir, et d'autres qui n'en avaient jamais vu et que le sien avait épouvantés. Les embûches du Diable avaient pris les formes les plus inattendues et les plus violentes. Il en avait triomphé sans dévier de son chemin, à travers terres et mers dont les dimensions semblaient se rétrécir sous les pieds de son cheval. Toujours une nef se trouvait là quand il devait voguer sur l'eau, et à peine avait-il embarqué qu'il arrivait à l'autre rivage. Cherchant le Château Aventureux, il en avait trouvé d'extraordinaires. L'un d'eux, fait de voiles légers et de duvets, voguait dans l'air, maintenu par le vent, et pour y monter il fallait s'asseoir dans un panier glissant sur une corde. Un autre, bâti sous la mer, ne laissait émerger que la tour-escalier par laquelle on y accédait. Un autre était posé sur dix mille colonnes qui étaient des arbres enracinés, coupés à la même hauteur. Un autre était aussi vaste qu'une Bretagne, et en son centre veillait sur un trône de diamants un empereur immobile dont les moustaches tombaient jusqu'à terre.

Mais aucun d'eux n'était celui qu'il recherchait.

Ce jour-là, descendant à cheval de la nef vermeille sur laquelle il lui semblait qu'il venait juste de monter, il sut qu'il était enfin arrivé.

Il ne s'étonna pas, après avoir toujours galopé ou navigué tout droit, de se retrouver au lieu d'où il était parti. Car il savait que le monde est rond. Comme toute chose.

A sa gauche s'éloignait en serpentant le chemin bordé de boîtes. A sa droite se dressait la dune fleurie. Elle montait maintenant jusqu'au ciel. Devant lui s'élevait le Château.

Il ne put en évaluer les dimensions. Il était peut-être immense, il n'était peut-être pas plus grand que la chaumière de Bénigne, dont il rappelait la forme. Sa pierre était blonde. Des colonnes fines comme des tiges ornaient de leur dentelle la façade de ses étages successifs, jusqu'au mince toit pointu. A l'arrière du bâtiment surgissait une coupole verte, flanquée de deux tours à colonnettes, penchées l'une vers la droite, l'autre vers la gauche.

Dans la façade, en haut de quelques marches, étaient ménagées trois portes. Celle du milieu était ouverte.

L'ensemble inspirait à la fois un profond sentiment de respect et de vénération, et celui de la sécurité chaleureuse qu'on éprouve à retrouver la demeure dans laquelle on est heureux de vivre.

Galaad descendit de cheval et regarda le ciel. A sa

gauche, le soleil descendait vers son coucher. Ce n'était pas sa place normale, mais il était là. A sa droite, la lune se levait en son dernier croissant. Ce n'était ni son heure ni son jour ni sa place, mais elle s'y trouvait. Et du soleil à la lune, dans la lumière du jour, brillaient d'un éclat vif les constellations.

Galaad s'inclina vers les deux astres et vers le Château, puis, d'un bon pas, s'avança vers celui-ci.

Au bord du court chemin, un homme assis sur un tabouret pêchait à la ligne dans un puits. Un chapeau de jonc tressé lui couvrait la tête.

— Grand-père, tu vas pêcher la lune ! lui dit Galaad en riant.

— Beau chevalier, je ne crois pas..., répondit le pêcheur en riant lui aussi.

Il tira sa ligne au bout de laquelle frétillait un poisson d'or vivant. Il le tendit vers Galaad, et celui-ci se trouva à l'intérieur du Château, dans la pièce ronde.

Les sept chevaliers l'attendaient debout, de part et d'autre du roi couronné. A la droite de celui-ci, portant aussi couronne, se tenait Elwenn, le visage rayonnant de bonheur.

— Beau doux fils, dit-elle, le monde est heureux de recevoir son meilleur chevalier. Mais la plus heureuse du monde, c'est moi.

— Non, mère, dit Galaad, le plus heureux du monde, c'est moi...

Il mit genoux en terre devant elle et lui baisa les mains. Elle lui dit :

— T'ayant conçu par amour charnel, je ne suis plus apte à porter le Graal. Mais je dois te conduire à lui.

Elle lui prit la main, le releva et ils allèrent ensemble vers la porte du cortège.

461

Ils entrèrent dans une salle ronde où se tenaient debout, devant le mur doré constellé de pierres fines de toutes couleurs, onze demoiselles vêtues de robes safran. Chacune portait un cierge allumé. Au-dessus de leurs flammes tournait le pigeon blanc, sans sa cassolette. Il vint se poser sur les cheveux de Galaad.

Elwenn conduisit celui-ci dans la deuxième salle, dont le mur rond était rouge. Sur un lit étroit saignaient le roi mehaigné et l'Epée Brisée. Le roi blessé regarda Galaad avec espoir et anxiété, sans rien lui dire. Galaad saisit les deux morceaux de l'épée et en rapprocha les bords fracturés. Les deux fragments, aussitôt, ne furent plus qu'une seule lame, sans traces de la cassure. Galaad reposa l'épée intacte près du roi. La plaie de celui-ci cessa de saigner et se ferma. Le roi poussa un énorme soupir, mit ses très vieilles mains sur ses yeux, et mourut.

Elwenn conduisit Galaad dans la troisième salle. Son mur blanc était si blanc qu'on ne pouvait le voir. La porte derrière eux se ferma. Une musique d'instruments et de voix venait de toutes parts. Elle exprimait un accueil serein et heureux. Un parfum qui était celui du paradis avant l'erreur entrait dans Galaad par ses narines et par toute sa peau. Il sentait, il entendait, mais surtout il regardait... Ses yeux étaient fixés sur le Graal.

Le saint vase, recouvert de son voile blanc qui retombait autour de lui, rayonnait doucement au centre de la pièce, sans être posé sur rien, ni porté ni suspendu.

Regardant le Graal, Galaad se mit à chanter. Sa voix semblait venir de la terre. Grave, simple, élémentaire, elle sortait de lui sans effort, sans clameur, emplissait la salle et faisait vibrer le mur invisible. Et tout le château vibra et chanta avec lui.

Le Graal devint pure lumière.

Elwenn cacha son visage dans ses mains. Chantant la dernière note ininterrompue, Galaad s'avança vers le Graal, qui descendit à hauteur de sa poitrine. Il saisit les deux coins du voile, les souleva et regarda.

Il fut comme foudroyé. La voix coupée, il tomba à genoux et couvrit son visage avec le voile qu'il tenait. Quand il retrouva souffle, il dit :

— ô DIEU !... DIEU !... DIEU !...

Il dévoila son visage rayonnant, qui avait changé. A l'enfance intacte s'alliaient la totale maturité et la lumière de la certitude.

Il s'adressa à Elwenn qui le regardait, bouleversée.

— Mère, j'ai vu..., je comprends..., je sais...

Il se tourna de nouveau vers le Graal et reposa le voile sur le vase très ancien.

A Camaalot, le temps se souda à lui-même comme les deux tronçons de l'épée. L'instant interrompu continua. Lancelot et Guenièvre embrasés sur leur cheval de feu tombèrent dans la rivière qui les engloutit.

Galaad dit à Elwenn :

— Ma tâche n'est pas terminée... Mère, j'aurai besoin de vous !

Il prit avec infiniment de respect et d'amour, mais avec décision, le Graal voilé, et dit à sa mère :

— Allons...

Ils se retrouvèrent sur le cheval qui attendait près de la dune, Elwenn couronnée assise devant son fils et tenant les rênes. Lui, très droit, serrant le précieux vase contre sa poitrine. Le soleil couchant, revenu à sa juste place, dorait le pigeon blanc posé dans ses cheveux. Le Château Aventureux avait disparu.

Elwenn dirigea le cheval vers la mer.

Le soleil se couchait dans les fumées. Les fermes brûlaient, les villages brûlaient, Camaalot brûlait. La horde des Saines couvrait les campagnes et la cité et traquait les derniers combattants dans les rues, dans les maisons encore intactes, dans le château. Des chevaux sans maîtres galopaient, affolés, sur les pavés. La chapelle flambait. L'archevêque blessé à mort rampait vers l'autel. Une poutre de braise lui tomba sur le dos et l'acheva dans une odeur de chair brûlée. Les femmes du peuple et les dames du château essayaient de se cacher mais toujours quelque guerrier les trouvait et les tirait de leur trou en éclatant de rire.

Des cadavres gisaient partout, des chevaux blessés survivaient encore, agitant une jambe ou essayant de lever la tête. L'air sentait le feu, la boucherie et les sanies lâchées par les ventres des morts.

Nul ne se souciait du corps du roi, tombé en travers de celui de Lionel. Ses mains serraient toujours ses deux épées. Une troisième était plantée dans sa poitrine.

Merlin se pencha vers lui et retira doucement l'épée noire du Maudit. Il affirma au roi mort :

— Roi, tu m'entends !

Les yeux d'Arthur s'ouvrirent et se refermèrent, pour dire « oui ».

— Tu vas te lever et monter dans la nef blanche, qui t'attend sur la rivière. Elle te conduira à l'île d'Avalon, sous ta couronne de pierres. Apprends le vrai nom de celle-ci : c'est Stonehinge : charnière de pierre. Tu attendras, couché dans ton château de fer, que vienne le moment où tu seras appelé. Alors la charnière jouera, la porte s'ouvrira, l'île d'Avalon montera au milieu de la plaine de Salisbury, et le roi aux deux épées sortira de son château pour délivrer les royaumes... Va !...

Le roi se leva.

Merlin tourna son visage vers le ciel où commençaient à briller les étoiles, et appela tendrement :

— Viviane !...

Viviane se redressa et répondit :

— Merlin !...

Elle s'était penchée sur Guenièvre et Lancelot endormis, étendus nus sur le lit de leur chambre, dans la maison courte.

Elle les avait saisis dans l'eau de la rivière, transportés dans leur asile caché, et, de sa main promenée sur eux, venait de fermer leurs plaies, guérir leurs brûlures, remplacer leurs cheveux flambés. Pendant qu'elle y était, elle avait effacé quelques rides et quelques cicatrices trop rudes, et résorbé la fatigue. Ils allaient se réveiller...

Elle se pencha de nouveau, posa un baiser sur les lèvres de Lancelot.

— Adieu mon beau trouvé... Cette fois-ci je te perds pour toujours...

Elle réfléchit un instant, grave, et ajouta :

— Peut-être pas...
Puis, à Merlin :
— Je viens.

Le Diable prit l'extrémité du Val Sans Retour entre ses mains et le secoua comme un tapis. Le château de Morgane s'écroula sur elle, libérant ses hôtes ébahis, qui se trouvèrent errants en pleine nuit dans la forêt redevenue sauvage et sur laquelle craquait un orage épouvantable. Le Diable se précipita pour cueillir l'âme de Morgane, et hurla de rage en se brûlant les mains, lui le brûleur, sur une coquille de ciment dans laquelle son alliée avait enfermé la pièce où elle se tenait. C'était du ciment pétri avec de l'eau bénite...

Morgane y est toujours. Le ciment est devenu un rocher, du haut duquel on a une vue plongeante sur le val sauvage. Des touristes y viennent, des Japonais, des Allemands surtout, quelques Français aussi. Ils ne se doutent pas que sous leurs pieds râle, rage, s'agite la sœur du roi Arthur enfermée dans l'énorme pierre. Elle est devenue telle que Merlin lui avait permis de se voir, et pire encore. Des siècles et des siècles d'âge et de fureur en ont fait un vieux chicot ratatiné et tordu. Elle a gardé, par malheur pour elle, des yeux intacts. Et les murs sont des miroirs... Elle s'y voit, dans toutes les directions, reflétée mille fois jusqu'au fond de la lumière. Elle hurle d'horreur et de rage, toutes ses images dansent ensemble une danse de folie, elle court se cacher derrière ses plantes vertes. Mais ses plantes ne la connaissent plus et la piquent. Elle leur échappe en les injuriant et se retrouve face à face avec elle, horrible, furieuse, innombrable.

Le Diable la guette. Elle finira bien par mourir... Un

467

jour elle se cassera la tête en essayant comme elle l'a déjà fait, de briser avec son front plus dur que la pierre, les miroirs indestructibles...

Le Diable espère en vain. Morgane lui échappera, elle aussi. Elle sortira, très simplement vivante ou morte, le jour où elle cessera de haïr les autres. Et de se haïr elle-même.

— LES HÉROS NE SONT PAS MORTS, dit Merlin.
Ils se sont entre-tués parce que les hommes de l'épée
devaient disparaître. Leur temps est terminé. Galaad a
mis fin à l'Aventure. Aux épées vont succéder les écus,
et la confusion des faux savoirs sur lesquels souffle le
Diable. Si un héros s'était obstiné à demeurer, regarde
ce qu'il serait devenu...

Viviane et Merlin s'étaient rejoints en haut de
l'Arbre. Le soleil, qui se couchait à l'occident, s'était
levé pour eux à l'orient, et dans sa double lumière,
Merlin montrait à Viviane le fleuve du temps qui
coulait. Sur sa surface agitée, grise du mélange de
mille couleurs, se dessinait, à son évocation, une scène,
un visage, une cité, un paysage.

Et Viviane vit, dans une campagne pelée, sur un
cheval étique, un chevalier maigre coiffé d'un plat de
barbier et suivi par un âne. Des marchands gras
l'attendaient pour le rosser.

— Les chevaliers reviendront, dit Merlin, quand
Galaad leur tendra des armes nouvelles. Et ils repren-
dront la Quête, non dans le sang mais dans la lumière,
non contre l'amour mais avec lui.

— Vers quel lieu est parti Galaad ? demanda

Viviane. Où va-t-il? Où sera-t-il? Où sera le Graal?

— Le Graal s'éloigne, dit Merlin. Il va s'éloigner pendant des siècles... Mais il reste toujours proche. Le chemin qui y conduit s'ouvre en chaque vivant...

L'Arbre s'enfonçait lentement dans le lac. Il les laissa à la surface, sur les rivages opposés d'une île ronde. Au-dessus d'eux, entre les deux soleils, de lents cortèges de constellations, de tous les ors et les saphirs, tournaient en multitudes de spirales. Les deux lunes pointues voguaient et se balançaient près des horizons.

Ils marchèrent l'un vers l'autre, leurs mains caressant au passage les feuilles et les fleurs. Les oiseaux de Viviane chantaient, et d'autres oiseaux chantaient dans l'île et sur le lac. A mesure qu'ils avançaient, leurs vêtements fondaient dans l'air, et lorsqu'ils furent l'un près de l'autre, rien ne les séparait plus, aucun interdit, aucun regret, aucune honte, aucune peur. Ils étaient ensemble, dans la nudité parfaite de la première jeunesse du monde.

Ils se rapprochèrent encore, lentement, et des pieds à la tête leurs corps se touchèrent. Ce fut comme s'ils recevaient le ciel et la terre. Ils entraient dans la joie de l'amour absolu où la chair et l'esprit se rejoignent, se confondent et emplissent l'univers. Merlin murmura à Viviane le mot qu'il ne lui avait jamais dit, Viviane le répéta et la chambre du lac et la terrasse et le petit jardin, la source et la fontaine et l'arbre bleu sont venus avec eux, mêlés à l'herbe et aux rosiers de l'île. L'air a tourné lentement et s'est refermé autour d'eux, les dérobant aux regards du monde. Ils vivent depuis ce jour dans la chambre invisible, la chambre d'air, la chambre d'amour, que le temps promène. Elle est là-bas, elle est ailleurs, elle est ici... Un jour elle s'ouvrira. Comme une graine...

L'île existe toujours, au milieu du lac. Ses bords sont un peu usés. Toute l'année des fleurs y fleurissent et des oiseaux y nichent. Sur le lac se posent des oiseaux migrateurs qui viennent du nord et du sud et d'autres directions. Ils bavardent entre eux, échangent leurs nouvelles, puis repartent vers le monde. Au centre de l'île a poussé un pommier.

DU MÊME AUTEUR

Aux Éditions Denoël

RAVAGE, *roman*. (Folio 238).
LE VOYAGEUR IMPRUDENT, *roman* (Folio 485).
TARENDOL, *roman*. (Folio 169).
COLOMB DE LA LUNE, *roman*. (Folio 955).
LE DIABLE L'EMPORTE, *roman*.
LA TEMPÊTE, *roman*. (Folio 1696).
L'ENCHANTEUR, *roman* (Folio 1841).
)EMAIN LE PARADIS, *roman*.
CINÉMA TOTAL.
LA FAIM DU TIGRE, (Folio 847).
LA CHARRETTE BLEUE, (Folio 1406).
JOURNAL D'UN HOMME SIMPLE.

Aux Éditions du Mercure de France

LA PEAU DE CÉSAR, (Folio 1857).

Aux Presse de la Cité

LA NUIT DES TEMPS, *roman*.
LES CHEMINS DE KATMANDOU, *roman*.
LE GRAND SECRET, *roman*.
UNE ROSE AU PARADIS, *roman*.
LES ANNÉES DE LA LUNE, *chroniques*.
LES ANNÉES DE LA LIBERTÉ, *chroniques*.
LES ANNÉES DE L'HOMME, *chroniques*.
LES FLEURS, L'AMOUR, LA VIE, *album*.

En collaboration avec OlenKa de Veer :

LES DAMES À LA LICORNE, *roman.*

LES JOURS DU MONDE, *roman.*

Aux Éditions Flammarion

LE PRINCE BLESSÉ, *nouvelles.*

Aux Éditions Garnier

SI J'ÉTAIS DIEU...

Aux Éditions Albin Michel

LETTRE OUVERTE AUX VIVANTS QUI VEULENT
LE RESTER.

Impression Maury-Eurolivres
45300 Manchecourt
le 16 décembre 2002.
Dépôt légal : décembre 2002.
1ᵉʳ dépôt légal dans la collection : juin 1987.
Numéro d'imprimeur : 02/12/98971.
ISBN 2-07-037841-1. / Imprimé en France
Précédemment publié aux Éditions Denoël.
ISBN 2-207-22974-2